하이탑

과학 고수들의 필독서

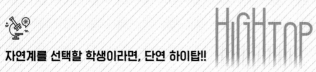

자연계를 선택할 학생이라면, 단연 하이탑!!

High Top

1권

생명과학 Ⅰ

이 책의 구성과 특징

지금껏 선생님들과 학생들로부터 고등 과학의 바이블로 명성을 이어온 하이탑의 자랑거리는 바로,

- 기초부터 심화까지 이어지는 튼실한 내용 체계
- 백과사전처럼 자세하고 빈틈없는 개념 설명
- 내용의 이해를 돕기 위한 풍부한 자료
- 과학적 사고를 훈련시키는 논리 정연한 문장

이었습니다. 이러한 전통과 장점을 이 책에 이어 담았습니다.

1 개념과 원리를 익히는 단계

●개념 정리

여러 출판사의 교과서에서 다루는 개념들을 체계적으로 다시 정리하여 구성하였습니다.

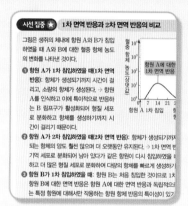

●시선 집중

중요한 자료를 더 자세히 분석하거나 개념을 더 잘 이해할 수 있도록 추가로 설명하였습니다.

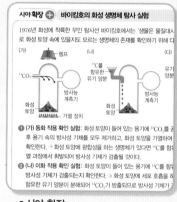

●시야 확장

심도 깊은 내용을 이해하기 쉽도록 원리나 개념을 자세히 설명하였습니다.

●탐구

교과서에서 다루는 탐구 활동 중 가장 중요한 주제를 선별하여 수록하고, 과정과 결과를 철저히 분석하였습니다.

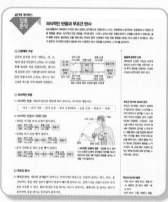

●집중 분석

출제 빈도가 높은 주제를 집중적으로 분석하고, 유제를 통해 실제 시험에 대비할 수 있도록 하였습니다.

●심화

깊이 있게 이해할 필요가 있는 개념을 따로 발췌하여 심화 학습할 수 있도록 자세히 설명하고 분석하였습니다.

●개념 모아 정리하기
각 단원에서 배운 핵심 내용을 빈칸에 채워 나가면서 스스로 정리하는 코너입니다.

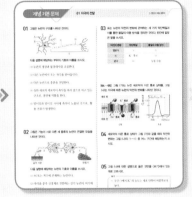

●개념 기본 문제
각 단원의 기본적이고 핵심적인 내용의 이해 여부를 평가하기 위한 코너입니다.

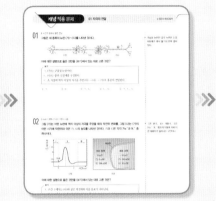

●개념 적용 문제
기출 문제 유형의 문제들로 구성된 코너입니다. '고난도 문제'도 수록하였습니다.

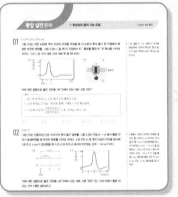

●통합 실전 문제
중단원별로 통합된 개념의 이해 여부를 확인함으로써 실전에 대비할 수 있도록 구성하였습니다.

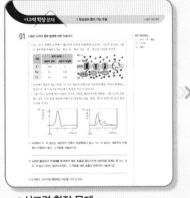

●사고력 확장 문제
창의력, 문제 해결력 등 한층 높은 수준의 사고력을 요하는 서술형 문제들로 구성하였습니다.

●논구술 대비 문제
논구술 시험에 출제되었거나, 출제 가능성이 높은 예상 문제를 수록하여 답변 요령 및 예시 답안과 함께 제시하였습니다.

●정답과 해설
정답과 오답의 이유를 쉽게 이해할 수 있도록 자세하고 친절한 해설을 담았습니다.

66

하이탑은
과학에 대한 열정을 지닌 독자님의
실력이 더욱 향상되길 기원합니다.

99

Contents

이 책의 차례 — 생명 과학

" 자세하고 짜임새 있는 설명과 수준 높은 문제로 실력의 차이를 만드는 High Top **"**

I

생명 과학의 이해

1 생명 과학의 이해

1

생명 과학의 이해

Preview

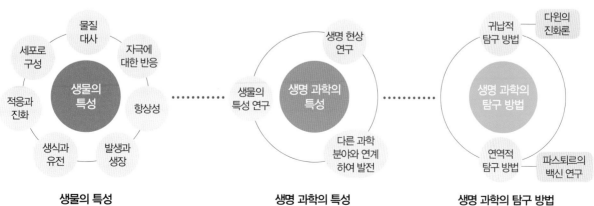

생물의 특성

생명 과학의 특성

생명 과학의 탐구 방법

01 생물의 특성

학습 Point   생물의 특성 – 세포로 구성, 물질대사, 자극에 대한 반응과 항상성, 발생과 생장, 생식과 유전, 적응과 진화 > 바이러스의 생물적 특성과 비생물적 특성

1 생물의 특성

 1권 16쪽

강아지와 강아지 인형을 비교해 보자. 생김새는 비슷하지만 강아지는 생물이고, 강아지 인형은 비생물이다. 또, 숲의 나무와 나무로 만든 의자를 비교해 보자. 나무는 생물이지만, 나무로 만든 의자는 비생물이다. 생물인 강아지나 나무는 비생물인 강아지 인형이나 나무로 만든 의자와 어떻게 다를까? 생물을 비생물과 구별할 수 있는 특성에는 여러 가지가 있다.

1. 세포로 이루어져 있다

(1) **생물의 구성 단위:** 대장균, 아메바와 같이 단순한 생물에서부터 소나무, 사람과 같이 복잡한 생물에 이르기까지 모든 생물은 세포로 이루어져 있으며, 세포에서는 다양한 생명 활동이 일어난다. 따라서 세포는 생물을 구성하는 구조적 단위이며, 생명 활동이 일어나는 기능적 단위이다.

(2) **생물의 구성 체제:** 생물에는 하나의 세포로 이루어진 단세포 생물과 여러 개의 세포로 이루어져 정교한 체제를 이루는 다세포 생물이 있다.

① 단세포 생물: 하나의 세포가 개체가 되고, 하나의 세포에서 모든 생명 활동이 일어난다. ㉠ 대장균, 아메바

② 다세포 생물: 단순히 많은 세포가 모여 몸을 구성하는 것이 아니라, 세포의 구조와 기능이 다양하게 분화되어 있어 조직적이고 유기적으로 몸을 구성한다. 다세포 생물은 모양과 기능이 같은 세포들이 모여 조직을 이루고, 여러 조직이 모여 특정한 기능을 하는 기관을 이루며, 여러 기관이 서로 긴밀하게 연관되어 하나의 개체를 이루는 복잡하고 정교한 체제를 갖추고 있다. ㉠ 소나무, 사람

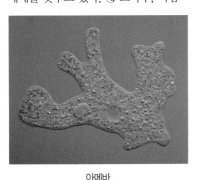

아메바

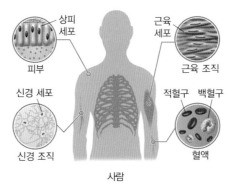

사람

▲ **단세포 생물과 다세포 생물**   단세포 생물인 아메바는 1개의 세포로 이루어져 있고, 다세포 생물인 사람은 구조와 기능이 다양한 많은 수의 세포로 이루어져 있다.

생물의 특성 구분

생물의 특성은 하나의 개체가 살아 있는 상태를 유지하는 것과 관련된 개체 유지 특성과 생물종을 유지하는 것과 관련된 종족 유지 특성으로 구분할 수 있다.

개체 유지 특성	종족 유지 특성
• 세포로 구성 • 물질대사 • 자극에 대한 반응과 항상성 • 발생과 생장	• 생식과 유전 • 적응과 진화

조직

모양과 기능이 같은 세포들의 모임

㉠ • 동물: 상피 조직, 신경 조직, 근육 조직, 결합 조직
    • 식물: 표피 조직, 분열 조직, 통도 조직, 유조직

기관

여러 조직이 모여 일정한 형태를 이루고 특정한 기능을 하는 부분

㉠ • 동물: 간, 위, 심장, 폐
    • 식물: 잎, 줄기, 뿌리, 꽃, 열매

다세포 생물의 구성 단계

• 식물: 세포 → 조직 → 조직계 → 기관 → 개체
• 동물: 세포 → 조직 → 기관 → 기관계 → 개체

2. 물질대사를 한다

(1) **물질대사:** 생물은 외부에서 받아들인 물질을 다른 물질로 합성하거나 분해하는데, 이와 같이 생명체에서 일어나는 모든 화학 반응을 물질대사라고 한다. 생물은 물질대사를 통해 몸에 필요한 물질과 생명 활동에 필요한 에너지를 얻는다. 물질대사에는 생체 촉매인 효소가 관여한다.

(2) **물질대사의 구분:** 물질대사는 작고 간단한 물질을 크고 복잡한 물질로 합성하는 동화 작용과 크고 복잡한 물질을 작고 간단한 물질로 분해하는 이화 작용으로 구분한다. 동화 작용에는 광합성, 단백질 합성 등이 있고, 이화 작용에는 세포 호흡, 소화 등이 있다. 물질대사가 일어날 때에는 반드시 에너지가 흡수되거나 방출되는데, 동화 작용이 일어날 때에는 에너지가 흡수되어 저장되고, 이화 작용이 일어날 때에는 에너지가 방출된다.

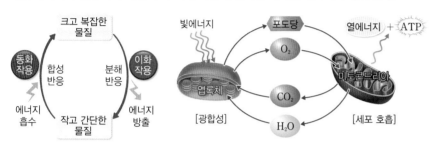

▲ **물질대사** 빛에너지를 흡수하여 포도당을 합성하는 광합성은 동화 작용이고, 포도당을 분해하여 생명 활동에 필요한 형태의 에너지(ATP)를 얻는 세포 호흡은 이화 작용이다.

효소
생명체 내에서 일어나는 화학 반응인 물질대사를 촉진하는 생체 촉매이다. 효소의 작용으로 물질대사는 체온 정도의 낮은 온도에서 빠르게 일어난다.

에너지 대사
생명체 내에서 화학 반응이 일어날 때 에너지의 변화가 함께 일어나기 때문에 물질대사를 에너지 대사라고도 한다. 즉, 물질대사와 에너지 대사는 둘 다 생명체 내에서 일어나는 화학 반응을 말하는데, 물질대사가 물질 변화 측면에서의 용어라면, 에너지 대사는 에너지 변화 측면에서의 용어이다.

물질대사의 예
· 동화 작용: 벼는 빛에너지를 흡수하여 양분을 합성한다.
· 이화 작용: 효모는 포도당을 분해하여 에너지를 얻는다.

시야 확장 ➕ 바이킹호의 화성 생명체 탐사 실험

1976년 화성에 착륙한 무인 탐사선 바이킹호에서는 '생물은 물질대사를 한다.'라는 특성을 전제로 화성 토양 속에 있을지도 모르는 생명체의 존재를 확인하기 위해 다음과 같은 실험을 하였다.

❶ **(가) 동화 작용 확인 실험:** 화성 토양이 들어 있는 용기에 $^{14}CO_2$를 공급하고 빛을 비추다가 5일 후 용기 속의 방사성 기체를 모두 제거하고, 화성 토양을 가열하여 방사성 기체가 검출되는지 확인한다. → 화성 토양에 광합성을 하는 생명체가 있다면 ^{14}C를 함유한 유기물이 합성된 후 가열 과정에서 휘발되어 방사성 기체가 검출될 것이다.

❷ **(나) 이화 작용 확인 실험:** 화성 토양이 들어 있는 용기에 ^{14}C를 함유한 유기 양분을 공급한 후 방사성 기체가 검출되는지 확인한다. → 화성 토양에 세포 호흡을 하는 생명체가 있다면 ^{14}C를 함유한 유기 양분이 분해되어 $^{14}CO_2$가 방출되므로 방사성 기체가 검출될 것이다.

❸ **(다) 기체 교환 확인 실험:** 화성 토양이 들어 있는 용기에 유기 양분을 공급한 후 용기 속의 기체 조성에 변화가 생기는지 확인한다. → 화성 토양에 호흡을 하는 생명체가 있다면 기체 교환이 일어나 용기 속의 기체 조성에 변화가 생길 것이다.

❹ 실험 결과 (가)~(다)에서 아무런 변화가 나타나지 않았다. → 화성 토양에는 물질대사를 하는 생명체가 존재하지 않는다.

화성 생명체 탐사 실험에서 탄소(C)를 ^{14}C로 표지한 까닭
화성 토양에 생명체가 있음을 가정하고 생명체가 탄소의 방사성 동위 원소인 ^{14}C로 표지된 물질을 이용하여 물질대사를 할 경우 생성될 방사성 물질을 추적할 수 있기 때문이다.

3. 자극에 대해 반응하고, 항상성을 유지한다

(1) **자극에 대한 반응**: 빛, 온도, 접촉 등 생물의 생명 활동에 영향을 미치는 체내외의 환경 변화를 자극이라고 하며, 생물은 이러한 자극에 적절히 반응함으로써 생명을 유지한다. 어두운 곳에서 고양이의 동공이 커지는 것, 파리지옥의 잎에 곤충이 닿으면 잎이 닫히는 것 등은 자극에 대한 반응의 예에 해당한다.

(2) **항상성**: 생물은 자극에 대한 반응을 통해 위험으로부터 몸을 보호하고, 체온, 혈당량, 삼투압과 같은 체내의 상태를 일정하게 유지하기도 한다. 생물이 체내외의 환경 변화에 관계없이 체내의 상태를 일정하게 유지하려는 성질을 항상성이라고 하며, 항상성은 신경계와 호르몬을 분비하는 내분비계의 조절을 받아 유지된다. 사람이 더울 때 땀을 흘리는 것, 물을 많이 마시면 오줌의 양이 늘어나는 것, 식사 후 혈당량이 증가하면 인슐린의 분비량이 증가하여 혈당량이 정상 수준으로 감소하는 것 등은 항상성의 예에 해당한다.

자극의 종류
외부 환경인 빛, 소리, 온도, 접촉, 중력, 기체나 액체 상태의 화학 물질의 변화뿐만 아니라 내부 환경에 해당하는 혈액의 온도, 혈액의 포도당 농도(혈당량), 혈액의 삼투압 변화 등도 자극으로 작용한다.

항상성
혈액의 온도, 혈액의 포도당 농도(혈당량), 혈액의 삼투압 변화가 자극으로 작용하면, 그에 대한 반응으로 신경계와 내분비계의 조절이 일어나 항상성이 유지된다. 결국 항상성도 자극에 대한 반응을 통해 유지되는 것이다.

▲ **자극에 대한 반응의 예** 지렁이는 빛을 피해 어두운 곳으로 이동하고, 해바라기는 태양을 향해 자란다.

▲ **항상성의 예** 사람은 더울 때 땀을 흘려 체온을 일정하게 유지한다.

4. 발생과 생장을 한다

(1) **발생**: 동물이나 식물과 같은 다세포 생물의 생식 과정에서 만들어지는 수정란은 하나의 세포에 해당한다. 수정란은 세포 분열을 통해 세포 수가 증가하고, 세포의 구조와 기능이 다양해져 여러 조직과 기관을 형성함으로써 완전한 하나의 개체로 되는데, 이 과정을 발생이라고 한다.

(2) **생장**: 발생 과정을 거친 어린 개체는 세포 분열을 통해 세포 수를 늘려 몸의 크기가 커지고 무게가 증가하여 성체로 자라는데, 이 과정을 생장이라고 한다. 즉, 다세포 생물은 발생과 생장을 통해 구조적·기능적으로 완전한 개체가 된다.

사람의 발생과 생장
어머니의 자궁 속에서 수정란이 태아로 되어 태어나기 전까지의 과정이 발생이고, 아기가 태어난 후 자라서 어른으로 되는 과정이 생장이다.

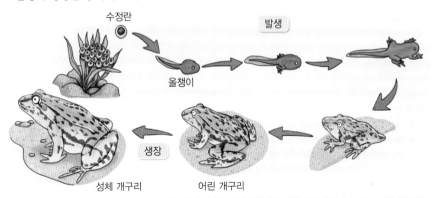

▲ **개구리의 발생과 생장** 개구리의 수정란은 발생 과정을 통해 올챙이를 거쳐 어린 개구리가 되고, 어린 개구리는 생장하여 성체 개구리가 된다.

대나무 숲의 죽순과 석회 동굴 속의 석순은 모두 크기가 커지고 변화한다. 하지만 죽순은 생물이고, 석순은 비생물이다.

▲ 죽순   ▲ 석순

❶ **죽순이 커지는 현상**: 생물인 죽순은 외부에서 흡수한 물질을 자신의 몸을 구성하는 물질로 변화시키는 물질대사를 통해 세포의 크기가 커지거나, 세포 분열을 통해 세포 수를 늘려 크기가 커진다. 즉, 죽순의 크기가 커지는 것은 생장에 해당한다.

❷ **석순이 커지는 현상**: 비생물인 석순은 세포로 이루어져 있지 않으며, 기존의 석순에 외부에서 탄산 칼슘이 첨가됨으로써 크기가 커진다. 즉, 석순은 물질대사와 세포 분열에 의해 생장하는 것이 아니라 구성 물질의 양이 증가함으로써 커지는 것이다.

죽순
대나무의 땅속줄기에서 돋아나는 어린 싹

석순
석회 동굴의 천장에서 떨어지는 물방울에 섞여 있는 탄산 칼슘이 동굴 바닥에 쌓여 위로 자란 돌출물

5. 생식과 유전이 일어난다

(1) **생식**: 모든 개체는 수명이 다하면 죽지만 개체가 죽어도 종은 유지된다. 이는 생물이 자신과 닮은 자손을 남기기 때문이다. 이와 같이 생물이 자손을 만드는 현상을 생식이라고 한다. 아메바와 같은 단세포 생물은 대부분 한 개체가 생식세포를 만들지 않고 단독으로 세포 분열을 통해 자신과 유전적으로 같은 자손을 만드는데, 이러한 생식 방법을 무성 생식이라고 한다. 반면에, 호랑이와 같은 다세포 생물은 대부분 암수 개체가 각각 만든 생식세포의 결합으로 어버이를 닮은 자손을 만드는데, 이러한 생식 방법을 유성 생식이라고 한다.

(2) **유전**: 생식으로 만들어진 자손은 어버이를 닮는데, 이는 생식 과정에서 어버이의 유전자가 자손에게 전달되었기 때문이다. 이와 같이 어버이의 형질이 자손에게 전해지는 현상을 유전이라고 한다. 생물은 생식과 유전을 통해 종족을 유지한다.

무성 생식의 종류
무성 생식의 방법에는 분열법, 출아법, 포자 생식, 영양 생식 등이 있다. 아메바는 분열법으로 번식하며, 효모는 출아법으로 번식한다.

▲ 출아법으로 번식하는 효모

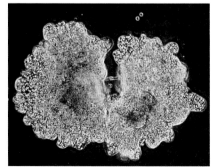 

아메바   호랑이 어미와 새끼

▲ **생식과 유전** 단세포 생물인 아메바는 분열법을 통해 자신과 유전적으로 같은 자손을 만들고, 다세포 생물인 호랑이는 암수 생식세포인 난자와 정자의 수정을 통해 어버이를 닮은 자손을 만든다.

유전의 예
• 어머니가 적록 색맹이면 아들도 적록 색맹이다.
• 부착형 귓불을 가진 부모 사이에서 태어난 자녀는 모두 부착형 귓불을 가진다.

6. 적응하고 진화한다

(1) 적응: 생물이 서식 환경에 알맞게 몸의 형태와 기능, 생활 습성 등이 변화하는 현상을 적응이라고 한다.

(2) 진화: 생물이 여러 세대를 거치면서 각기 다른 환경에 적응하는 동안 유전자가 다양하게 변화되어 형질이 변하고 새로운 종으로 분화되는 현상을 진화라고 한다. 진화의 결과 오늘날과 같이 다양한 생물이 나타나게 되었다.

(3) 적응과 진화의 예: 건조한 사막에 사는 캥거루쥐는 진한 오줌을 소량 배설하고, 사막에 사는 선인장은 잎이 가시로 변하여 수분의 손실을 막는다. 또, 눈신토끼는 겨울이 되면 갈색이던 털을 흰색으로 바꾸고, 가랑잎벌레는 색깔과 생김새가 나뭇잎과 비슷하여 천적으로부터 몸을 보호한다.

▲ 캥거루쥐 　　▲ 선인장 　　▲ 눈신토끼 　　▲ 가랑잎벌레

갈라파고스 군도의 여러 섬에는 부리의 모양과 크기가 다른 여러 종류의 핀치가 살고 있는데, 이는 한 종류의 핀치가 각 섬의 먹이 환경에 적응하여 진화한 결과이다.

열매를 먹는 새 　　곤충을 먹는 새 　　선인장을 먹는 새 　　씨를 먹는 새
▲ 갈라파고스 군도의 핀치

시야 확장 ➕ 사막토끼와 북극토끼의 적응 현상

▲ 사막토끼 　　▲ 북극토끼

❶ 사막토끼는 북극토끼에 비해 귀와 같은 말단부가 크고 몸집이 작다. → 부피에 대한 체표면적의 비율을 늘려 몸의 표면을 통해 열이 잘 빠져나가도록 함으로써 더운 서식 환경에서 생활하기에 유리하다. 이는 온도에 대한 적응 현상이다.

❷ 북극토끼가 북극에 가까운 곳에 서식할 때는 털색이 연중 내내 흰색을 띤다. → 주변 환경과 비슷한 털색을 가져 포식자의 눈에 잘 띄지 않도록 적응하였다.

여러 환경 요인에 대한 적응의 예

• 빛의 세기: 양지 식물의 잎이 음지 식물의 잎보다 두껍다.
• 빛의 파장: 바다의 깊이에 따라 해조류의 분포가 다르다.
• 일조 시간: 국화는 일조 시간이 짧은 가을에 꽃이 핀다.
• 온도: 사막여우는 북극여우에 비해 몸집이 작고 귀가 크다.
• 물: 사막에 사는 선인장은 잎이 가시로 변하고, 뿌리와 저수 조직이 잘 발달해 있다.

적응과 진화의 관계

적응은 생물이 서식 환경에 적합하도록 몸의 형태, 기능과 같은 유전적 특징이 변화한 것이고, 진화는 여러 세대를 거치면서 집단의 유전자 빈도가 달라진 것으로 유전 형질의 변화와 종분화까지도 포함한다. 이런 의미에서 적응은 진화에 포함된 개념으로 볼 수 있다.

적응과 진화의 다른 예

• 살충제를 지속적으로 뿌리면 살충제에 내성을 가진 모기 집단이 출현한다.
• 항생제를 지속적으로 사용한 결과 항생제에 내성을 가진 슈퍼 박테리아가 출현하였다.

북극토끼

북극토끼는 주로 북극과 산악 지대에 서식하는데, 털색이 여름에는 회색이지만 겨울에는 보호를 위해 흰색으로 바뀐다. 그러나 북극에 가까운 곳에 서식할수록 털색이 연중 내내 흰색을 띤다.

② 바이러스

감기나 독감과 같은 질병을 일으키는 병원체인 바이러스는 숙주 세포 내에서만 증식하고, 숙주 세포 밖에서는 비생물과 같은 상태로 존재한다. 즉, 바이러스에는 일부 생물적 특성이 있지만 비생물적 특성도 있으므로 바이러스는 생물과 비생물의 경계에 존재하는 형태로 볼 수 있다.

1. 바이러스의 특성

바이러스는 모양이 매우 다양하고, 크기가 세균보다 훨씬 작아 세균 여과기를 통과한다. 바이러스는 유전 물질인 핵산(DNA 또는 RNA)과 이를 둘러싸고 있는 단백질 껍질로 구성되어 있다.

(1) 비생물적 특성: 바이러스는 세포막, 리보솜과 같은 세포 소기관이 없어 세포의 구조를 갖추지 못한 상태이다. 또, 바이러스는 독자적인 효소가 없어 숙주 세포 밖에서는 스스로 물질대사를 하지 못하고 증식하지 못하며, 핵산과 단백질의 결정체로 존재한다.

(2) 생물적 특성: 바이러스는 유전 물질인 핵산을 가지고 있다. 바이러스는 자신의 유전 물질을 숙주 세포 안에 주입한 다음, 숙주 세포의 효소를 이용하여 물질대사를 하고 증식하며, 이 과정에서 유전 현상을 나타내고 돌연변이가 나타나기도 한다. 즉, 바이러스는 숙주 세포에 기생할 때에만 물질대사, 증식, 유전, 돌연변이를 통한 적응과 진화 등의 생명 현상을 나타낸다.

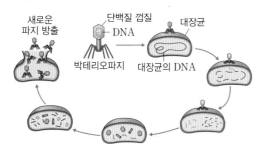
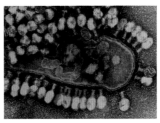

대장균을 파괴하고 나오는 새로운 파지

▲ **바이러스(박테리오파지)의 증식 과정** 박테리오파지는 숙주 세포인 대장균 안에 자신의 DNA를 주입한 후 대장균의 효소를 이용하여 자신의 DNA를 복제하고, 자신의 단백질 껍질을 만들어 증식한다.

2. 바이러스의 구분

바이러스는 유전 물질인 핵산의 종류에 따라 DNA 바이러스와 RNA 바이러스로 구분하고, 숙주의 종류에 따라 동물 바이러스, 식물 바이러스, 세균 바이러스로 구분한다. 바이러스는 숙주 세포에 침입하여 증식하는 과정에서 질병을 유발하기도 한다. 감기, 독감, 간염, 후천성 면역 결핍증(AIDS), 홍역 등은 바이러스가 일으키는 질병이다.

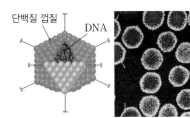
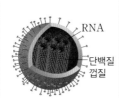

아데노 바이러스   인플루엔자 바이러스

▲ **바이러스의 구분** 아데노 바이러스는 DNA 바이러스이고, 인플루엔자 바이러스는 RNA 바이러스이다.

바이러스의 발견

1892년 러시아의 이바놉스키는 다음과 같은 실험을 통해 담배 모자이크병에 걸린 담뱃잎의 여과액 속에 세균보다 크기가 작은 병원체(담배 모자이크 바이러스)가 들어 있다는 사실을 처음으로 발견하였다.

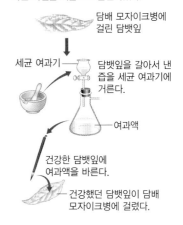

담배 모자이크병에 걸린 담뱃잎

세균 여과기 — 담뱃잎을 갈아서 낸 즙을 세균 여과기에 거른다.

여과액

건강한 담뱃잎에 여과액을 바른다.

건강했던 담뱃잎이 담배 모자이크병에 걸렸다.

숙주

한 개체가 다른 개체와 함께 살 때 영양을 공급하는 생물

바이러스와 최초의 생명체

바이러스는 구조가 매우 단순하고 원시적인 형태이지만, 숙주 세포 안에서만 생물적 특성이 나타나 증식할 수 있으므로 지구에 나타난 최초의 생명체로 볼 수 없다.

바이러스의 구분

① 핵산의 종류에 따른 구분
· DNA 바이러스: 아데노 바이러스, B형 간염 바이러스, 천연두 바이러스, 박테리오파지 T2, T4 등
· RNA 바이러스: 인플루엔자 바이러스, 담배 모자이크 바이러스(TMV), 사람 면역 결핍 바이러스(HIV) 등

② 숙주의 종류에 따른 구분
· 동물 바이러스: 간염 바이러스, 천연두 바이러스, 인플루엔자 바이러스, 사람 면역 결핍 바이러스(HIV) 등
· 식물 바이러스: 담배 모자이크 바이러스(TMV), 토마토 반점 시듦 바이러스 등
· 세균 바이러스: 박테리오파지 T2, T4 등

강아지와 강아지 로봇의 공통점과 차이점 찾기

강아지와 강아지 로봇의 공통점과 차이점을 찾아보고, 생물과 비생물의 차이점을 설명할 수 있다.

과정

다음은 강아지 로봇에 대한 설명이다.

> 강아지 로봇은 전기 에너지로 움직이며, 센서가 있어 공을 던지면 물어 오는 등 외부 자극에 반응을 보인다. 또, 인공 지능을 갖추고 있어 짖고, 걷고, 주인을 알아볼 뿐만 아니라 사람의 말을 알아듣고, 주인과의 관계를 통해 어느 정도 학습이 가능하다.

1 강아지와 강아지 로봇의 공통점과 차이점을 써 보자.

2 강아지와 강아지 로봇의 차이점을 토대로, 강아지 로봇을 생물이라고 할 수 없는 까닭을 설명해 보자.

유의점
- 강아지와 강아지 로봇의 공통점과 차이점을 구조적인 면과 기능적인 면에서 각각 정리하도록 한다.
- 비생물과 구분되는 생물의 특성을 정리한다.
- '짖는다. 꼬리를 흔든다.' 등과 같이 단순한 행동만 열거하지 않도록 한다.

결과 및 해석

1 강아지와 강아지 로봇의 공통점과 차이점

구분	공통점	차이점
구조적인 면	머리, 몸통, 4개의 다리, 꼬리가 있다.	강아지는 세포로 구성되어 있지만, 강아지 로봇은 여러 가지 부품으로 구성되어 있다.
기능적인 면	• 자극에 반응하며, 소리를 낸다. • 활동을 위해 에너지를 필요로 한다.	• 강아지는 물질대사를 통해 활동에 필요한 에너지를 얻지만, 강아지 로봇은 외부에서 공급한 전기 에너지를 이용하여 활동한다. • 강아지는 생장하고 새끼를 낳지만, 강아지 로봇은 그렇지 않다.

2 강아지 로봇은 생물의 특성 중 자극에 대한 반응은 나타내지만, 세포로 구성되어 있지 않고 물질대사가 일어나지 않으며, 생장, 생식 등의 특성을 나타내지 않으므로 생물이라고 할 수 없다.

탐구 확인 문제

> 정답과 해설 **2**쪽

01 강아지와 강아지 로봇의 공통점에 해당하는 것은?

① 생장한다.
② 자극에 반응한다.
③ 물질대사가 일어난다.
④ 세포로 구성되어 있다.
⑤ 생식과 유전이 일어난다.

02 사람이 만든 기계와 장치들은 생물의 특성과 비슷한 점이 많다. 예를 들면, 강아지 로봇이나 자동차가 다양한 부품으로 구성되어 있는 것은 생물이 세포로 구성되어 있는 것과 비슷하다고 할 수 있다.

자동차의 엔진에서는 연료를 연소시켜 에너지를 얻는데, 이는 생물의 특성 중 어떤 것과 비슷한지 쓰시오.

개념 모아 정리하기

01 생물의 특성

① 생물의 특성

1. 세포로 구성 (❶   )는 생물을 구성하는 구조적 단위이며, 생명 활동이 일어나는 기능적 단위이다.

- 대장균, 아메바 등은 하나의 세포로 이루어진 (❷   ) 생물이고, 소나무, 사람 등은 여러 개의 세포로 이루어진 (❸   ) 생물이다.
- 다세포 생물은 모양과 기능이 같은 세포들이 모여 (❹   )을 이루고, 여러 (❹   )이 모여 특정한 기능을 하는 (❺   )을 이루며, 여러 (❺   )이 서로 긴밀하게 연관되어 하나의 (❻   )를 이루는 복잡하고 조직화한 정교한 체제를 갖추고 있다.

2. 물질대사 생명체 내에서 일어나는 모든 화학 반응

- 생물은 물질대사를 통해 몸에 필요한 물질과 생명 활동에 필요한 에너지를 얻는다.
- 물질대사는 생체 촉매인 효소의 작용으로 일어난다.
- 물질대사에는 작고 간단한 물질을 크고 복잡한 물질로 합성하는 (❼   ) 작용과 크고 복잡한 물질을 작고 간단한 물질로 분해하는 (❽   ) 작용이 있다.
- 광합성은 (❾   ) 작용의 예이고, 세포 호흡은 (❿   ) 작용의 예이다.

3. 자극에 대한 반응과 항상성

- 생물은 체내외의 환경 변화를 (⓫   )으로 받아들여 적절히 반응함으로써 생명을 유지한다.
- 생물은 체내외의 환경 변화에 관계없이 체온, 혈당량, 삼투압과 같은 체내의 상태를 일정하게 유지하려는 (⓬   )이 있다.

4. 발생과 생장

- 개구리와 같은 다세포 생물은 하나의 수정란이 세포 분열을 통해 세포 수를 늘리고, 세포의 구조와 기능이 다양해져 여러 조직과 기관을 형성함으로써 완전한 하나의 개체로 되는 (⓭   )을 한다.
- 어린 개체는 세포 분열을 통해 세포 수를 늘려 성체로 (⓮   )한다.

5. 생식과 유전

- 생물은 종족을 유지하기 위해 자신과 닮은 자손을 만드는 (⓯   )을 한다.
- 생식을 통해 어버이의 형질이 자손에게 (⓰   )된다.

6. 적응과 진화

- 생물은 자신이 서식하는 환경에 알맞게 몸의 형태와 기능, 생활 습성 등이 변화하는 (⓱   )을 한다.
- 생물은 오랜 시간에 걸쳐 환경에 적응해 가면서 유전자가 변화되어 새로운 종으로 (⓲   )한다.

② 바이러스

1. 바이러스의 구조 바이러스는 모양이 매우 다양하고 크기가 세균보다 훨씬 작으며, 단백질 껍질 속에 유전 물질인 (⓳   )이 들어 있는 단순한 구조로 되어 있다.

2. 바이러스의 비생물적 특성 바이러스는 세포의 구조를 갖추지 못하였고, 숙주 세포 밖에서는 스스로 물질대사를 하지 못하고 증식하지 못하며, 핵산과 단백질의 결정체로 존재한다.

3. 바이러스의 생물적 특성 바이러스는 유전 물질인 핵산을 가지고 있다. 또, 숙주 세포 내에서 물질대사와 증식이 가능하고 유전 현상을 나타내며, 이 과정에서 (⓴   )를 통한 적응과 진화 현상도 나타낸다.

01 비생물과 달리 생물만이 가지는 특성으로 옳은 것만을 〈보기〉에서 있는 대로 고르시오.

보기
ㄱ. 세포로 구성되어 있다.
ㄴ. 자신과 닮은 자손을 남긴다.
ㄷ. 에너지를 이용하여 움직인다.
ㄹ. 여러 가지 원소로 구성되어 있다.
ㅁ. 외부의 환경 변화에 관계없이 체내의 상태를 일정하게 유지한다.

02 생물의 특성은 개체 유지 특성과 종족 유지 특성으로 구분할 수 있다. 개체 유지 특성에 해당하는 것만을 〈보기〉에서 있는 대로 고르시오.

보기
ㄱ. 물질대사   ㄴ. 생식과 유전
ㄷ. 세포로 구성   ㄹ. 적응과 진화
ㅁ. 자극에 대한 반응

03 다음 생명 현상과 가장 관련이 깊은 생물의 특성을 〈보기〉에서 각각 고르시오.

보기
ㄱ. 적응과 진화   ㄴ. 물질대사
ㄷ. 생식과 유전   ㄹ. 발생과 생장
ㅁ. 자극에 대한 반응

(1) 식물은 빛에너지를 흡수하여 이산화 탄소와 물을 재료로 포도당을 합성한다.

(2) 개구리 알이 올챙이, 어린 개구리를 거쳐 성체 개구리로 된다.

(3) 사막에 사는 선인장은 잎이 가시로 변해 있다.

(4) 창가에 둔 식물의 줄기가 빛을 향해 굽어 자란다.

04 그림은 광합성과 세포 호흡의 관계를 모식적으로 나타낸 것이다.

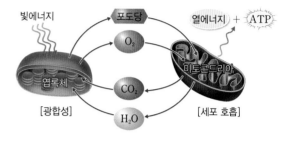

(1) 광합성이나 세포 호흡과 같이 생명체에서 일어나는 화학 반응을 무엇이라고 하는지 쓰시오.

(2) 생명체에서 일어나는 화학 반응 중 ㉠ 광합성과 같이 간단한 물질을 복잡한 물질로 합성하는 반응과 ㉡ 세포 호흡과 같이 복잡한 물질을 간단한 물질로 분해하는 반응을 각각 무엇이라고 하는지 쓰시오.

(3) 광합성이나 세포 호흡과 같은 화학 반응을 촉진하는 생체 촉매를 무엇이라고 하는지 쓰시오.

05 다음은 생명 현상 중 하나에 대한 설명이다.

사람은 날씨가 더우면 땀을 흘려 체온을 일정하게 유지한다.

(1) 온도, 빛 등 생물의 생명 활동에 영향을 미치는 체내외의 환경 변화를 무엇이라고 하는지 쓰시오.

(2) 더울 때 '땀을 흘리는 것'과 같이 체내외의 환경 변화에 대응하여 나타나는 생명체의 변화를 무엇이라고 하는지 쓰시오.

(3) 위 자료와 가장 관련이 깊은 생물의 특성을 쓰시오.

06 다음은 화성 토양에 생명체가 존재하는지 알아보기 위한 실험의 일부를 나타낸 것이다.

> (가) 화성 토양이 들어 있는 용기에 $^{14}CO_2$를 공급하고 빛을 비추다가 5일 후 용기 속의 방사성 기체를 모두 제거하고, 화성 토양을 가열하여 방사성 기체가 검출되는지 확인하였다.
> (나) 화성 토양이 들어 있는 용기에 ^{14}C를 함유한 유기 양분을 공급한 후 방사성 기체가 검출되는지 확인하였다.

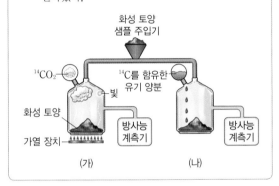

(1) 실험 (가)와 (나)에서 전제로 한 생물의 특성을 쓰시오.

(2) 실험 (가)는 화성 토양에 어떤 작용을 하는 생명체가 있는지 알아보기 위한 것인지 쓰시오.

(3) 실험 (나)는 화성 토양에 어떤 작용을 하는 생명체가 있는지 알아보기 위한 것인지 쓰시오.

07 다음은 생물의 특성과 관련된 예이다.

> (가) 어머니가 적록 색맹이면 아들도 적록 색맹이다.
> (나) 주름진 완두끼리 교배하면 주름진 완두만 나온다.

(가)와 (나)에서 공통적으로 나타난 생물의 특성을 쓰시오.

08 바이러스에 대한 설명으로 옳은 것만을 〈보기〉에서 있는 대로 고르시오.

> 보기
> ㄱ. 생장한다.
> ㄴ. 세균보다 크기가 작다.
> ㄷ. 핵산과 단백질로 구성되어 있다.
> ㄹ. 지구에 나타난 최초의 생명체이다.

09 바이러스에 대한 설명 중 생물적 특성에 해당하는 것은 '생', 비생물적 특성에 해당하는 것은 '비'라고 쓰시오.

(1) 세포 구조가 아니다.

(2) 숙주 세포 내에서 증식한다.

(3) 다양한 돌연변이가 나타난다.

(4) 적응과 진화 현상을 나타낸다.

(5) 스스로 물질대사를 하지 못한다.

10 그림 (가)는 바이러스를, (나)는 동물 세포를 나타낸 것이다.

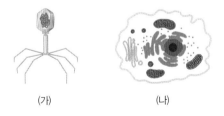

(가)와 (나)의 공통점으로 옳은 것만을 〈보기〉에서 있는 대로 고르시오.

> 보기
> ㄱ. 세포막이 있다.
> ㄴ. 핵산을 가지고 있다.
> ㄷ. 자신의 효소를 이용하여 물질대사를 한다.

01　❯ 물질대사

그림은 생명체 내에서 일어나는 물질대사를 나타낸 것이다.

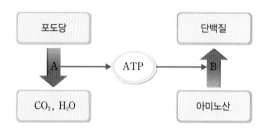

이에 대한 설명으로 옳은 것만을 〈보기〉에서 있는 대로 고른 것은?

보기
ㄱ. 과정 A는 세포 호흡이다.
ㄴ. 과정 A에서는 산소가 필요하다.
ㄷ. 과정 B는 동화 작용에 해당한다.
ㄹ. 과정 A는 동물 세포와 식물 세포에서 모두 일어나지만, 과정 B는 동물 세포에서는 일어나지 않는다.

① ㄱ, ㄴ　　　　② ㄱ, ㄹ　　　　③ ㄴ, ㄷ
④ ㄱ, ㄴ, ㄷ　　⑤ ㄴ, ㄷ, ㄹ

● 물질대사는 물질을 합성하는 동화 작용과 물질을 분해하는 이화 작용으로 구분한다.

02　❯ 생물의 특성의 예

생물의 특성과 관련한 식물과 동물의 예시를 옳게 짝 지은 것만을 있는 대로 고른 것은?

● 생물이 서식 환경에 알맞게 몸의 형태와 기능, 생활 습성 등이 변화하는 현상이 적응이다.

	생물의 특성	식물	동물
ㄱ	물질대사	소나무는 빛에너지를 흡수하여 양분을 합성한다.	사람의 근육에서는 포도당을 분해하여 근육 수축에 필요한 ATP를 얻는다.
ㄴ	항상성	창가에 둔 식물의 줄기는 빛을 향해 굽어 자란다.	눈신토끼는 겨울이 되면 갈색이던 털색을 흰색으로 바꾼다.
ㄷ	적응과 진화	선인장은 잎이 가시로 변해 있어 물의 손실을 최소화한다.	사막여우는 귀가 크고 몸집이 작지만, 북극여우는 귀가 작고 몸집이 크다.
ㄹ	유전	대나무나 감자는 땅속줄기가 나와서 번식한다.	장구벌레는 번데기 시기를 거쳐 모기가 된다.

① ㄱ, ㄴ　　② ㄱ, ㄷ　　③ ㄴ, ㄷ　　④ ㄴ, ㄹ　　⑤ ㄷ, ㄹ

03 ❯ 죽순과 석순의 비교

그림 (가)와 (나)는 각각 죽순과 석순을 나타낸 것으로, 둘 다 크기가 커진다는 공통점이 있다.

(가)   (나)

이에 대한 설명으로 옳은 것만을 〈보기〉에서 있는 대로 고른 것은?

보기
ㄱ. 죽순과 석순은 모두 물질대사를 통해 크기가 커진다.
ㄴ. 죽순은 세포의 크기가 커지거나 세포 수를 늘려 크기가 커진다.
ㄷ. 석순은 외부에서 획득한 물질을 이용하여 스스로 탄산 칼슘을 합성함으로써 크기가 커진다.

① ㄱ   ② ㄴ   ③ ㄷ   ④ ㄱ, ㄴ   ⑤ ㄴ, ㄷ

> 죽순은 대나무의 땅속줄기에서 돋아나는 어린 싹이고, 석순은 석회동굴의 천장에서 떨어지는 물방울에 섞여 있는 탄산 칼슘이 동굴 바닥에 쌓여 자란 돌출물이다.

04 ❯ 화성 생명체 탐사 실험

그림은 화성 토양에 생명체가 존재하는지 알아보기 위한 실험 장치 중 하나를 나타낸 것이다.

이에 대한 설명으로 옳은 것만을 〈보기〉에서 있는 대로 고른 것은?

보기
ㄱ. 용기 속 기체의 성분에 변화가 있는지 확인한다.
ㄴ. 동화 작용이 일어나는지 알아보기 위한 실험 장치이다.
ㄷ. 기체 분석기를 통해 방사성 기체가 검출되면 화성 토양에 생명체가 존재하는 것이다.

① ㄱ   ② ㄴ   ③ ㄱ, ㄴ   ④ ㄱ, ㄷ   ⑤ ㄴ, ㄷ

> 기체 분석기는 기체의 성분을 분석하는 장치로, 이를 통해 생물의 호흡에 따른 기체 성분의 변화를 확인할 수 있다.

05 ❯ 강아지와 강아지 로봇의 비교

자료는 어떤 강아지 로봇에 대한 설명이고, 그림은 자료를 토대로 강아지와 강아지 로봇의 공통점과 차이점을 나타낸 것이다.

이 강아지 로봇은 충전한 배터리에서 공급된 전기 에너지로 움직이며, 센서가 있어 굴러다니는 공을 인식하여 공놀이를 한다. 그리고 지능형 로봇이라 주인을 알아볼 뿐만 아니라 사람의 말도 어느 정도 알아듣고, 특정 행동을 칭찬하면 그 행동을 더 많이 하는 등 학습도 가능하다.

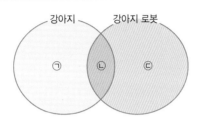

이에 대한 설명으로 옳은 것만을 〈보기〉에서 있는 대로 고른 것은?

보기
ㄱ. '몸의 크기가 자란다.'는 ㉠에 해당한다.
ㄴ. '자극에 반응한다.'는 ㉡에 해당한다.
ㄷ. '에너지 전환이 일어난다.'는 ㉢에 해당한다.

① ㄱ   ② ㄴ   ③ ㄱ, ㄴ   ④ ㄴ, ㄷ   ⑤ ㄱ, ㄴ, ㄷ

> 센서가 있어 굴러다니는 공을 인식하여 공놀이를 하는 것은 '자극에 대한 반응'에 해당한다.

06 ❯ 생물의 특성

그림은 생명체 X의 생활사를 모식적으로 나타낸 것이다.

X에 대한 설명으로 옳은 것만을 〈보기〉에서 있는 대로 고른 것은?

보기
ㄱ. 스스로 물질대사를 한다.
ㄴ. 세포 구조로 되어 있지 않다.
ㄷ. 자신의 유전 물질을 가지고 증식한다.

① ㄱ   ② ㄴ   ③ ㄱ, ㄴ   ④ ㄱ, ㄷ   ⑤ ㄴ, ㄷ

> 생명체 X는 동물 세포 밖에서도 개체 수가 증가한다.

07 ▶ 세균과 바이러스의 공통점과 차이점

병원체 A와 B는 각각 독감과 결핵을 일으키는 병원체 중 하나이고, 그림은 병원체 A와 B의 공통점과 차이점을 나타낸 것이다. ㉠과 ㉡은 각각 '동물 세포 내에서만 증식할 수 있으며, 돌연변이가 일어난다.'와 '핵산을 가지고 있다.' 중 하나이다.

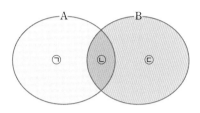

이에 대한 설명으로 옳은 것만을 〈보기〉에서 있는 대로 고른 것은?

보기
ㄱ. A는 독감을 일으키는 병원체이다.
ㄴ. B는 자신의 효소를 이용하여 물질대사를 한다.
ㄷ. '단백질을 가지고 있다.'는 ㉢에 해당한다.

① ㄱ   ② ㄴ   ③ ㄱ, ㄴ   ④ ㄱ, ㄷ   ⑤ ㄱ, ㄴ, ㄷ

> • 독감을 일으키는 병원체는 인플루엔자 바이러스이고, 결핵을 일으키는 병원체는 세균의 한 종류인 결핵균이다.

08 ▶ 로봇, 바이러스, 생물의 특성 비교

그림은 로봇, 박테리오파지, 강아지, 강아지풀을 (가)~(다)의 기준에 따라 구분하는 과정을 나타낸 것이다.

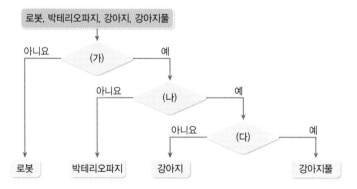

이에 대한 설명으로 옳은 것만을 〈보기〉에서 있는 대로 고른 것은?

보기
ㄱ. '세포로 구성되어 있는가?'는 (가)에 해당한다.
ㄴ. '자신의 효소를 이용하여 물질대사를 하는가?'는 (나)에 해당한다.
ㄷ. '동화 작용이 일어나는가?'는 (다)에 해당한다.

① ㄱ   ② ㄴ   ③ ㄷ   ④ ㄱ, ㄴ   ⑤ ㄴ, ㄷ

> • 박테리오파지는 세균에 기생하는 바이러스이며, 물질의 합성과 분해는 살아 있는 모든 생물의 세포에서 일어난다.

02 생명 과학의 특성과 탐구 방법

학습 Point   생명 과학의 연구 대상 > 생명 과학과 다른 학문 분야의 연계성 > 귀납적 탐구 방법과 연역적 탐구 방법 > 대조 실험과 변인 통제

 생명 과학의 특성

생물학과 생명 과학의 차이는 무엇일까? 생물학이 '생명체'에 중점을 두고 생명체의 구조와 기능 및 생리적 특성을 규명하고자 하는 학문이라면, 생명 과학은 '생명 현상'에 중점을 두고 그 본질을 이해하며 인류 복지 향상을 위한 이용까지 다루는 학문이다.

1. 생명 과학의 연구 대상

(1) **생명 과학의 연구 대상:** 생명 과학은 지구에 사는 생물의 특성과 다양한 생명 현상을 연구하는 학문이다. 생명 과학은 생물을 구성하는 아주 작은 분자에서부터 세포, 조직, 기관, 개체는 물론 개체군과 군집, 생태계, 생물권에 이르기까지 생명 현상과 관련이 있는 모든 단계를 연구 대상으로 한다. 생명 과학은 이들 각 단계를 연구하여 생명 현상의 본질을 밝힐 뿐만 아니라, 더 나아가 연구 성과를 인류의 생존과 복지 향상에 응용하는 종합적인 학문이다.

(2) **생명 과학의 세부 학문 분야:** 생명 과학은 연구 대상에 따라 해부학, 형태학, 생리학, 발생학, 유전학, 세포학, 분류학, 생태학 등 여러 세부 학문 분야로 구분할 수 있다.

> **생명 과학**
> 생명 과학은 생물학에 농학, 생명 공학, 기초 의·약학까지 포함하는 넓은 의미의 학문이다.

> **개체군과 군집**
> • 개체군: 일정한 지역에서 무리를 이루어 생활하는 같은 종의 개체들의 집단
> • 군집: 일정한 지역에서 상호 작용하며 살아가는 여러 종의 개체군들의 집단

> **생태계와 생물권**
> • 생태계: 어떤 지역의 생물 군집과, 이를 둘러싼 비생물적 환경 요인이 종합된 복합 체계이다.
> • 생물권: 지구의 생물 전체와 생물이 생활하고 있는 영역 전체를 의미한다.

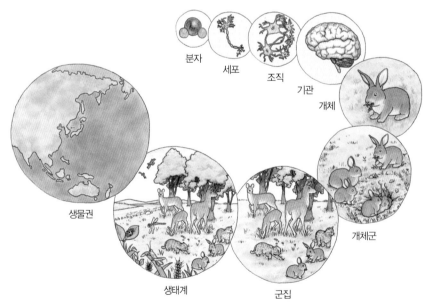

▲ **생명 과학의 연구 대상**   생명 과학은 생물을 구성하는 분자에서부터 생물권에 이르기까지 생명 현상과 관련이 있는 모든 단계를 연구 대상으로 한다.

2. 생명 과학의 통합적 특성

생명 과학은 생명 현상을 연구하는 학문이지만, 물리학, 화학과 같은 다른 과학 분야의 연구 성과를 활용하여 발전하였으며, 생명 과학의 발전으로 다른 과학 분야의 연구 범위도 넓어졌다.

⑴ **다른 과학 분야와의 통합 연구 사례:** 물리학 이론을 바탕으로 만들어진 현미경은 세포의 구조를 밝히는 데 핵심적인 역할을 하였고, 결정학의 연구 결과인 DNA의 X선 회절 사진을 바탕으로 생명 과학자인 왓슨과 물리학자인 크릭이 협력하여 DNA의 구조를 규명할 수 있었다. 또, 푸른곰팡이에서 추출한 페니실린은 화학의 도움으로 의약품인 항생제로 사용할 수 있게 되었다.

⑵ **다른 학문 분야와의 통합:** 최근에는 생명 과학이 다른 학문 분야의 연구 성과와 연계하여 발전하면서 여러 통합 학문이 생겨나고 있다.

① **생화학, 분자 생물학:** 화학적 연구 성과와 연계하여 생화학과 분자 생물학 등이 생겨났다. 생화학은 생명체에서 일어나는 화학 작용을 연구하여 의학 발전에 기여하고 있고, 분자 생물학은 세포에서 일어나는 단백질 합성과 DNA 복제에 대한 연구 등에 중점을 두고 있다.

② **생물 역학:** 물리학의 한 분야인 역학의 연구 성과와 연계하여 생물 역학이 등장하였다. 생물 역학은 동물의 움직임을 분석하거나 운동선수의 부상 방지 방법 등을 연구한다.

③ **생물 정보학:** 생명 과학의 연구에 컴퓨터를 이용하게 되면서 생명 과학과 정보학의 통합 학문인 생물 정보학이 등장하였다. 생물 정보학에서는 컴퓨터를 이용하여 DNA 염기 서열과 단백질의 아미노산 서열을 분석함으로써 유전자의 발현과 단백질의 구조 등을 예측할 수 있게 되었다.

④ **농업 생명 과학, 의생명 과학, 생물 환경 공학:** 생명 과학의 연구 성과를 인류의 생존과 복지 향상에 응용하고자 하면서 농업, 의학, 환경 공학 등의 분야에서 GMO(Genetically Modified Organism, 유전자 변형 생물)를 이용해 식량을 증산하는 기술, 줄기세포를 이용해 인공 장기를 만드는 기술, 미생물을 이용해 오염 물질을 제거하는 기술 등 생명 과학을 비롯한 여러 학문이 연계된 기술이 속속 개발되고 있으며, 이로 인해 농업 생명 과학, 의생명 과학, 생물 환경 공학 등의 통합 학문이 생겨났다.

▲ **생명 과학과 다른 학문 분야의 통합**　생명 과학이 다른 학문 분야와 연계되어 발전하면서 여러 통합 학문이 생겨나고 있다.

결정학

결정의 기하학적 특징 및 내부 구조와 그에 따라 나타나는 성질에 관해 연구하는 자연 과학의 한 분야이다.

X선 회절

물질에 X선이 입사했을 때, 입사된 X선의 방향과는 다른 몇 개의 특정한 방향으로 강한 X선이 진행하는 현상이다.

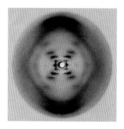

▲ **화학자 프랭클린이 찍은 DNA X선 회절 사진**

분자 생물학

분자 수준에서 생명 현상을 연구하는 학문이다.

역학

물체에 작용하는 힘과 운동의 관계나 힘의 작용으로 일어나는 효과를 연구하는 물리학의 한 분야이다.

인공 장기

• 생체의 장기를 대체하기 위해 만들어진 장치이다.
• 인공 심장, 인공 콩팥, 인공 관절 등이 있는데, 이전에는 기계적 장치를 의미했지만, 최근에는 줄기세포를 3차원 바이오 인공 지지체에서 배양하여 만든 유사 장기도 포함한다.

2 생명 과학의 탐구 방법

집중 분석 1권 30쪽

컴퓨터를 살 때 어떤 사람은 여러 제품의 가격이나 사양 등을 비교해 보고 구매를 결정하고, 또 어떤 사람은 특정 제품을 사기로 마음먹은 후 이 제품이 원하는 사양을 갖췄는지 따져 보고 구매를 결정한다. 생명 과학의 탐구 방법도 이와 비슷하다. 잠정적 결론을 내리지 않고 진행하는 귀납적 탐구가 있고, 먼저 잠정적 결론을 내리고 진행하는 연역적 탐구가 있다.

1. 귀납적 탐구 방법

자연 현상을 관찰하여 얻은 자료를 종합하고 분석하여 규칙성을 발견하고, 이로부터 일반적인 원리나 법칙을 이끌어 내는 탐구 방법이다. 귀납적 탐구 방법에서는 잠정적 결론을 내리지 않고 탐구를 진행하며, 실험을 통해 검증하기 어려운 주제를 여러 가지 관찰을 통해 탐구할 때 주로 사용된다.

(1) **귀납적 탐구 과정:** 귀납적 탐구는 '자연 현상 관찰 → 관찰 주제 선정 → 관찰 방법과 절차의 고안 → 관찰 수행 → 관찰 결과 해석 → 결론 도출'의 순서로 진행한다.

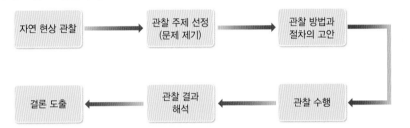

① **자연 현상 관찰 및 관찰 주제 선정:** 생명 과학에 대한 귀납적 탐구는 자연 현상을 관찰하고, '왜 그럴까?'라는 의문을 가지면서 시작된다. 즉, 자연에서 일어나는 생명 현상에 대한 관찰을 통해 보다 구체적으로 관찰할 주제를 선정하는 것이다.

② **관찰 방법과 절차의 고안 및 관찰 수행:** 선정한 주제를 관찰할 방법과 절차를 고안하여 관찰을 수행한다.

③ **관찰 결과 해석 및 결론 도출:** 관찰을 통해 얻어진 결과를 해석하여 규칙성을 찾아내고 결론을 도출한다.

(2) **귀납적 탐구 방법을 이용한 생명 과학 연구:** 다윈의 진화론, 세포설, 사람 유전체 사업 등이 있다.

① **다윈의 진화론:** 다윈은 1831년부터 5년 동안 비글호를 타고 세계 각지를 다니면서 다양한 생물을 관찰하고 채집하였으며, 이렇게 얻은 여러 가지 자료를 종합하여 생물이 자연 선택 과정을 통해 진화한다고 주장하였다.

② **세포설:** 슐라이덴과 슈반을 비롯한 여러 과학자들이 다양한 생물을 현미경으로 관찰하면서 얻은 자료들이 축적되어 '모든 생물의 몸은 세포로 이루어져 있다.'는 세포설이 확립되었다.

③ **사람 유전체 사업:** 사람의 유전체를 이루는 DNA 염기 서열을 알아내고 유전자의 위치를 밝혀낸 사람 유전체 사업에도 귀납적 탐구 방법이 이용되었다. 이 사업의 목적은 사람 유전자의 종류와 기능을 밝히고, 이를 통해 개인별, 인종별 유전적 차이를 파악하며, 환자와 건강한 사람의 유전적 차이를 비교하여 질병의 원인을 규명하는 것이다.

귀납
개별적인 특수한 사실이나 원리로부터 그러한 사례들이 포함되는 좀 더 확장된 일반적 명제를 이끌어 내는 것을 귀납이라고 한다. 따라서 귀납적 탐구는 다양한 관찰 사실로부터 보편적인 과학 지식을 얻는 탐구 방법이다.

관찰
사물이나 자연 현상을 객관적으로 보고 살피는 것이다. 이를 위해 눈, 귀, 코, 혀, 피부 등의 감각 기관을 이용하거나, 자, 저울 등과 같은 측정 기구를 사용할 수 있다. 생명 과학을 비롯한 모든 과학에서 탐구의 시작은 관찰이다.

세포설
1838년에 슐라이덴이, 1839년에 슈반이 제안하고, 1855년에 피르호에 의해 완성된 세포학 이론이다. 모든 생물의 몸은 세포로 이루어져 있고, 세포는 생물의 구조적·기능적 단위이며, 세포는 이미 존재하는 세포로부터 만들어진다는 내용이다.

사람 유전체 사업
사람이 가진 유전 정보 전체인 유전체를 구성하는 약 30억 염기쌍의 DNA 염기 서열을 알아내기 위해 시작된 국제적인 프로젝트이다.

(3) 귀납적 탐구 방법을 이용한 사례: 다윈의 핀치에 대한 연구

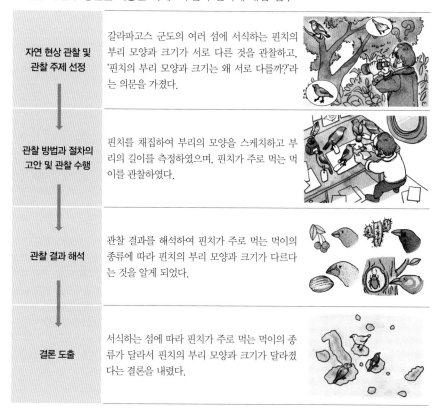

자연 현상 관찰 및 관찰 주제 선정	갈라파고스 군도의 여러 섬에 서식하는 핀치의 부리 모양과 크기가 서로 다른 것을 관찰하고, '핀치의 부리 모양과 크기는 왜 서로 다를까?'라는 의문을 가졌다.
관찰 방법과 절차의 고안 및 관찰 수행	핀치를 채집하여 부리의 모양을 스케치하고 부리의 길이를 측정하였으며, 핀치가 주로 먹는 먹이를 관찰하였다.
관찰 결과 해석	관찰 결과를 해석하여 핀치가 주로 먹는 먹이의 종류에 따라 핀치의 부리 모양과 크기가 다르다는 것을 알게 되었다.
결론 도출	서식하는 섬에 따라 핀치가 주로 먹는 먹이의 종류가 달라서 핀치의 부리 모양과 크기가 달라졌다는 결론을 내렸다.

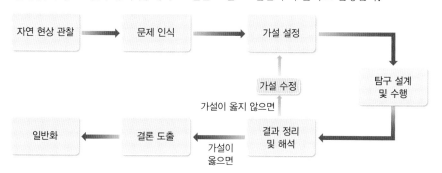

2. 연역적 탐구 방법

자연 현상을 관찰하는 과정에서 생긴 의문이나 문제를 해결하기 위해 잠정적 결론인 가설을 세우고, 실험을 통해 이를 검증하는 탐구 방법이다.

(1) 연역적 탐구 과정: 연역적 탐구는 '자연 현상 관찰 → 문제 인식 → 가설 설정 → 탐구설계 및 수행 → 결과 정리 및 해석 → 결론 도출 → 일반화'의 순서로 진행한다.

자연 현상 관찰 → 문제 인식 → 가설 설정 → 탐구 설계 및 수행 → 결과 정리 및 해석 → (가설이 옳으면) 결론 도출 → 일반화
가설 수정 ← (가설이 옳지 않으면) 결과 정리 및 해석

① **자연 현상 관찰 및 문제 인식:** 생명 과학에 대한 연역적 탐구도 자연 현상을 관찰하고, '왜 그럴까?'라는 의문을 가지면서 시작된다.

② **가설 설정:** 관찰을 통해 인식한 문제에 대한 잠정적 결론(답)을 가설이라고 한다. 가설은 대부분 경험에 바탕을 둔 검증되지 않은 추정이므로 옳을 수도 있고 틀릴 수도 있다. 따라서 가설은 실험을 통해 객관적으로 검증되어야 한다.

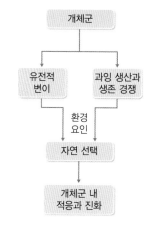

다윈의 자연 선택설

생물은 일반적으로 환경이 수용할 수 있는 것보다 많은 자손을 낳으며, 모든 생물은 유전적 변이를 가지고 있다. 많은 자손 중 살아남기에 유리한 변이를 가진 개체가 더 많이 살아남아 자손을 남긴다. 이러한 자연 선택이 수십 세대, 수백 세대 반복되면 생물종은 서서히 변화하여 진화하게 된다.

연역

일반적인 사실이나 원리를 전제로 개별적인 특수한 사실이나 원리를 이끌어 내는 것을 연역이라고 한다.

가설

인식한 문제에 대한 잠정적 결론인 가설은 관찰에 근거해야 하며, 예측 가능해야 하고, 실험을 통해 검증할 수 있어야 한다. 가설로부터 조작 변인과 종속변인을 추출할 수 있다.

③ **탐구 설계 및 수행**: 가설이 옳은지 그른지를 검증하기 위해 체계적인 과정을 고안하는 것을 탐구 설계라 하고, 탐구 설계에 따른 실험을 통해 자료를 수집하는 것을 탐구 수행이라고 한다. 탐구 수행을 통해 얻은 결과의 타당성을 높이려면 대조군을 설정하여 실험군과 비교하는 대조 실험을 해야 하며, 실험을 할 때에는 실험 결과에 영향을 미치는 변인을 적절히 통제해야 한다.

• **대조 실험**: 실험 조건을 변화시키지 않은 대조군을 두어 실험군의 실험 결과가 대조군의 실험 결과와 달라졌는지의 여부를 비교함으로써 실험 결과의 타당성을 높일 수 있다.

실험군	가설을 검증하기 위해 실험 조건(검증하려는 요인)을 변화시킨 집단
대조군	실험군과 비교하기 위해 실험 조건을 변화시키지 않은 집단

• **변인**: 실험에 관계되는 요인으로, 독립변인과 종속변인이 있다.

독립변인	실험 결과에 영향을 줄 수 있는 변인으로, 조작 변인과 통제 변인이 있다. • 조작 변인: 가설을 검증하기 위해 실험에서 의도적이고 체계적으로 변화시키는 변인 • 통제 변인: 실험군과 대조군에서 일정하게 유지해야 하는 변인
종속변인	조작 변인의 영향을 받아 변하는 변인으로, 실험 결과에 해당한다.

④ **결과 정리 및 해석**: 탐구를 수행하여 얻은 결과를 정리하고 해석하여 경향성과 규칙성을 알아내고, 탐구 결과가 가설을 지지하는지의 여부를 판정한다. 만일 가설이 옳지 않은 것으로 밝혀지면 가설을 수정하여 새로운 탐구를 설계하고 수행해야 한다.

⑤ **결론 도출 및 일반화**: 탐구 결과를 해석한 결과 가설이 옳은 것으로 밝혀지면 결론을 도출하고, 이 결론이 다른 과학자들의 탐구를 통해 반복적으로 옳은 것으로 확인되면 학설이나 이론으로 일반화할 수 있다.

시야 확장 ⊕ 대조 실험의 실제 사례

핵이 세포의 생명 활동에 중요한 부분인지를 알아보기 위해 아메바를 두 집단으로 나눈 다음, 실험군과 대조군을 설정하여 대조 실험을 하였다.

실험군	대조군
미세한 고리로 아메바의 핵을 제거한 후 며칠 동안 생존 여부를 관찰하였더니 아메바가 모두 죽었다.	미세한 고리로 핵에 자극만 주고 핵을 제거하지 않은 후 며칠 동안 아메바의 생존 여부를 관찰하였더니 아메바가 모두 살았다.

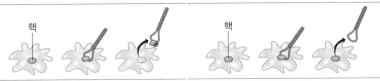

• 조작 변인: 핵의 제거 여부
• 통제 변인: 크기와 종류가 같은 아메바 사용, 미세한 고리 사용, 아메바의 배양 조건 등
• 종속변인: 아메바의 생존 여부
• 대조 실험의 중요성: 실험 결과 실험군의 아메바는 모두 죽었고, 대조군의 아메바는 모두 살았으므로 핵이 세포의 생명 활동에 매우 중요한 부분이라는 것이 확인되었다. → 만약 대조군을 설정하지 않았다면 실험군의 아메바가 모두 죽은 것이 핵이 제거되었기 때문인지, 다른 영향 때문인지 정확하게 알 수 없었을 것이다.

변인 통제
조작 변인 이외에 실험 결과에 영향을 줄 수 있는 독립변인(통제 변인)을 실험군과 대조군에서 일정하게 유지하는 것을 변인 통제라고 한다. 대조 실험에서 조작 변인 이외의 독립변인(통제 변인)을 일정하게 유지하지 않으면 실험군과 대조군의 실험 결과가 다르게 나타나더라도 어떤 요인에 의해 다르게 나타난 것인지 정확하게 알 수 없으므로 변인 통제가 필요하다.

결론의 일반화
귀납적 탐구 방법이나 연역적 탐구 방법을 통해 얻은 결론이 일반화된 과학 지식이 되기 위해서는 여러 과학자에 의해 반복적으로 같은 결론에 도달하는 과정이 필요하다.

생명 과학의 탐구 방법
생명 과학의 탐구 방법에는 귀납적 탐구 방법과 연역적 탐구 방법이 있지만, 반드시 이두 가지 방법 중 한 가지만 사용되는 것은 아니다. 때로는 두 방법이 함께 사용되기도 하고, 변형되어 사용되기도 한다.

(2) **연역적 탐구 방법을 이용한 생명 과학 연구:** 파스퇴르의 백신 연구, 에이크만의 각기병 연구, 플레밍의 페니실린 발견 등이 있다.

① **파스퇴르의 백신 연구:** 파스퇴르는 닭 콜레라를 연구하다가 공기 중에 오래 방치해 두었던 닭 콜레라균을 접종한 닭이 닭 콜레라를 가볍게 앓고 곧 회복되는 것을 발견하였다. 그는 이러한 발견을 토대로 닭 콜레라는 물론 다른 감염성 질병도 비슷한 방식으로 예방할 수 있을 것이라고 생각하였으며, 실험을 통해 백신의 효과를 입증하였다.

② **에이크만의 각기병 연구:** 에이크만은 각기병 증세를 보이던 닭들이 모이가 백미에서 현미로 바뀐 후 건강해진 것을 발견하였다. 그는 이러한 발견을 토대로 현미에는 각기병을 치료하는 물질이 들어 있을 것이라고 생각하였으며, 실험을 통해 이를 입증하였다.

③ **플레밍의 페니실린 발견:** 플레밍은 세균을 배양하던 접시에서 푸른곰팡이가 핀 곳의 주변에는 세균이 증식하지 않는 것을 발견하였다. 그는 이러한 발견을 토대로 푸른곰팡이가 세균 증식을 억제하는 물질을 생성할 것이라고 생각하였으며, 실험을 통해 이를 입증하였다.

(3) **연역적 탐구 방법을 이용한 사례:** 파스퇴르의 탄저병 백신 연구

자연 현상 관찰 및 문제 인식	공기 중에 오래 방치했던 닭 콜레라균을 접종한 닭이 닭 콜레라를 가볍게 앓고 곧 회복되는 것을 관찰하고, 탄저병도 비슷한 방식으로 예방할 수 있는지 알아보기로 하였다.
가설 설정	양에게 탄저병 백신을 주사하면 탄저병 예방에 효과가 있을 것이라고 가정하였다.
탐구 설계 및 수행	건강한 양들을 두 집단으로 나누어 한 집단에는 탄저병 백신을 주사하고, 다른 집단에는 탄저병 백신을 주사하지 않았다. 그리고 일정 시간 후, 두 집단에 모두 탄저균을 주사하였다. •실험군: 탄저병 백신을 주사한 집단 •대조군: 탄저병 백신을 주사하지 않은 집단 •조작 변인: 탄저병 백신의 주사 여부 •통제 변인: 양의 종류와 건강 상태, 탄저균 주사, 양의 사육 조건 등 •종속변인: 탄저병의 발병 여부
결과 정리 및 해석	탄저병 백신을 주사한 양들은 모두 건강하였고, 백신을 주사하지 않은 양들은 탄저병에 걸려 죽었거나 죽어 가고 있었다.
결론 도출	탄저병 백신은 탄저병을 예방하는 효과가 있다는 결론을 내렸다.
일반화	약화한 병원체로 만든 백신을 주사하면 병원체에 의해 발생하는 여러 가지 감염성 질병을 예방할 수 있다.

닭 콜레라
병원체는 출혈성 패혈증균 A형으로, 감염된 닭의 분변에 들어 있다. 주로 호흡기를 통해 감염되며, 오염된 사료나 물 등을 통해서도 감염된다. 닭 콜레라에 걸리면 갑자기 폐사하는 경우가 있고, 식욕 부진이나 호흡 곤란 증세가 나타나며, 코와 주둥이에서 거품 섞인 점액이 나온다. 사람이 콜레라에 걸렸을 때처럼 설사를 한다고 해서 닭 콜레라라고 부른다.

감염성 질병
바이러스, 세균, 곰팡이, 원생생물과 같은 병원체가 체내에 침입하여 발생하는 질병으로, 다른 사람에게 전염될 수 있다. 예 결핵, 감기

탄저병
탄저균에 감염되어 내장이 붓고 혈관에 균이 증식하는 질병으로, 소, 말, 양 등의 가축에서 주로 발생하며 사람에게 옮기기도 한다.

백신
감염성 질병에 대해 인공적으로 면역 반응을 일으키기 위해 사람이나 동물의 체내에 투여하는 항원을 포함한 물질이다. 독성을 약화하거나 비활성 상태로 만든 병원체 등이 백신으로 사용된다. 프랑스의 미생물학자인 파스퇴르가 탄저병, 광견병 등의 다른 세균성 질병을 연구하여 백신을 개발하였다.

생명 과학자의 탐구 사례

생명 과학의 대표적인 탐구 방법에는 귀납적 탐구 방법과 연역적 탐구 방법이 있다. 생명 과학자들은 이러한 탐구 방법을 이용한 탐구를 통해 여러 가지 과학 이론을 세워 왔다. 생명 과학자들의 탐구 사례 중 귀납적 탐구 방법을 이용한 예로는 다윈의 진화론을 낳은 갈라파고스 군도의 핀치에 대한 연구, 세포설과 관련된 연구 등이 있다. 또, 연역적 탐구 방법을 이용한 예로는 파스퇴르의 백신에 대한 연구, 에이크만의 각기병에 대한 연구, 플레밍의 페니실린 발견 등이 있다.

① 에이크만의 각기병 연구에 이용된 연역적 탐구 과정

에이크만은 각기병의 원인이 쌀겨에 있는 어떤 물질의 결핍 때문이라는 것을 밝혀냄으로써 비타민 B_1을 발견하는 주요 단서를 제공하였다.

자연 현상 관찰 및 문제 인식 각기병 증세를 보이던 닭들이 건강을 되찾은 것을 보고, 각기병이 낫게 된 까닭에 대해 의문을 가졌다.

↓

가설 설정 닭의 모이가 백미에서 현미로 바뀐 후 닭의 각기병이 나았다는 사실을 알게 되었고, 이를 토대로 '현미에는 각기병을 치료하는(예방하는) 물질이 들어 있을 것이다.'라는 가설을 세웠다.

↓

탐구 설계 및 수행 건강한 닭들을 두 집단으로 나눈 후 한 집단에는 현미를, 다른 집단에는 백미를 주어 기르면서 각기병 증세가 나타나는지 관찰하였다.

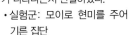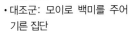

- 실험군: 모이로 현미를 주어 기른 집단
- 대조군: 모이로 백미를 주어 기른 집단
- 조작 변인: 모이의 종류(현미, 백미)
- 통제 변인: 닭의 종류와 건강 상태, 모이의 종류를 제외한 사육 환경 등
- 종속변인: 각기병의 발병 여부

↓

결과 정리 및 해석 백미를 먹여 기른 닭에서는 각기병 증세가 나타났지만, 현미를 먹여 기른 닭에서는 각기병 증세가 나타나지 않았다.
- 추가 실험: 이후 각기병 증세가 나타난 닭에게 현미를 먹였더니 증세가 호전되었다.

↓

결론 도출 '현미에는 각기병을 치료하는(예방하는) 물질이 들어 있다.'라는 결론을 내렸다.

↓

일반화 이후 다른 과학자들의 연구를 통해 각기병을 치료하는 (예방하는) 물질이 비타민 B_1이라는 것이 밝혀졌다.

② 플레밍의 페니실린 발견에 이용된 연역적 탐구 과정

플레밍은 푸른곰팡이가 세균 증식을 억제하는 물질을 만든다는 것을 밝혀냄으로써 여러 미생물에 의해 만들어지는 다양한 항생제의 발견을 이끌어 냈다.

자연 현상 관찰 및 문제 인식 푸른곰팡이가 핀 세균 배양 접시에서 푸른곰팡이 주변에는 세균이 증식하지 않는 것을 발견하고, 그 까닭에 대해 의문을 가졌다.

↓

가설 설정 '푸른곰팡이는 세균 증식을 억제하는 물질을 만들 것이다.'라는 가설을 세웠다.

↓

탐구 설계 및 수행 여러 개의 세균 배양 접시 중 일부에는 푸른곰팡이 배양액을 넣어 세균을 배양하고, 나머지 배양 접시에는 푸른곰팡이 배양액을 넣지 않고 세균을 배양하였다.

- 실험군: 푸른곰팡이 배양액을 넣은 세균 배양 접시
- 대조군: 푸른곰팡이 배양액을 넣지 않은 세균 배양 접시
- 조작 변인: 푸른곰팡이 배양액을 넣었는지의 여부
- 통제 변인: 배양 온도, 배양 접시의 크기, 양분의 종류 등
- 종속변인: 세균의 증식 여부

↓

결과 정리 및 해석 푸른곰팡이 배양액을 넣은 배양 접시에서는 세균이 증식하지 않았고, 푸른곰팡이 배양액을 넣지 않은 배양 접시에서는 세균이 증식하였다.

↓

결론 도출 '푸른곰팡이는 세균 증식을 억제하는 물질을 만든다.'라는 결론을 내렸다.

↓

일반화 이후 이 물질은 페니실린이라고 부르게 되었으며, 정제되어 약품으로 개발되었다.

❸ 세포설 확립에 이용된 귀납적 탐구 과정

여러 과학자가 약 200년에 걸쳐 다양한 생물을 현미경으로 관찰하고 이들의 몸이 세포로 구성되어 있다는 사실을 발견하면서, 모든 생물의 몸이 세포로 이루어져 있다는 세포설이 확립되었다.

자연 현상 관찰 1665년 로버트 훅은 자신이 고안한 현미경으로 코르크 조각을 관찰하다가 벌집 모양의 수많은 작은 칸막이로 되어 있는 구조를 발견하고, 작은 방처럼 생겼다는 의미에서 '세포(cell)'라고 이름을 붙였다.

↓

관찰 주제 선정 과학자들은 '세포가 동식물의 조직을 구성하는 단위가 아닐까?'라고 생각하였다.

↓

관찰 방법과 절차의 고안 많은 과학자들이 현미경으로 다양한 생물을 관찰하기 시작하였다.

↓

관찰 수행 및 관찰 결과 해석 1838년 슐라이덴은 식물의 여러 조직이 세포로 구성되어 있다는 사실을 발견하였다.

결론 도출 슐라이덴은 '모든 식물의 조직은 세포로 구성되어 있다.'고 주장하였다.

↓

추가적인 관찰 수행 및 관찰 결과 해석 1839년 슈반은 동물의 여러 조직이 하나 이상의 세포로 구성되어 있다는 사실을 발견하였다.

↓

결론 도출 슈반은 '모든 동물의 조직은 세포로 구성되어 있다.'고 주장하였다.

↓

추가적인 관찰 수행 및 관찰 결과 해석 1855년 피르호는 세포 분열이 일어나 세포 수가 늘어나는 것을 관찰하였다.

↓

결론 도출 피르호는 '모든 세포는 이미 존재하는 세포로부터 만들어진다.'고 제안하였다.

↓

일반화 – 세포설 위의 개별 관찰에 대한 결론들을 종합하여 '모든 생물은 세포로 이루어져 있고, 세포는 생물의 구조적 · 기능적 단위이며, 모든 세포는 이미 존재하는 세포로부터 만들어진다.'는 세포설이 확립되었다.

〉정답과 해설 **4**쪽

다음은 '생물은 이미 존재하는 생물로부터 생겨난다.'는 생물 속생설을 입증하기 위한 레디의 탐구 과정을 나타낸 것이다.

4종류의 생선 조각을 각각 넣은 4개의 병을 두 세트 준비한 다음, 한 세트는 (가)와 같이 병의 입구를 열어 두고, 다른 한 세트는 (나)와 같이 얇은 천으로 병의 입구를 막아 두었다. 얼마 후 (가)의 병에서만 구더기가 발생하였다.

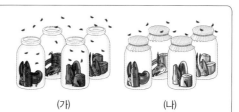

(가)　　　　　(나)

이 실험에 대한 설명으로 옳은 것만을 〈보기〉에서 있는 대로 고른 것은?

보기
ㄱ. 귀납적 탐구 방법이 이용되었다.
ㄴ. (가)는 대조군, (나)는 실험군이다.
ㄷ. 레디가 설정한 가설은 '파리는 얇은 천을 통과하지 못할 것이다.'이다.

① ㄱ   ② ㄴ   ③ ㄷ   ④ ㄱ, ㄴ   ⑤ ㄴ, ㄷ

심화

귀납법과 연역법의 차이

학교에서 배운 여러 교과목의 지식을 함께 묻는 통합 논술이 대학 입학 논술 시험의 주류가 되면서 법학, 경영학, 경제학 등 실용 학문에 치여 소외당하던 논리학이 최근 비상한 관심을 끌고 있다. 단순 암기 지식 위주였던 국내 교육 시스템 전환의 필요성이 강조되면서 최근 우리나라에서 상당수의 학생에게는 논리학이 필수 교과목이 되고 있다. 논리학에서 논리의 핵심은 이미 알고 있는 것으로부터 새로운 결론을 도출해 내는 과정인 추론이다.

❶ 추론

새로운 과학적 사실은 이미 밝혀진 과학적 사실을 토대로 유도된다. 이처럼 이미 알고 있는 명제를 기초로 하여 새로운 명제를 유도하는 과정을 추론이라고 하는데, 이것은 전제와 결론 간의 논리적 관계를 다룬다. 전제는 결론의 근거가 되는 이미 알려진 명제를 말하고, 결론은 이를 토대로 새로 유도된 명제를 말한다. 추론에서는 전제와 결론 간의 논리적 관계가 문제이지, 전제나 결론 자체의 진위 여부는 문제가 되지 않는다. 이와 같은 추론은 논증하는 방법에 따라 귀납법과 연역법으로 구분한다.

❷ 귀납법과 연역법

(1) **귀납법**: 개별적인 특수한 사실로부터 일반적인 원리를 이끌어 내는 방법으로, 과학의 탐구에서는 자연 현상에서 관찰한 결과를 종합하여 결론을 도출한다. 귀납법에서는 전제가 주어졌을 때 이로부터 도출되는 결론이 사실일 가능성이 높지만 사실이 아닐 수도 있다. 즉, 전제가 '참'이더라도, 결론은 확률적으로 '참'이나 반드시 '참'인 것은 아니다. 예를 들어 식물 세포설이 도출된 과정을 보면, 슐라이덴은 자신이 관찰한 몇몇 식물의 조직이 세포로 구성되어 있는 것을 발견하고, '모든 식물의 조직은 세포로 구성되어 있다.'라는 결론을 내렸다. 이는 관찰한 몇몇 식물의 조직이 세포로 구성되어 있는 것이 '참'이기 때문에 확률적으로 '참'일 가능성은 높지만, 여전히 관찰하지 않은 식물의 조직 중 세포로 구성되어 있지 않은 것이 있을 가능성을 완전히 배제할 수 없기 때문에 필연적으로 '참'인 것은 아니다. 그러나 귀납법의 이러한 한계에도 불구하고, 우리가 경험적 관찰을 통해 알게 된 여러 과학적 사실들은 귀납법에 의해 유도된 것이다.

(2) **연역법**: 일반적인 원리로부터 개별적인 특수한 사실을 이끌어 내는 방법으로, 과학의 탐구에서는 문제를 인식한 후 그에 대한 가설을 설정하여 예상한 결과가 관찰한 사실과 일치하는지 검증한다. 연역법에서는 결론이 전제 속에 논리적으로 포함되어 있기 때문에 전체에 대해 '참'인 것은 부분에 대해서도 '참'이므로 만일 전제가 결론을 논리적으로 포함하고 있다면, 전제가 '참'일 경우 결론도 필연적으로 '참'이 되어야 한다. 예를 들어, 1976년에 화성 탐사선인 바이킹호에서는 '생물은 물질대사를 한다.'라는 전제 하에 화성 토양이 들어 있는 용기 속에서 광합성이나 호흡이 일어나는지를 확인하여 화성 토양에 생명체가 존재하는지를 알아보는 실험을 하였다. 이는 '생물은 물질대사를 한다.'라는 전제가 '참'이므로, 화성 토양이 들어 있는 용기 속에서 물질대사(광합성이나 호흡)가 일어나면 '화성 토양에 생명체가 존재한다.'라는 결론도 '참'이 된다고 본 것이다. 즉, 우리가 과학적 논리와 추리에 의해 밝혀낸 과학적 사실들은 연역법에 의해 유도된 것이다.

경험주의와 귀납법 대 이성주의와 연역법

서양 근대 사상은 크게 경험주의와 이성주의로 양분되는데, 경험주의는 모든 인식이 경험에서 얻어진다고 주장하는 반면, 이성주의는 인간의 합리적 이성을 바탕으로 객관적 인식의 가능성을 주장한다. 양자는 지식의 확실성을 담보하기 위한 정당화 과정에서 각각 귀납법과 연역법을 주장하였다.

3단 논법

3단 논법은 이미 알려진 두 판단에서 그것들과는 다른 하나의 새로운 판단으로 이끄는 추리 방법으로, '대전제-소전제-결론'으로 구성되는데, 이것이 연역법의 대표적 사례이다.

예 • 모든 사람은 죽는다.
 • 소크라테스는 사람이다.
 • 그러므로 소크라테스는 죽는다.

예로 제시된 대전제와 소전제가 '참'이면 '소크라테스가 죽는다.'는 결론도 반드시 '참'이 된다.

개념 모아
정리하기

02 생명 과학의 특성과 탐구 방법

1. 생명 과학의 이해

① 생명 과학의 특성

1. 생명 과학의 연구 대상

- 생명 과학은 생물의 특성과 다양한 (❶   )을 연구하는 학문이다.
- 생명 과학은 생물을 구성하는 아주 작은 분자에서부터 세포, 조직, 기관, 개체, 개체군, (❷   ), 생태계, (❸   )에 이르기까지 생명 현상과 관련이 있는 모든 단계를 연구 대상으로 한다.
- 생명 과학은 생명 현상의 본질을 밝히고, 더 나아가 연구 성과를 인류의 생존과 복지 향상에 응용하는 종합적인 학문이다.

2. 생명 과학과 다른 과학 분야의 통합 연구 사례

- 현미경: (❹   ) 이론을 바탕으로 만들어졌으며, 세포의 구조를 밝히는 데 핵심적인 역할을 하였다.
- DNA 구조 규명: 결정학의 연구 결과인 DNA의 X선 회절 사진을 바탕으로 왓슨과 크릭이 DNA의 구조를 규명하였다.
- (❺   ): 화학적 이론을 바탕으로 푸른곰팡이에서 추출되어 항생제로 사용할 수 있게 되었다.

3. 생명 과학과 다른 학문 분야의 통합 학문
생명 과학이 다른 학문 분야의 연구 성과와 연계하여 발전하면서 생화학, 분자 생물학, 생물 역학, 생물 정보학, 의생명 과학 등 여러 통합 학문이 생겨나고 있다.

② 생명 과학의 탐구 방법

1. 귀납적 탐구 방법

- 자연 현상을 관찰하여 얻은 자료를 종합하고 분석하여 규칙성을 발견하고, 이로부터 일반적인 원리나 법칙을 이끌어 내는 탐구 방법이다.

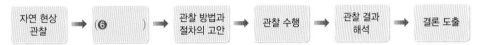

자연 현상 관찰 → (❻   ) → 관찰 방법과 절차의 고안 → 관찰 수행 → 관찰 결과 해석 → 결론 도출

- 귀납적 탐구 방법을 이용한 생명 과학 연구: 다윈의 진화론, 세포설, 사람 유전체 사업 등

2. 연역적 탐구 방법

- 자연 현상을 관찰하는 과정에서 생긴 의문이나 문제를 해결하기 위해 잠정적 결론인 (❼   )을 세우고, 실험을 통해 이를 검증하는 탐구 방법이다.

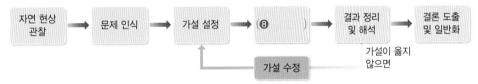

자연 현상 관찰 → 문제 인식 → 가설 설정 → (❽   ) → 결과 정리 및 해석 → 결론 도출 및 일반화

가설 수정

가설이 옳지 않으면

- 대조 실험: 탐구 설계 및 수행 단계에서 실험 결과의 타당성을 높이기 위해서는 실험 조건을 변화시키지 않은 (❾   )을 두어 (❿   )의 결과와 비교해야 한다.
- 변인 통제: 가설을 검증하기 위해 실험에서 의도적이고 체계적으로 변화시키는 독립변인인 (⓫   ) 이외에 실험 결과에 영향을 줄 수 있는 나머지 독립변인(통제 변인)들은 일정하게 유지해야 한다.
- 연역적 탐구 방법을 이용한 생명 과학 연구: 파스퇴르의 백신 연구, 에이크만의 각기병 연구, 플레밍의 페니실린 발견 등

01 생명 과학에 대한 설명으로 옳은 것만을 〈보기〉에서 있는 대로 고르시오.

보기
ㄱ. 생명 현상의 본질을 밝히고자 한다.
ㄴ. 인류 복지 향상을 위한 응용은 연구 대상이 아니다.
ㄷ. 통합적 학문으로, 다른 과학 분야와 연계하여 발전하였다.

02 생명 과학의 연구 대상에 대한 설명으로 옳은 것만을 〈보기〉에서 있는 대로 고르시오.

보기
ㄱ. 생물을 구성하는 분자는 연구 대상이 아니다.
ㄴ. 생물의 구성 체제에 해당하는 세포, 조직, 기관 및 개체를 연구 대상으로 한다.
ㄷ. 개체군과 군집, 생태계는 물론 생물권까지도 연구 대상에 포함된다.

03 연구 대상에 따른 생명 과학의 세부 학문 분야에 해당하는 것만을 〈보기〉에서 있는 대로 고르시오.

보기
ㄱ. 세포학　　ㄴ. 형태학　　ㄷ. 결정학
ㄹ. 발생학　　ㅁ. 생리학　　ㅂ. 생화학

04 다음 설명에 해당하는 생명 과학과 다른 과학 분야의 통합 학문을 〈보기〉에서 고르시오.

보기
ㄱ. 의공학　　　　　ㄴ. 생물 역학
ㄷ. 분자 생물학　　ㄹ. 생물 정보학

(1) 화학적 연구 성과와 연계하여 세포에서 일어나는 단백질 합성과 DNA 복제 등에 대해 연구한다.

(2) 역학의 연구 성과와 연계하여 동물의 움직임을 분석하거나 운동선수의 부상 방지 방법 등을 연구한다.

(3) 컴퓨터를 이용하여 DNA 염기 서열과 단백질의 아미노산 서열을 분석함으로써 유전자의 발현과 단백질의 구조 등을 예측할 수 있게 되었다.

05 다음은 생명 과학의 탐구 방법 중 귀납적 탐구 방법의 과정을 순서 없이 나열한 것이다.

(가) 관찰 수행　　　(나) 결론 도출
(다) 자연 현상 관찰　(라) 관찰 주제 선정
(마) 관찰 결과 해석　(바) 관찰 방법과 절차의 고안

위 탐구 과정을 순서대로 옳게 나열하시오.

06 귀납적 탐구 방법을 통해 밝혀진 생명 과학 이론으로 옳은 것만을 〈보기〉에서 있는 대로 고르시오.

보기
ㄱ. 세포설　　　　　　ㄴ. 다윈의 진화론
ㄷ. 사람 유전체 사업　ㄹ. 플레밍의 페니실린 발견
ㅁ. 파스퇴르의 탄저병 백신 개발

07 다음은 연역적 탐구 방법의 과정을 순서 없이 나열한 것이다.

> (가) 가설 설정 (나) 결론 도출
> (다) 문제 인식 (라) 자연 현상 관찰
> (마) 탐구 설계 및 수행 (바) 결과 정리 및 해석

(1) 위 탐구 과정을 순서대로 옳게 나열하시오.

(2) 대조 실험을 하는 단계를 쓰시오.

(3) 생명 현상을 관찰하는 과정에서 생긴 의문에 대한 잠정적 결론을 내리는 단계를 쓰시오.

(4) (마)에서 탐구를 수행하여 얻은 결과가 가설과 일치하지 않을 때 해야 할 일을 쓰시오.

08 다음은 철수가 강낭콩의 발아에 영향을 미치는 환경 요인을 확인하기 위해 실시한 탐구 과정의 일부이다.

> (가) 4개의 페트리 접시를 준비한 후 물에 적신 솜을 각 페트리 접시의 바닥에 깔고, 그 위에 강낭콩을 10개씩 올려놓았다.
> (나) 각 페트리 접시를 표와 같이 처리하고 강낭콩이 싹트는 정도를 관찰하였다.

페트리 접시	온도(℃)	pH	빛
A	10	7	밝음
B	10	7	어두움
C	20	7	밝음
D	20	7	어두움

이 탐구에서 철수가 설정한 가설이 될 수 있는 것만을 〈보기〉에서 있는 대로 고르시오.

> 보기
> ㄱ. 빛은 강낭콩의 발아에 영향을 준다.
> ㄴ. 강낭콩의 발아는 pH의 영향을 받는다.
> ㄷ. 강낭콩의 발아는 온도의 영향을 받는다.

09 그림은 파스퇴르가 탄저병 백신의 효과를 입증하기 위해 실시한 실험을 나타낸 것이다.

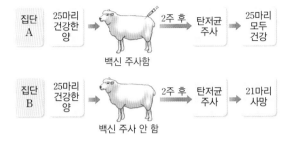

(1) 탄저병 백신을 주사하지 않은 집단 B의 양이 필요한 까닭을 쓰시오.

(2) 이 실험에서의 조작 변인과 종속변인을 각각 쓰시오.

(3) 이 실험을 통해 알 수 있는 탄저병 백신의 효과를 쓰시오.

10 다음은 생명 과학의 두 가지 탐구 사례이다.

> (가) 과학자 A는 오랜 시간 동안 침팬지와 함께 생활하면서 침팬지의 행동 특성을 관찰하고, 관찰된 여러 특성을 종합하여 '침팬지가 도구를 사용한다.'라는 결론을 내렸다.
> (나) 과학자 B는 가설을 검증하기 위해 여러 개의 세균 배양 접시 중 일부에는 푸른곰팡이 배양액을 넣어 세균을 배양하였고, 나머지 세균 배양 접시에는 푸른곰팡이 배양액을 넣지 않고 세균을 배양하였다. 그 결과 푸른곰팡이 배양액을 넣은 배양 접시에서는 세균이 증식하지 않았고, 푸른곰팡이 배양액을 넣지 않은 배양 접시에서는 세균이 증식하였다. 이러한 실험 결과를 통해 B는 '푸른곰팡이는 세균 증식을 억제하는 물질을 만든다.'라는 결론을 내렸다.

(1) (가)와 (나)에서는 각각 귀납적 탐구 방법과 연역적 탐구 방법 중 어떤 방법이 이용되었는지 쓰시오.

(2) 귀납적 탐구 방법과 연역적 탐구 방법의 가장 큰 차이점을 쓰시오.

01 ❯ 생명 과학의 특성

그림은 생명 과학의 특성에 대한 세 학생의 의견이다.

제시한 의견이 옳은 학생만을 있는 대로 고른 것은?

① A   ② B   ③ A, B   ④ B, C   ⑤ A, B, C

· 생명 과학은 생명 현상에 중점을 두고 그 본질을 이해하며, 인류 복지 향상을 위한 응용까지 다루는 학문이다.

02 ❯ 다윈의 갈라파고스핀치에 대한 탐구

다음은 다윈이 갈라파고스핀치에 대해 탐구한 과정을 나타낸 것이다.

> (가) 갈라파고스 군도의 여러 섬에 서식하는 핀치의 부리 모양과 크기가 다른 것을 관찰하고, '핀치의 부리 모양과 크기는 왜 서로 다를까?'라는 의문을 가졌다.
>
> (나) 핀치를 채집하여 부리의 모양을 스케치하고 부리의 길이를 측정하였으며, 핀치가 주로 먹는 먹이를 관찰하였다.
>
> (다) 관찰 결과를 해석하여 핀치가 주로 먹는 먹이의 종류에 따라 핀치의 부리 모양과 크기가 다르다는 것을 알게 되었다.
>
> (라) 서식하는 섬에 따라 핀치가 주로 먹는 먹이의 종류가 달라서 핀치의 부리 모양과 크기가 달라졌다는 결론을 내렸다.

이에 대한 설명으로 옳은 것만을 〈보기〉에서 있는 대로 고른 것은?

보기
ㄱ. 귀납적 탐구 방법이 이용되었다.
ㄴ. (가)는 문제 인식 및 가설 설정 단계이다.
ㄷ. (나)에서 대조군과 실험군을 설정하여 탐구를 진행하였다.

① ㄱ   ② ㄴ   ③ ㄱ, ㄴ   ④ ㄱ, ㄷ   ⑤ ㄴ, ㄷ

· 다윈은 갈라파고스 군도에서 핀치의 부리 모양과 크기가 서로 다른 것에 의문을 가지고, 관찰 방법과 절차를 고안하여 체계적인 관찰을 수행하였다.

03
> 생명 과학의 탐구 방법

그림은 생명 과학의 탐구 방법 중 한 가지의 과정을 나타낸 것이다.

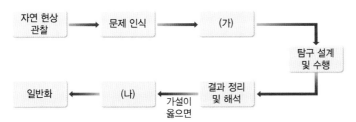

• 연역적 탐구 방법의 경우 가설을 설정하는 단계가 있고, 가설을 검증하기 위해 대조 실험을 한다. 반면에, 귀납적 탐구 방법의 경우 가설을 설정하는 단계가 없고, 고안된 관찰 방법과 절차에 따라 관찰을 수행한다.

이에 대한 설명으로 옳은 것만을 〈보기〉에서 있는 대로 고른 것은?

보기
ㄱ. 연역적 탐구 과정이다.
ㄴ. (가)는 인식한 문제에 대한 잠정적 결론을 내리는 단계이다.
ㄷ. (나)는 탐구 결과 얻은 자료로부터 경향성이나 규칙성을 알아내는 단계이다.
ㄹ. 가설이 옳지 않은 것으로 확인되면 문제 인식 단계로 되돌아간다.

① ㄱ, ㄴ   ② ㄱ, ㄷ   ③ ㄴ, ㄷ   ④ ㄴ, ㄹ   ⑤ ㄷ, ㄹ

04
> 에이크만의 각기병에 대한 탐구

다음은 에이크만이 각기병에 대해 탐구한 과정을 나타낸 것이다.

• 각기병은 쌀겨 등에 많이 들어 있는 비타민 B₁이 결핍되었을 때 나타나는 질병이다.

(가) 각기병 증세를 보이던 닭들이 건강을 되찾은 것을 보고, 각기병이 낫게 된 까닭에 대해 의문을 가졌다.
(나) 닭의 주변 환경 변화를 조사한 결과 모이를 백미에서 현미로 바꿔 준 후 닭의 각기병이 나았다는 사실을 알게 되었고, 이를 토대로 (㉠)라는 가설을 세웠다.
(다) 건강한 닭을 A와 B의 두 집단으로 나눈 후 집단 A에는 백미를, 집단 B에는 현미를 주어 기르면서 각기병 증세가 나타나는지 관찰하였다.
(라) 집단 A의 닭에서는 각기병 증세가 나타났지만, 집단 B의 닭에서는 각기병 증세가 나타나지 않았다.
(마) 에이크만은 (㉡)라고 결론을 내렸다.

이에 대한 설명으로 옳은 것만을 〈보기〉에서 있는 대로 고른 것은?

보기
ㄱ. (다)에서 모이의 종류는 통제 변인이다.
ㄴ. 집단 A가 대조군, 집단 B가 실험군이다.
ㄷ. ㉠은 '백미에는 각기병을 유발하는 물질이 들어 있을 것이다.'이고, ㉡은 '백미에는 각기병을 유발하는 물질이 들어 있다.'이다.

① ㄱ   ② ㄴ   ③ ㄷ   ④ ㄱ, ㄴ   ⑤ ㄴ, ㄷ

05 ❯ 앤더슨의 성 선택 연구

그림은 생명 과학자인 앤더슨이 수컷 천인조의 꼬리 길이에 따른 암컷 천인조의 선택을 알아보기 위해 수컷 천인조를 4개의 집단으로 나눈 후 수행한 실험의 결과를 나타낸 것이다.

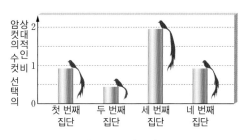

첫 번째 집단: 자연 상태
두 번째 집단: 꼬리를 자름
세 번째 집단: 꼬리를 덧붙임
네 번째 집단: 꼬리를 자른 후 다시 붙임

이에 대한 설명으로 옳은 것만을 〈보기〉에서 있는 대로 고른 것은?

보기
ㄱ. 연역적 탐구 방법이 이용되었다.
ㄴ. 첫 번째 천인조 집단은 대조군이다.
ㄷ. 수컷 천인조의 꼬리 길이는 종속변인이다.

① ㄱ   ② ㄴ   ③ ㄱ, ㄴ   ④ ㄱ, ㄷ   ⑤ ㄴ, ㄷ

• 실험 결과를 나타낸 자료를 해석해 보면 앤더슨은 수컷의 꼬리 길이를 다르게 한 후 수컷의 꼬리 길이에 따라 암컷이 수컷을 선택하는 비율이 달라지는지를 조사하였음을 알 수 있다.

06 ❯ 녹말 소화 효소에 대한 탐구

다음은 철수가 수행한 탐구 과정의 일부이다.

[가설] 소화 효소 X는 녹말을 분해할 것이다.
[탐구 설계 및 수행] 같은 양의 녹말 용액이 들어 있는 시험관 Ⅰ과 Ⅱ를 준비한 후 표와 같이 처리하여 반응시킨다.
[결과] 시험관 Ⅱ에서만 녹말이 분해되었다.
[결론] 소화 효소 X는 녹말을 분해한다.

시험관	Ⅰ	Ⅱ
첨가한 물질	증류수	㉠
온도	㉡	㉢

이에 대한 설명으로 옳은 것만을 〈보기〉에서 있는 대로 고른 것은?

보기
ㄱ. 시험관 Ⅰ은 대조군이다.
ㄴ. ㉠은 '증류수＋소화 효소 X'이다.
ㄷ. 철수는 연역적 탐구 방법을 이용하였다.
ㄹ. 온도는 변인 통제의 대상으로, ㉡과 ㉢은 5 ℃ 정도로 같아야 한다.

① ㄱ, ㄴ, ㄷ   ② ㄱ, ㄴ, ㄹ   ③ ㄱ, ㄷ, ㄹ
④ ㄴ, ㄷ, ㄹ   ⑤ ㄱ, ㄴ, ㄷ, ㄹ

• 조작 변인은 소화 효소 X의 첨가 여부이고, 종속변인은 녹말의 분해 여부이다. 그리고 조작 변인을 제외하고 종속변인인 녹말의 분해에 영향을 줄 수 있는 나머지 변인들은 모두 통제 변인이다.

바이오 의약품이란 사람이나 다른 생물체에서 유래한 물질을 이용하여 제조한 의약품을 말한다. 바이오 의약품은 일반적으로 화학 합성 의약품에 비해 분자량이 크고 분자 구조가 복잡하며, 복잡한 제조 공정을 거치므로 생산 및 개발 난이도가 높고 비용이 많이 든다. 그러나 생물체에서 유래한 물질을 이용하기 때문에 독성이나 부작용이 적고 메커니즘이 명확하며, 특히 희귀·난치성 질환 치료에 효과가 뛰어나다. 따라서 기존 치료법으로 잘 치료되지 않는 퇴행성·난치성 질환 치료제나 환자 맞춤형 표적 치료제로 주로 사용된다.

구분	바이오 의약품	화학 합성 의약품
분자 구조	복잡(고분자)	단순(저분자)
제조 방법	세포 배양	화학적 합성
제조 비용	고비용	저비용
투여 방법	주로 주사제	주로 먹는 약
부작용	상대적으로 낮음	상대적으로 높음

▲ 바이오 의약품과 화학 합성 의약품의 비교

바이오 의약품은 백신과 혈액 제제, 단백질 치료제 등의 1세대를 거쳐, 단일 클론 항체를 이용한 항체 치료제로 대표되는 2세대 바이오 의약품이 개발되어 환자에게 처방되고 있으며, 최근에는 세포 치료제와 유전자 치료제 등 3세대 바이오 의약품의 발전이 주목받고 있다.

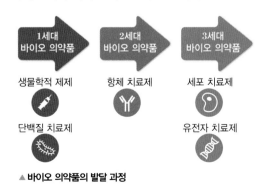

▲ 바이오 의약품의 발달 과정

바이오 의약품은 약품에 포함된 유효 성분에 따라 다음과 같이 구분한다.

구분		유효 성분	예
생물학적 제제	혈액 제제	혈액 성분 제제 및 혈액 분획 제제	적혈구, 혈장, 혈소판, 알부민
	백신	항원으로 작용하는 단백질 또는 병원체	폐렴 백신, 인플루엔자 백신
단백질 치료제		유전자 재조합 기술로 제조한 단백질	인슐린, 생장 호르몬
항체 치료제		단일 클론 항체	항암제, 자가 면역 치료제
세포 치료제		배양·선별·조직화한 살아 있는 세포	체세포 치료제, 줄기세포 치료제
유전자 치료제		질병 치료 목적의 유전 물질	DNA 백신, ADA 결손증 치료제

▲ 바이오 의약품의 구분

넓은 의미에서 보면, 바이오 의약품에는 오리지널 바이오 의약품뿐만 아니라 복제 약품인 바이오시밀러(동등 생물 의약품)와 바이오베터(개량 생물 의약품)도 포함된다. 기본적으로 바이오 의약품은 생명체를 배양하고 분리하는 과정에서 미세한 차이가 발생하기 때문에 오리지널 약품과 완전히 동일한 제품을 만드는 것은 불가능하다. 따라서 오리지널 약품과 비교 동등성이 검증된 복제 약품을 '유사하다'는 의미의 'similar'라는 표현을 써서 바이오시밀러(biosimilar)라 하고, 오리지널 약품보다 뚜렷하게 개량된 품질이나 약효를 가진 것을 'better'라는 표현을 써서 바이오베터(biobetter)라고 한다.

최근 글로벌 제약 산업의 무게 중심이 화학 합성 의약품에서 바이오 의약품으로 급속도로 이동 중이다. 특히 오리지널 바이오 의약품의 특허 만료 시기가 도래하면서 복제 약품인 바이오시밀러와 바이오베터의 개발과 출시가 이어져 바이오 의약품 시장이 더욱 확대되고 있다.

01 ▶ 화성 생명체 탐사 실험

그림은 화성 토양에 생명체가 존재하는지 알아보기 위한 실험 장치를 나타낸 것이다.

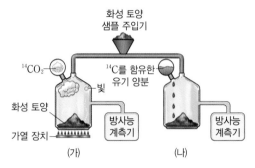

(가)는 이산화 탄소를 공급하고 빛을 쬐어 주었으므로 광합성을 하는 생명체가 있는지 알아보기 위한 실험 장치이고, (나)는 유기 양분을 공급하였으므로 세포 호흡을 하는 생명체가 있는지 알아보기 위한 실험 장치이다.

이에 대한 설명으로 옳은 것만을 〈보기〉에서 있는 대로 고른 것은?

보기
ㄱ. (가)는 동화 작용이 일어나는지 알아보기 위한 실험 장치이다.
ㄴ. (나)에서 방사성 기체가 검출되면 화성 토양에 생명체가 존재하는 것이다.
ㄷ. 이 실험에서 전제하고 있는 생물의 특성은 '생물은 자극에 반응한다.'는 것이다.

① ㄱ　　　② ㄴ　　　③ ㄱ, ㄴ　　　④ ㄱ, ㄷ　　　⑤ ㄴ, ㄷ

02 ▶ 항생제 내성균과 생물의 특성

다음은 어느 뉴스 기사의 일부이다.

세균에서 돌연변이가 일어나 항생제를 분해할 수 있게 됨으로써 항생제 내성균이 생긴 것이다.

> 1929년 페니실린이 발견되어 당시 유행하던 여러 종류의 감염성 질병을 치료할 때에만 해도 인류는 항생제를 무기로 병원성 세균과의 전쟁에서 조만간 승리할 것으로 확신했다. 그러나 예상과 달리 이후 항생제에 반응하지 않는 항생제 내성균이 하나 둘씩 보고되기 시작했다. 황색 포도상 구균도 처음에는 페니실린으로 치료할 수 있었지만, 이후 페니실린이 잘 듣지 않아 메티실린이라는 더 강한 항생제가 개발되었다. 그러나 1961년 영국에서는 이 메티실린에도 반응하지 않는 메티실린 내성 황색 포도상 구균이 발견되었다.

이 자료에 나타난 생물의 특성과 가장 관련이 깊은 것은?

① 아메바는 분열법으로 번식한다.
② 불린 콩이 발아할 때 열이 발생한다.
③ 지렁이에게 빛을 비추면 어두운 곳으로 이동한다.
④ 살충제를 살포하면 살충제 저항성 모기가 증가한다.
⑤ 운동 후 높아진 체온은 시간이 지나면서 정상 체온으로 돌아온다.

03 ▶ 식충 식물과 생물의 특성

다음은 파리지옥에 대한 설명이다.

파리지옥은 곤충을 잡아먹으며 사는 식충 식물로, 습하지만 질소원이 부족한 척박한 지역에 산다. 파리지옥은 냄새가 나는 물질을 분비하여 곤충을 유인하며, 잎에는 3쌍의 감각모가 있어, 잎에 앉은 곤충이 감각모에 닿으면 잎을 닫아 곤충을 잡는다. 이후 잎의 안쪽에 있는 분비샘에서 산과 소화액을 분비하여 곤충을 소화한 다음, 토양에 부족한 질소 화합물과 같은 양분을 흡수한다.

이 자료에 나타난 생물의 특성에 해당하는 것만을 〈보기〉에서 있는 대로 고른 것은?

보기
ㄱ. 물질대사를 한다.
ㄴ. 자극에 반응한다.
ㄷ. 발생과 생장을 한다.
ㄹ. 환경에 적응하고 진화한다.

① ㄱ, ㄴ   ② ㄴ, ㄷ   ③ ㄱ, ㄴ, ㄷ   ④ ㄱ, ㄴ, ㄹ   ⑤ ㄴ, ㄷ, ㄹ

파리지옥은 곤충을 잡아 소화하여 양분을 흡수함으로써 질소원이 부족한 척박한 지역에서도 살아갈 수 있다.

04 ▶ 바이러스의 특성

그림은 박테리오파지가 대장균 내에서 증식한 후 대장균을 파괴하고 나오는 모습을 나타낸 것이다.

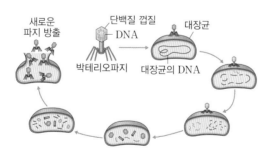

박테리오파지에 대한 설명으로 옳은 것만을 〈보기〉에서 있는 대로 고른 것은?

보기
ㄱ. 생장하므로 크기가 다양하다.
ㄴ. 대장균의 DNA와 효소를 이용하여 증식한다.
ㄷ. 세균보다 크기가 훨씬 작고, 세포의 구조를 갖추지 못한 상태이다.

① ㄱ   ② ㄷ   ③ ㄱ, ㄴ   ④ ㄱ, ㄷ   ⑤ ㄴ, ㄷ

박테리오파지는 대장균에 기생하는 바이러스이다. 바이러스는 숙주 세포 밖에서는 유전 물질인 핵산을 단백질 껍질이 싸고 있는 형태의 결정체로 존재한다.

05 ❯ 생명 과학의 탐구 방법

그림은 생명 과학의 두 가지 탐구 방법의 과정을 나타낸 것이다.

이에 대한 설명으로 옳은 것만을 〈보기〉에서 있는 대로 고른 것은?

보기

ㄱ. (가)는 연역적 탐구 방법이다.

ㄴ. (나)에는 대조 실험을 하는 단계가 있다.

ㄷ. (가)와 (나)에는 모두 인식한 문제에 대한 잠정적 결론을 내리는 단계가 있다.

ㄹ. ㉠과 ㉡은 모두 관찰한 자연 현상에 대해 '왜 그럴까?'라는 의문을 제기하는 단계이다.

① ㄱ, ㄹ　　　② ㄴ, ㄷ　　　③ ㄴ, ㄹ　　　④ ㄱ, ㄴ, ㄷ　　　⑤ ㄱ, ㄷ, ㄹ

> (가)에서는 관찰 방법과 절차를 고안하여 체계적인 관찰을 수행하는 반면, (나)에서는 가설을 설정하고 이로부터 조작 변인을 추출하여 가설을 검증하는 실험을 설계하고 수행한다.

06 ❯ 탐구 설계 및 수행

다음은 생쥐에게 폐렴을 일으키는 원인이 되는 병원체가 세균 A임을 입증하기 위해 실시한 탐구 과정의 일부이다.

(가) 폐렴에 걸린 생쥐에서 세균 A의 존재를 확인한다.

(나) (가)에서 확인된 세균 A를 분리하여 순수 배양한다.

(다) 건강한 생쥐를 ㉠과 ㉡의 두 집단으로 나눈 후 ㉡ 집단에만 배양한 세균 A를 접종한다. 이후 두 집단의 생쥐를 동일한 조건에서 사육한다.

이에 대한 설명으로 옳은 것만을 〈보기〉에서 있는 대로 고른 것은?

보기

ㄱ. 귀납적 탐구 방법이 이용되었다.

ㄴ. 종속변인은 세균 A의 접종 여부이다.

ㄷ. ㉡ 집단의 쥐에서만 폐렴 증세가 나타나는지 확인하고, 폐렴 증세가 나타난 쥐에서 세균 A가 발견되는지를 확인하는 과정이 이어져야 한다.

① ㄱ　　　② ㄴ　　　③ ㄷ　　　④ ㄱ, ㄴ　　　⑤ ㄴ, ㄷ

> 병원체는 숙주가 되는 생물의 몸 속에서 증식하여 질병을 유발하며, 다른 개체로 옮겨 가서 다시 증식함으로써 질병을 전염시킨다.

> 항생 물질의 효과 검증을 위한 탐구

다음은 어느 곰팡이에서 발견한 항생 물질 X가 세균 Y를 제거하는 효과가 있는지 확인하기 위해 실시한 탐구 과정이다.

> (가) 항생 물질 X 1 g을 60 % 에탄올 10 mL에 넣고 일정 시간이 지난 후 여과기로 걸러 추출액을 얻는다.
> (나) 크기가 같은 원형의 거름종이 A와 B를 준비하여 A는 60 % 에탄올에, B는 (가)에서 얻은 X의 추출액에 각각 담가 둔다.
> (다) 배양 중인 세균 Y가 균일하게 퍼져 있는 고체 배지를 준비한 후, (나)에서 60 % 에탄올과 X의 추출액에 각각 담가 두었던 거름종이 A와 B를 일정한 거리를 두고 고체 배지 위에 각각 놓는다.
> (라) 일정 시간이 지난 후 거름종이 A와 B 주변에서 세균 Y가 사멸된 범위의 지름을 측정한다.

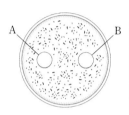

이에 대한 설명으로 옳은 것만을 〈보기〉에서 있는 대로 고른 것은?

> 보기
> ㄱ. 대조 실험을 실시하였다.
> ㄴ. 거름종이 A와 B의 크기와 모양은 조작 변인에 해당한다.
> ㄷ. (라)에서 측정한 세균 Y가 사멸된 범위의 지름은 종속변인에 해당한다.
> ㄹ. (라)에서 거름종이 A와 B 주변에서 세균 Y가 사멸된 범위가 비슷해야 이 탐구에서 설정한 가설이 옳은 것으로 입증된다.

① ㄱ, ㄴ ② ㄱ, ㄷ ③ ㄱ, ㄹ ④ ㄴ, ㄷ ⑤ ㄴ, ㄹ

이 탐구에서는 세균 Y를 배양 중인 배지 위에 60 % 에탄올과 항생 물질 X의 추출액에 각각 담가 두었던 거름종이를 놓았을 때 세균 Y가 사멸된 범위를 비교하고 있다.

08

> 생명 과학의 탐구 사례

다음은 몇몇 과학자의 탐구 사례이다.

> (가) 플레밍은 푸른곰팡이가 세균 증식을 억제하는 물질을 만드는 것을 실험을 통해 확인하였다.
> (나) 슐라이덴 등 여러 과학자가 다양한 생물을 현미경으로 관찰한 결과, 모든 생물의 몸이 세포로 이루어져 있다는 세포설이 확립되었다.
> (다) 파스퇴르는 공기 중에 방치해 두었던 닭 콜레라균을 접종한 닭이 닭 콜레라를 가볍게 앓고 곧 회복되는 것을 발견하였고, 이를 토대로 탄저병 백신을 개발하였다.
> (라) 다윈은 다양한 생물을 관찰하고 채집하여 얻은 자료를 종합함으로써 생물이 자연 선택의 과정을 거쳐 진화한다고 주장하였다.

귀납적 탐구 방법이 이용된 탐구 사례만을 있는 대로 고른 것은?

① (가), (나) ② (가), (다) ③ (나), (다) ④ (나), (라) ⑤ (다), (라)

세포설과 진화론은 다양한 관찰 자료를 종합하여 획득된 과학 지식이다.

01 그림은 생물의 특성을 이용하여 강아지 로봇, 바이러스, 아메바, 강아지를 구분하는 과정을 나타낸 것이다.

KEY WORDS
• 유전 물질(핵산)
• 세포로 구성
• 물질대사
• 자극에 대한 반응
• 항상성
• 발생

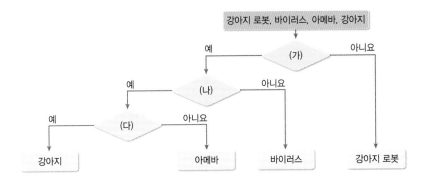

구분 기준 (가), (나), (다)에 해당하는 특성을 각각 한 가지씩 서술하시오.

02 다음은 자동차의 몇 가지 특징에 대한 설명이다.

KEY WORDS
• 세포로 구성
• 물질대사
• 자극에 대한 반응

(가) 자동차는 엔진에서 연료를 연소시켜 에너지를 얻어 달린다.

(나) 잠금 상태에서 비정상적인 조작으로 차의 문이 열리면 경보음을 내거나 운전자 휴대 전화로 경고 메시지를 보내는 기능이 있는 경우도 있다.

(다) 자동차는 수많은 부속품으로 구성되어 있으며, 이 부속품들은 유기적으로 조직되어 있다.

(가), (나), (다)와 유사성이 높은 생물의 특성을 각각 서술하시오.

03

그림은 바이러스와 생물의 공통점과 차이점을 나타낸 것이다.

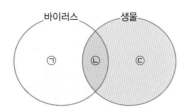

(1) 그림의 ㉠, ㉡, ㉢에 해당하는 특성을 각각 두 가지씩 서술하시오. (단, 바이러스는 숙주 세포에 기생할 때 나타내는 특성까지 포함한다.)

(2) 과학자들은 바이러스를 비생물이 생물로 진화하는 경계가 아니라 생물이 비생물로 퇴화하는 경계에 있는 것으로 본다. 그 까닭을 서술하시오.

KEY WORDS
(1) • 세포 구조
    • 결정체
    • 물질대사
    • 유전 물질(핵산)
    • 증식
    • 유전
    • 적응과 진화
    • 자극에 대한 반응
    • 항상성
    • 생장
(2) • 숙주 세포
    • 증식

04

다음은 담배 모자이크 바이러스(TMV)를 이용하여 바이러스의 특성을 알아보기 위한 실험이다.

(가) 담배 모자이크병에 걸린 담뱃잎을 갈아서 얻은 즙을 세균 여과기로 거른다.

(나) 여과액에서 TMV를 분리 · 농축하여 TMV의 결정을 얻는다.

(다) TMV의 결정 1 μg을 물에 녹여 담배 모자이크병에 걸리지 않은 건강한 담뱃잎에 발라 준다.

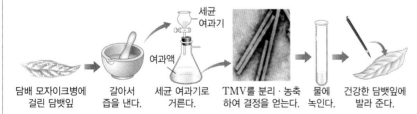

담배 모자이크병에 · 걸린 담뱃잎 / 갈아서 즙을 낸다. / 세균 여과기로 거른다. / TMV를 분리 · 농축하여 결정을 얻는다. / 물에 녹인다. / 건강한 담뱃잎에 발라 준다.

(라) 수일 후 (다)의 건강했던 담뱃잎에서 담배 모자이크병이 발생하였으며, 이 담뱃잎에서 TMV를 추출하여 그 양을 측정하였더니 10 μg이었다.

이 실험에서 나타난 TMV의 생물적 특성은 무엇인지, 그렇게 판단한 까닭을 포함하여 서술하시오.

KEY WORDS
• TMV
• 증식

05 다음은 영희가 수행한 탐구 과정의 일부이다.

KEY WORDS
(1) • 일조 시간
(2) • 온도
    • 빛의 세기

> [자연 현상 관찰 및 문제 인식] '국화는 왜 가을에 꽃이 필까?'
> [가설 설정] _____
> [탐구 설계 및 수행]
>
> | 국화 | A(대조군) | B(실험군) |
> |---|---|---|
> | 물의 양 | 충분한 양 | 충분한 양 |
> | 온도 | 30 ℃ | 30 ℃ |
> | 빛의 세기 | 강한 빛 | 강한 빛 |
> | 빛을 비춘 시간 | 길다. | 짧다. |
>
> [결과] 국화 A는 개화하지 않았고, 국화 B는 개화하였다.

(1) 이 탐구에서 영희가 설정한 가설은 무엇인지 서술하시오.

_____

(2) 영희가 가설을 수정하여 새로운 탐구를 설계하고 수행하고자 할 때, 설정할 수 있는 가설을
두 가지 서술하시오.

_____

06 다음은 철수가 여름에 냉장고에 음식물을 보관하면 더 오래 보관할 수 있는 까닭을 알아보기
위해 수행한 탐구 과정을 순서 없이 나열한 것이다.

KEY WORDS
(1) • 자연 현상 관찰 및 문제 인식
    • 가설 설정
    • 탐구 설계 및 수행
    • 결과 정리 및 해석
    • 결론 도출
(2) • 귀납적 탐구
    • 연역적 탐구
    • 가설 설정
    • 대조 실험

> (가) 여름에 냉장고에 음식물을 보관하면 더 오래 보관할 수 있는 까닭에 대해 의문을 갖
>   게 되었다.
> (나) 온도가 낮으면 부패 속도가 느리다.
> (다) 일정 시간이 지난 후 관찰하였더니 온도가 2 ℃인 곳에 놓아둔 밥은 부패하지 않았
>   지만, 25 ℃인 곳에 놓아둔 밥은 부패하였다.
> (라) 온도가 낮으면 부패 속도가 느릴 것이라고 가정하였다.
> (마) 2개의 그릇에 밥을 넣은 후 하나는 온도가 2 ℃인 곳에, 다른 하나는 온도가 25 ℃
>   인 곳에 놓아두었다.

(1) (가)~(마)는 각각 탐구 과정의 어느 단계에 해당하는지 쓰고, 탐구 과정의 순서대로 나열하
시오.

_____

(2) 철수는 귀납적 탐구 방법과 연역적 탐구 방법 중 어느 것을 이용하여 탐구를 진행했는지,
그렇게 판단한 까닭 두 가지를 포함하여 서술하시오.

_____

07 다음은 철수가 수행한 탐구 과정의 일부이다.

> (가) 불고기 양념에 배즙을 넣으면 고기가 연해진다는 말을 듣고 '왜 그럴까?'라는 의문을 가졌다.
>
> (나) _____
>
> (다) 시험관 A와 B에 같은 양의 달걀흰자를 넣고 표와 같이 처리한 후 일정 시간이 지나 아미노산 검출 반응을 실시하였다.
>
> | 시험관 | 첨가한 물질 | 온도 |
> |---|---|---|
> | A | 증류수 | 27 °C |
> | B | 증류수+배즙 | 27 °C |
>
> (라) 시험관 B에서만 아미노산이 검출되었다.

(1) (나)는 탐구 과정 중 어느 단계에 해당하는지 쓰고, (나)에 들어갈 말을 서술하시오.

_____

(2) 이 탐구 과정에서 조작 변인과 종속변인은 각각 무엇인지 서술하시오.

_____

08 어느 제약 회사에서 특정 동물에게 발생하는 세균성 질병 X에 대한 백신과 치료제를 각각 개발하고, 이들 약품의 효과를 검증하기 위한 실험을 설계하고자 한다. 다음은 동일한 수의 동물 집단 (가)~(라)와, 이들 동물 집단을 대상으로 취할 수 있는 처리 ㉠~㉢을 제시한 것이다.

> [동물 집단]
> (가) 건강한 동물 집단 A
> (나) 건강한 동물 집단 B
> (다) 질병 X에 걸린 동물 집단 C
> (라) 질병 X에 걸린 동물 집단 D
>
> [처리]
> ㉠ 백신을 주사한다.
> ㉡ 치료제를 주사한다.
> ㉢ 질병 X를 유발하는 세균을 주사한다.

(1) 백신의 효과를 검증하기 위해서는 (가)~(라) 중 어느 집단을 대상으로, ㉠~㉢ 중 어떤 처리를 해야 하며, 또 이러한 처리 후 확인해야 할 실험 결과는 무엇인지 서술하시오.

_____

(2) 치료제의 효과를 검증하기 위해서는 (가)~(라) 중 어느 집단을 대상으로, ㉠~㉢ 중 어떤 처리를 해야 하며, 또 이러한 처리 후 확인해야 할 실험 결과는 무엇인지 서술하시오.

_____

II

사람의 물질대사

1 사람의 물질대사

1

사람의 물질대사

세포의 물질대사와 에너지　　　　　기관계의 통합적 작용　　　　　물질대사와 건강

01 세포의 물질대사와 에너지

학습 Point 　물질대사, 이화 작용과 > 세포 호흡, ATP의 구조, > 에너지의 전환과 이용
　　　　　　 동화 작용　　　　　 ATP−ADP 회로

 세포의 생명 활동과 물질대사

자동차는 엔진에서 연료를 연소시켜 얻은 에너지로 달리고, 우리 몸은 세포에서 영양소를 분해하여 얻은 에너지로 각종 생명 활동을 한다. 이처럼 우리 몸을 구성하는 세포에서도 물질을 분해하거나 합성하는 등의 다양한 화학 반응, 즉 물질대사가 일어나고 있다.

1. 물질대사

생명체를 구성하는 세포에서는 생명 활동에 필요한 에너지를 얻기 위해 물질을 분해하고, 생장에 필요한 물질을 얻기 위해 물질을 합성하는 등의 화학 반응이 끊임없이 일어난다. 이처럼 생명체에서 일어나는 화학 반응을 통틀어 물질대사라고 한다. 물질대사에는 효소가 관여하며, 물질대사가 일어날 때에는 반드시 에너지가 흡수되거나 방출된다.

2. 물질대사의 구분

물질대사는 크게 물질을 분해하는 이화 작용과 물질을 합성하는 동화 작용으로 구분된다. 세포는 이화 작용으로 세포의 생명 활동에 필요한 에너지를 얻고, 동화 작용으로 세포를 구성하는 물질이나 효소와 호르몬 등 생명 활동에 필요한 물질을 합성한다.

⑴ **이화 작용**: 크고 복잡한 물질을 작고 간단한 물질로 분해하는 과정으로, 반응물에 저장되어 있던 에너지가 방출된다. ㉮ 세포 호흡, 소화

⑵ **동화 작용**: 작고 간단한 물질을 크고 복잡한 물질로 합성하는 과정으로, 에너지가 흡수되어 생성물에 저장된다. ㉮ 광합성, 단백질 합성, 글리코젠 합성

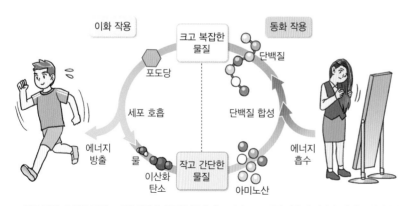

▲ **이화 작용과 동화 작용**　이화 작용은 물질을 분해하는 과정으로, 이화 작용이 일어날 때에는 에너지가 방출된다. 동화 작용은 물질을 합성하는 과정으로, 동화 작용이 일어날 때에는 에너지가 흡수된다.

물질대사의 특징
- 반드시 에너지 출입이 일어난다.
- 반응이 단계적으로 일어나 에너지가 여러 단계에 걸쳐 소량씩 출입한다.
- 효소가 관여하므로 체온(37 ℃) 정도의 낮은 온도에서 반응이 빠르게 일어난다.

사람의 체내에서 일어나는 이화 작용의 예
- 세포에서 포도당이 산소와 반응하여 이산화 탄소와 물로 분해되는 세포 호흡이 일어난다.
- 간세포에서 글리코젠이 포도당으로 분해되거나, 알코올이 이산화 탄소와 물로 분해된다.

사람의 체내에서 일어나는 동화 작용의 예
- 아미노산이 결합하여 머리카락을 구성하는 단백질로 합성된다.
- 소화샘이나 내분비샘에서 소화 효소나 호르몬이 합성된다.
- 간세포에서 포도당이 결합하여 글리코젠으로 합성되거나, 암모니아와 이산화 탄소가 결합하여 요소로 합성된다.

물질대사와 에너지 출입
이화 작용은 에너지가 방출되는 발열 반응이므로, 생성물보다 반응물에 저장된 에너지양이 더 많다. 동화 작용은 에너지가 흡수되는 흡열 반응이므로, 반응물보다 생성물에 저장된 에너지양이 더 많다.

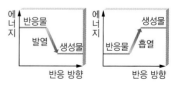

▲ 이화 작용　　　▲ 동화 작용

② 에너지의 전환과 이용

잔돈이 필요할 때 동전 교환기에서 지폐를 동전으로 바꾸어 사용하듯이 우리 몸에서는 세포 호흡으로 영양소에 저장된 에너지를 여러 분자의 ATP에 나누어 저장하여 각종 생명 활동에 이용한다.

1. 세포 호흡

탐구 1권 56쪽

세포 내에서 유기 영양소를 분해하여 생명 활동에 직접 이용되는 에너지원인 ATP를 합성하는 과정이다.

(1) **세포 호흡이 일어나는 장소**: 세포 호흡은 세포 내의 미토콘드리아에서 주로 일어나며, 세포질에서도 일부 과정이 진행된다.

(2) **호흡 기질**: 세포 호흡으로 분해되어 에너지를 방출하는 포도당과 같은 유기 영양소를 말한다. 3대 영양소인 탄수화물, 단백질, 지방이 호흡 기질로 이용되는데, 호흡 기질로 가장 많이 이용되는 영양소는 탄수화물의 한 종류인 포도당이다.

(3) **세포 호흡 과정**: 세포에서 포도당($C_6H_{12}O_6$)은 산소와 반응하여 이산화 탄소와 물로 분해되면서 에너지가 방출되는데, 이 에너지의 일부는 ATP에 저장되고 나머지는 열로 방출된다.

$$포도당 + 산소 \longrightarrow 이산화\ 탄소 + 물 + 에너지(ATP,\ 열)$$

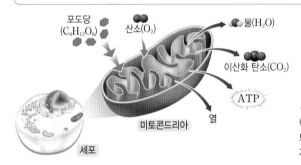

◀ **세포 호흡** 포도당에 저장된 화학 에너지는 세포 호흡을 통해 방출되어 일부는 ATP에 저장되고 나머지는 열로 방출된다.

시야 확장 ➕ 숨쉬기와 세포 호흡

'호흡'이라는 용어의 뜻을 물어 보면 대부분 호흡기 수준에서의 호흡을 뜻하는 '숨쉬는 것'이라고 답한다. 하지만 세포 수준에서의 호흡인 세포 호흡은 이와 다른 뜻을 갖고 있다. 세포 호흡은 세포 내에서 산소를 이용해 유기 영양소를 분해하여 에너지를 추출해서 ATP를 합성하는 생화학적 반응 경로를 의미한다.

숨쉬기로서의 호흡과 세포 호흡은 밀접한 관련이 있다. 숨쉬기를 통해 세포 호흡에 필요한 산소를 얻고, 세포 호흡 결과 발생한 이산화 탄소를 몸 밖으로 내보내기 때문이다. 숨을 들이마시면 공기가 호흡기로 들어간다. 호흡기에서는 공기 중의 산소가 체내로 흡수되고, 이산화 탄소가 체외로 나와 숨을 내쉴 때 배출된다. 호흡기에서 흡수된 산소는 혈액에 의해 세포에 공급되어 세포 호흡에

▲ **'숨쉬기'로서의 호흡**

이용된다. 한편, 호흡기를 통해 배출된 이산화 탄소는 세포 호흡 결과 발생하여 혈액에 의해 호흡기로 이동된 것이다. 따라서 '숨쉬기'로서의 호흡이 일어나야 세포 호흡이 일어날 수 있는 것이다.

동전 교환기와 세포 호흡

세포 호흡을 동전 교환기에 비유하면 포도당은 지폐에, ATP는 동전에 해당된다. 세포 호흡은 포도당이라는 큰 단위의 에너지를 ATP라는 작은 단위의 에너지로 바꾸는 과정이라고 할 수 있다.

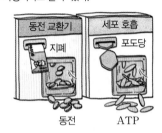

유기 영양소

탄소와 수소의 결합이나 탄소와 탄소의 결합이 있는 물질을 유기물이라고 하는데, 탄수화물, 단백질, 지방과 같은 영양소는 탄소와 수소의 결합이나 탄소와 탄소의 결합이 많아 유기 영양소라고 한다.

호흡 기질

음식으로 섭취하는 포도당과 저장형 탄수화물인 글리코젠으로부터 공급되는 포도당만으로 부족할 때에는 단백질과 지방이 분해되어 세포에 공급되기도 한다.

포도당에 저장된 에너지를 ATP에 나누어 저장하는 까닭

포도당에는 다량의 에너지가 들어 있는데, 생명 활동에는 소량의 에너지를 필요로 하는 경우가 많다. 따라서 포도당에 저장되어 있는 많은 양의 에너지를 ATP에 소량씩 나누어 저장하면 에너지를 효율적으로 사용할 수 있다.

세포 호흡의 반응식

• 세포 호흡의 반응식을 간단하게 나타내면 다음과 같다.

$$C_6H_{12}O_6 + 6O_2 \longrightarrow 6CO_2 + 6H_2O + 에너지$$

• 세포 호흡을 통해 O_2를 구성하는 산소 원자가 H_2O을 구성하는 산소 원자로 되는 점을 고려하여 세포 호흡의 반응식을 나타내면 다음과 같다.

$$C_6H_{12}O_6 + 6O_2 + 6H_2O \longrightarrow 6CO_2 + 12H_2O + 에너지$$

2. ATP(아데노신 3인산)

생명 활동에 직접 이용되는 에너지 저장 물질이다. 유기 영양소가 세포 호흡으로 분해되는 과정에서 방출된 에너지의 일부는 ATP 합성에 사용되어 ATP에 저장되었다가, ATP 가 ADP로 분해될 때 방출되어 여러 생명 활동에 이용된다.

(1) **ATP의 구조**: 아데닌과 리보스가 결합한 아데노신에 3개의 인산기가 결합한 구조이다. ATP에서 인산기와 인산기는 고에너지 인산 결합으로 연결되어 있는데, 이 결합이 형성될 때 에너지가 저장되고 끊어질 때 에너지가 방출된다.

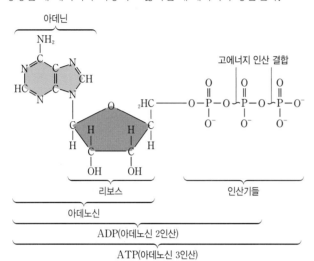

◀ **ATP의 구조** ATP와 ADP는 아데노신에 각각 3개, 2개의 인산기가 결합한 화합물이다.

(2) **ATP-ADP 회로**: ADP와 무기 인산(P_i)이 결합하여 ATP가 합성되면서 에너지가 저장되고, ATP가 다시 ADP와 무기 인산(P_i)으로 분해되면서 에너지가 방출되는 순환 과정을 말한다.

① ATP의 고에너지 인산 결합이 형성될 때 에너지가 흡수되어 저장되고, 고에너지 인산 결합이 끊어질 때 에너지가 방출된다.

② ADP와 무기 인산(P_i)을 결합시켜 ATP로 합성하는 데에는 세포 호흡과 같은 이화 작용으로 방출된 에너지가 사용된다.

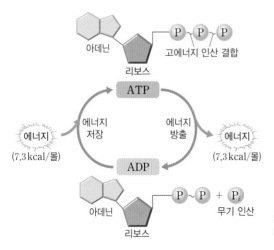

◀ **ATP-ADP 회로** ATP가 합성될 때 에너지가 저장되고, ATP가 분해될 때 에너지가 방출된다.

ATP와 ADP

- ATP: adenosine triphosphate
- ADP: adenosine diphosphate

아데닌, 리보스, 아데노신

- 아데닌(adenine): 질소를 함유한 유기 화합물인 염기의 한 종류로 염기성을 띠며, ATP와 핵산(RNA, DNA)을 구성한다.
- 리보스(ribose): ATP와 RNA를 구성하는 5탄당이다.
- 아데노신(adenosine): 아데닌과 리보스가 결합한 화합물로, ATP와 RNA를 구성한다.

고에너지 인산 결합

- 대부분의 화학 결합은 2~3 kcal/몰 정도의 에너지를 저장하고 있다. 그런데 ATP의 끝부분에 있는 2개의 인산 결합은 각각 이보다 훨씬 많은 7.3 kcal/몰의 에너지를 저장하고 있기 때문에 고에너지 인산 결합이라고 한다.
- 세포 호흡으로 방출된 에너지의 일부는 ATP의 고에너지 인산 결합에 저장되었다가 필요할 때 이 결합이 끊어져 방출된다. 이로 인해 ATP가 세포 내 에너지 대사의 중심적 역할을 할 수 있는 것이다.

ATP-ADP 회로와 건전지

ATP-ADP 회로에서 ADP가 ATP로 될 때 에너지가 저장되고, ATP가 ADP로 될 때 에너지가 방출되는 것은 건전지의 충전과 방전에 비유할 수 있다. 이때 충전된 건전지는 ATP에, 방전된 건전지는 ADP에 해당한다.

3. 에너지의 전환과 이용

유기 영양소가 세포 호흡으로 분해되는 과정에서 방출된 에너지의 일부는 ATP에 화학 에너지 형태로 저장되었다가, 필요할 때 ATP가 ADP와 무기 인산(P_i)으로 분해되면서 방출된다. ATP가 분해되면서 방출된 에너지는 기계적 에너지, 화학 에너지, 열에너지 등 다양한 형태의 에너지로 전환되어 근육 수축, 물질 운반, 물질 합성, 발열 등 여러 생명 활동에 이용된다. 그 결과 우리 몸에서는 근육 운동, 정신 활동, 생장, 체온 유지 등이 이루어진다.

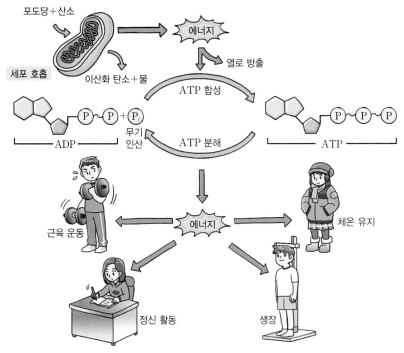

▲ **에너지의 전환과 이용**   세포 호흡을 통해 방출된 에너지의 일부는 ATP에 저장되었다가 ATP가 ADP와 무기 인산(P_i)으로 분해되면서 방출되어 여러 생명 활동에 이용된다.

⑴ **근육 수축**: 동물의 근육 운동은 주로 근육 수축에 의해 일어난다. 근육은 수축과 이완을 할 수 있는 근육 섬유로 이루어져 있으며, 이 근육 섬유가 수축과 이완의 기계적 운동을 할 때 ATP의 화학 에너지가 기계적 에너지로 전환된다.

⑵ **물질 운반**: 세포막에서 능동 수송으로 물질을 운반할 때 ATP의 화학 에너지가 기계적 에너지로 전환된다. 능동 수송의 예로는 세포막에서 일어나는 Na^+-K^+ 펌프에 의한 Na^+과 K^+의 이동, 소장 내벽에서 일어나는 영양소의 흡수, 콩팥의 세뇨관에서 일어나는 포도당의 재흡수 등이 있다.

⑶ **물질 합성**: 세포에서 물질을 합성하는 동화 작용이 일어날 때 ATP의 화학 에너지가 생성물의 화학 에너지로 전환된다. 물질 합성으로 우리 몸을 구성하는 단백질, 인지질, 핵산 등이 만들어져 생장이 일어난다.

⑷ **발열**: 세포 호흡 과정에서 방출된 에너지 중 약 66 %는 ATP에 저장되지 못하고 열에너지로 방출되어 체온 유지에 이용된다. 또, 포유류와 조류 같은 정온 동물은 체온이 낮아지면 근육 떨림과 같이 ATP를 소모하는 물질대사를 촉진하여 열을 발생시킴으로써 체온을 유지한다.

화학 에너지

물질에 저장되어 있다가 화학 변화에 따라 방출되는 에너지

기계적 에너지

운동 에너지나 위치 에너지와 같은 역학적 에너지

능동 수송

세포막에서 ATP의 에너지를 소모하여 물질을 농도가 낮은 쪽에서 높은 쪽으로 이동시키는 작용이다.

Na^+-K^+ 펌프

• 세포막에 있는 능동 수송 기구로 ATP의 에너지를 소모하여 K^+을 세포 안으로, Na^+을 세포 밖으로 이동시킨다.

• 동물 세포 내부는 Na^+-K^+ 펌프의 작용으로 Na^+ 농도는 외부보다 낮게, K^+ 농도는 외부보다 높게 유지된다.

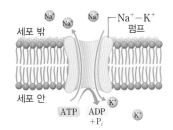

효모의 이산화 탄소 방출량 비교하기

포도당 함량에 따른 효모의 이산화 탄소 방출량을 비교할 수 있다.

과정

1 증류수 100 mL에 건조 효모 12 g을 녹여 효모액을 만든 다음, 4개의 발효관에 표와 같이 혼합 용액을 넣는다.

발효관	혼합 용액의 조성
A	5 % 포도당 수용액 15 mL + 증류수 15 mL
B	5 % 포도당 수용액 15 mL + 효모액 15 mL
C	10 % 포도당 수용액 15 mL + 효모액 15 mL
D	15 % 포도당 수용액 15 mL + 효모액 15 mL

2 발효관의 입구를 솜으로 막은 다음, 온도를 35 ℃로 유지하며 맹관부에 모인 기체의 부피를 2분 간격으로 측정한다.

3 맹관부에 모인 기체의 부피가 더 이상 변하지 않으면 스포이트로 각 발효관의 팽대부에서 용액을 20 mL씩 뽑아낸 후, 각 발효관에 수산화 칼륨(KOH) 수용액을 20 mL씩 넣고 변화를 관찰한다.

결과 및 해석

1 각 발효관의 맹관부에 모인 기체의 최종 부피가 많은 것부터 순서대로 나열하면 D>C>B>A 순이다.
→ 포도당 수용액의 농도가 높을수록 효모의 세포 호흡이 많이 일어나 이산화 탄소가 많이 발생하므로 맹관부에 더 많은 기체(이산화 탄소)가 모인다. 발효관 A에는 효모액을 넣지 않았으므로 기체(이산화 탄소)가 모이지 않는다.

2 각 발효관에 수산화 칼륨 수용액을 넣으면 맹관부에 모인 기체가 사라진다. 수산화 칼륨 수용액은 이산화 탄소를 흡수하는 성질이 있으므로($2KOH + CO_2 \rightarrow K_2CO_3 \downarrow + H_2O$), 이를 통해 맹관부에 모인 기체가 이산화 탄소임을 알 수 있다.

정리

용액의 포도당 함량이 높을수록 효모의 세포 호흡이 많이 일어나 이산화 탄소(CO_2)가 많이 발생한다.

효모의 세포 호흡
효모는 산소가 있으면 산소 호흡을 하고, 산소가 없으면 무산소 호흡의 일종인 알코올 발효를 한다. 실험 과정에서 발효관 입구를 솜으로 막아 공기를 차단했으므로, 발효관 속 효모는 처음에 잠깐 산소 호흡을 하다가 산소가 다 소모되면 알코올 발효를 한다.

발효관 A를 설정한 까닭
발효관 A는 대조군으로, 발효관 B~D에서 발생한 기체가 효모의 작용으로 발생한 것인지를 확인하기 위해 설정한 것이다.

발효관의 온도를 35 ℃로 유지하는 까닭
효모의 세포 호흡에 관여하는 효소의 작용이 잘 일어나도록 하기 위해서이다.

탐구 확인 문제

> 정답과 해설 **10**쪽

01 위 탐구에 대한 설명으로 옳은 것을 모두 고르면? (정답 2개)

① 효모는 포도당을 호흡 기질로 이용한다.

② 효모는 산소가 있을 때 알코올 발효를 한다.

③ 발효관의 맹관부에 모이는 기체는 산소이다.

④ 수산화 칼륨 수용액은 이산화 탄소를 흡수한다.

⑤ 용액 속 포도당 양이 적을수록 발효관의 맹관부에 기체가 더 많이 모인다.

02 2개의 발효관에 같은 종류의 당이 든 음료수 A와 B를 같은 양씩 넣고 효모액을 각각 같은 양씩 첨가한 후 입구를 솜마개로 막은 다음, 35 ℃로 유지하였다. 그 결과 B를 넣은 발효관의 맹관부보다 A를 넣은 발효관의 맹관부에 기체가 더 많이 모였다.

(1) 음료수 A와 B 중 어느 것의 당 함량이 더 높은지 쓰시오.

(2) 맹관부에 기체가 많이 모인 발효관의 솜마개를 열면 어떤 냄새가 나는지 쓰시오.

효모의 세포 호흡

세포가 생명 활동에 필요한 ATP를 얻기 위해 세포 호흡을 할 때 반드시 산소가 필요한가? 정답은 '아니요.'이다.
효모는 산소가 없을 때에는 산소를 필요로 하지 않는 알코올 발효로 생명 활동에 필요한 ATP를 얻는다. 산소가
있을 때와 없을 때 효모가 하는 세포 호흡이 어떻게 다른지 알아보자.

포도주를 담글 때에는 포도를 으깨서 밀폐된 발효조에 넣고 공기의 출입을 차단한다. 산소가
없어야 포도 껍질에 붙어 있던 효모가 알코올 발효를 하여 알코올이 생성되기 때문이다. 효모
는 산소가 있을 때에는 산소를 이용하여 포도당을 이산화 탄소와 물로 분해하는 산소 호흡을
하고, 산소가 없을 때에는 포도당을 에탄올과 이산화 탄소로 분해하는 알코올 발효를 한다.

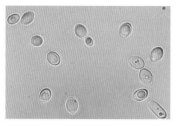

▲ 효모

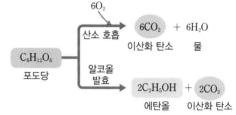

▲ 산소 호흡과 알코올 발효

효모가 알코올 발효로 포도당을 분해할 때 생성되는 이산화 탄소의 양은 산소 호흡에 비해 적
다. 그리고 산소 호흡에서는 포도당이 이산화 탄소와 물로 완전히 분해되지만, 알코올 발효에
서는 포도당이 많은 에너지를 저장하고 있는 에탄올로 불완전 분해되기 때문에 산소 호흡에 비
해 소량의 ATP가 생성된다.

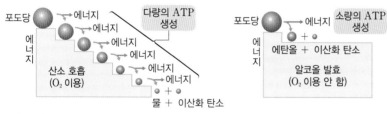

▲ 산소 호흡과 알코올 발효 비교

예제

효모가 같은 양의 포도당을 산소 호흡과 알코올 발효로 각각 분해할 때에 대한 설명으로 옳은 것은?

① 산소 호흡과 알코올 발효에서 모두 산소가 이용된다.
② 산소 호흡과 알코올 발효에서 모두 이산화 탄소가 발생한다.
③ 산소 호흡에서보다 알코올 발효에서 더 많은 양의 ATP가 생성된다.
④ 산소 호흡과 알코올 발효에서 모두 포도당이 물과 이산화 탄소로 완전히 분해된다.
⑤ 산소 호흡에서는 알코올 발효와 달리 방출된 에너지가 모두 ATP의 에너지로 전환된다.

정답 ②

해설 ①, ③, ④ 알코올 발효에서는 산소가 이용되지 않아 포도당이 불완전 분해되며, 산소 호흡보다 적은 양의 ATP가 생
성된다.
⑤ 산소 호흡과 알코올 발효 모두 방출된 에너지의 일부만 ATP에 저장되고, 나머지는 열로 방출된다.

효모

하나의 세포로 이루어진 단세포
생물로, 곰팡이나 버섯과 함께 균
계에 속하는 미생물이며, 흔히 술
이나 빵을 만드는 데 이용된다.

▲ 효모를 이용하여 만든 술과 빵

무산소 호흡

생물이 산소가 없는 상태에서 유
기 영양소를 분해하여 ATP를
합성하는 과정이다. 미생물에 의
해 일어나는 발효나 부패가 무산
소 호흡에 해당된다. 포도당을 호
흡 기질로 이용하는 무산소 호흡
에는 알코올 발효와 젖산 발효가
있다.

알코올 발효

미생물이 산소를 이용하지 않고
포도당, 과당 같은 당을 에탄올과
이산화 탄소로 분해하여 에너지
를 얻는 과정이다.

ATP – 생물의 에너지 화폐

포도당과 같은 유기 영양소에 저장된 에너지는 세포 호흡으로 여러 분자의 ATP에 나뉘어 저장되었다가 생명 활동에 사용된다. 세포 호흡은 포도당이라는 지폐를 ATP라는 동전 여러 개로 교환하는 것에 비유할 수 있다. 그래서 ATP를 생물의 에너지 화폐라고도 한다. 세포가 생명 활동에 필요한 에너지를 공급하는 데 유기 영양소를 바로 사용하지 않고 ATP로 바꾸어 사용하는 까닭은 무엇인지 알아보자.

❶ 진화적인 측면

일부 학자들은 그 까닭을 원시 생명체가 생겨난 원시 바다에 NTP(ATP, GTP, CTP, UTP)가 대량으로 축적되어 있었기 때문이라고 주장한다. 원시 생명체가 처음에는 풍부한 NTP로부터 에너지를 얻어 핵산을 복제하였고, 나아가 NTP를 단백질 합성 등 여러 가지 생화학 반응에 이용하였다는 것이다. 이러한 과정을 거쳐 점차 유기 영양소를 분해하여 ATP를 생성하도록 진화하였다는 것이다.

▲ 원시 바다

NTP
RNA를 구성하는 뉴클레오타이드로, 염기의 종류에 따라 ATP(adenosine triphosphate), GTP(guanosine triphosphate), CTP(cytidine triphosphate), UTP(uridine triphosphate)의 네 가지가 있다.

❷ 에너지 효율 측면

에너지 효율 측면에서 그 까닭을 제시하는 학자들도 있다. 이것은 가정에 전기 에너지를 공급하는 과정에 비유할 수 있다. 발전소에서 전기 에너지를 높은 전압으로 멀리까지 보내면 이 전기 에너지는 변압 과정을 거쳐 220 V의 전기로 감압된 다음 가정으로 공급되는데, 그 까닭은 가전제품의 손상을 막고 전기 에너지를 효율적으로 사용하기 위해서이다. 세포 호흡으로 포도당의

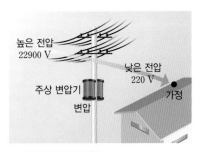
▲ 가정용 전기 공급 과정

에너지를 여러 분자의 ATP에 나누어 저장하여 이용하는 것도 세포의 손상을 막고 에너지를 효율적으로 사용하기 위해서이다. 만약 생명 활동이 일어날 때마다 에너지가 많이 저장되어 있는 포도당을 에너지원으로 바로 사용한다면, 쓰고 남은 다량의 에너지가 열로 방출되어 세포가 손상되고 낭비되는 에너지도 많아서 에너지 효율이 떨어질 것이다.

예제

포도당 대신 ATP를 생명 활동의 에너지원으로 사용하는 것의 유리한 점을 모두 고르면? (정답 2개)

① 에너지 낭비를 줄일 수 있다.　　　　② 포도당이 없어도 에너지를 얻을 수 있다.
③ ATP에 에너지를 더 많이 저장할 수 있다.　　④ 과다한 열로 세포가 손상되는 것을 막을 수 있다.
⑤ 세포 호흡으로 방출된 에너지를 모두 ATP에 저장할 수 있다.

정답 ①, ④

해설 ①, ④ 포도당에 저장되어 있는 에너지는 개개의 생명 활동에 쓰기에는 너무 많기 때문에 포도당을 생명 활동에 직접 사용하면 에너지가 많이 낭비되고, 다량의 열이 한꺼번에 발생하여 세포가 손상을 입을 우려가 있다.

01 세포의 물질대사와 에너지

① 세포의 생명 활동과 물질대사

1. 물질대사 생명체에서 일어나는 물질의 합성과 분해 같은 화학 반응이다.

- 물질대사에는 (❶   )가 관여한다.
- 물질대사가 일어날 때에는 반드시 (❷   )가 흡수되거나 방출된다.

2. 물질대사의 구분

- (❸   ) 작용: 물질을 분해하는 과정으로, 에너지가 방출된다. 예 세포 호흡, 소화
- (❹   ) 작용: 물질을 합성하는 과정으로, 에너지가 흡수된다. 예 광합성, 단백질 합성, 글리코젠 합성

② 에너지의 전환과 이용

1. 세포 호흡 세포 내에서 유기 영양소를 분해하여 (❺   )를 합성하는 과정이다.

- 세포 호흡 장소: 세포 내의 (❻   )에서 주로 일어나며, 세포질에서도 일부 과정이 진행된다.
- 호흡 기질: 3대 영양소인 탄수화물, 단백질, 지방이 이용된다.
- 세포 호흡 과정: 포도당이 산소와 반응하여 (❼   )와 물로 분해되면서 에너지가 방출된다. 방출된 에너지의 일부는 (❽   )에 저장되고, 나머지는 열로 방출된다.

> 포도당 + 산소 ⟶ 이산화 탄소 + 물 + 에너지(ATP, 열)

2. ATP(아데노신 3인산) 생명 활동에 직접 이용되는 에너지 저장 물질이다.

▲ **ATP의 구조**

- ATP의 구조: 아데닌과 리보스가 결합한 (❾   )에 3개의 인산기가 결합한 구조이며, 인산기와 인산기는 고에너지 인산 결합으로 연결되어 있다.
- ATP−ADP 회로: ADP와 무기 인산(P_i)이 결합하여 ATP가 합성될 때 에너지가 (❿   )되고, ATP가 ADP와 무기 인산(P_i)으로 분해될 때 에너지가 (⓫   )된다.

3. 에너지의 전환과 이용 세포 호흡으로 방출된 에너지는 ATP에 (⓬   ) 에너지 형태로 저장되었다가 ATP가 분해될 때 방출되어 근육 수축, 물질 운반, 물질 합성, 발열 등 여러 생명 활동에 이용된다.

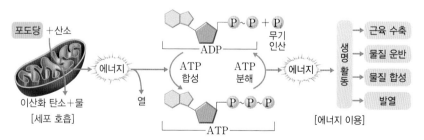

- 근육 수축: 근육이 수축·이완할 때 ATP의 화학 에너지가 기계적 에너지로 전환된다.
- 물질 운반: 세포막에서 능동 수송이 일어날 때 ATP의 화학 에너지가 (⓭   ) 에너지로 전환된다.
- 물질 합성: 동화 작용이 일어날 때 ATP의 화학 에너지가 생성물의 (⓮   ) 에너지로 전환된다.
- 발열: 정온 동물은 체온이 낮아지면 ATP가 소모되는 물질대사를 촉진하여 열을 발생시킨다.

01 간에서 일어나는 물질대사 중 동화 작용에 해당하는 것만을 〈보기〉에서 있는 대로 고르시오.

보기
ㄱ. 포도당 → 글리코젠
ㄴ. 단백질 → 아미노산
ㄷ. 알코올 → 이산화 탄소 + 물
ㄹ. 암모니아 + 이산화 탄소 → 요소

02 그림은 세포에서 일어나는 물질대사 (가)와 (나)를 나타낸 것이다.

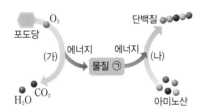

이에 대한 설명으로 옳은 것만을 〈보기〉에서 있는 대로 고르시오.

보기
ㄱ. (가)와 (나)에 모두 효소가 관여한다.
ㄴ. (가)는 동화 작용, (나)는 이화 작용이다.
ㄷ. (가)에서 방출된 에너지를 (나)로 전달하는 물질 ㉠
　은 ATP이다.

03 그림은 미토콘드리아에서 일어나는 세포 호흡 과정을 나타낸 것이다.

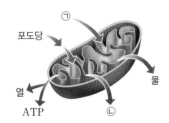

(1) ㉠과 ㉡은 각각 무엇인지 쓰시오.

(2) 위 자료를 토대로 세포 호흡의 정의를 간단히 쓰시오.

04 그림은 어떤 세포에서 일어나는 물질대사 (가)와 (나)를 나타낸 것이다.

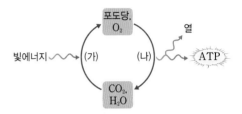

이에 대한 설명으로 옳은 것만을 〈보기〉에서 있는 대로 고르시오.

보기
ㄱ. (가)는 동화 작용, (나)는 이화 작용이다.
ㄴ. (나)는 세포 호흡 과정이다.
ㄷ. (가)와 (나)는 모두 미토콘드리아에서 일어난다.

05 그림은 세포 내에서 포도당이 이산화 탄소와 물로 될 때의 에너지 수준 변화를 나타낸 것이다.

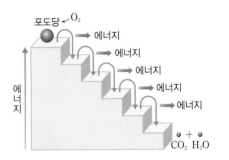

이에 대한 설명으로 옳은 것만을 〈보기〉에서 있는 대로 고르시오.

보기
ㄱ. 세포 호흡 과정이다.
ㄴ. 이화 작용에 해당한다.
ㄷ. 효소의 작용으로 일어난다.
ㄹ. 방출된 에너지는 모두 ATP에 저장된다.

06 그림은 ATP와 ADP 사이의 전환을 나타낸 것이다. ㉠과 ㉡은 각각 ATP와 ADP 중 하나이다.

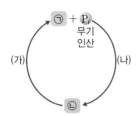

이에 대한 설명으로 옳은 것만을 〈보기〉에서 있는 대로 고르시오.

보기
ㄱ. ㉠은 ATP이다.
ㄴ. (가)는 이화 작용이다.
ㄷ. (나) 과정이 진행될 때 에너지가 흡수된다.
ㄹ. 세포 호흡이 일어날 때에는 (나) 과정보다 (가) 과정이 더 많이 일어난다.

07 그림은 ATP-ADP 회로를 나타낸 것이다.

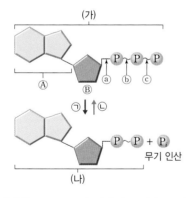

(1) (가)와 (나) 중 ATP에 해당하는 것을 쓰시오.

(2) (가)를 구성하는 Ⓐ와 Ⓑ는 각각 무엇인지 쓰시오.

(3) ㉠과 ㉡ 중 에너지를 방출하는 과정을 쓰시오.

(4) ⓐ~ⓒ 중 고에너지 인산 결합을 모두 쓰시오.

08 그림은 세포 내에서의 ATP 생성과 이용을 나타낸 것이다.

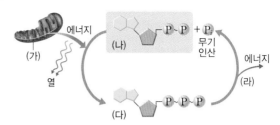

(1) (가)의 이름과 (가)를 중심으로 ATP를 합성하는 작용을 무엇이라고 하는지 순서대로 각각 쓰시오.

(2) (나)와 (다)는 각각 무엇인지 쓰시오.

(3) (라) 과정에서 방출된 에너지가 쓰이는 생명 활동만을 〈보기〉에서 있는 대로 고르시오.

보기
ㄱ. 근육이 수축한다.
ㄴ. 효소를 합성한다.
ㄷ. CO_2가 세포 밖으로 확산된다.
ㄹ. Na^+-K^+ 펌프에 의해 Na^+과 K^+이 이동한다.

09 다음은 효모의 물질대사와 관련된 실험 과정이다.

(가) 발효관 A~D에 표와 같이 혼합 용액을 넣는다.

발효관	혼합 용액의 조성
A	5 % 포도당 수용액 15 mL + 증류수 15 mL
B	5 % 포도당 수용액 15 mL + 효모액 15 mL
C	10 % 포도당 수용액 15 mL + 효모액 15 mL
D	15 % 포도당 수용액 15 mL + 효모액 15 mL

(나) 발효관의 입구를 솜으로 막은 다음, 온도를 35 ℃로 유지한다.
(다) 맹관부에 모인 기체의 부피를 일정한 시간 간격으로 측정한다.

(1) 이 실험에서 검증하고자 한 가설을 쓰시오.

(2) 맹관부에 모이는 기체는 무엇인지 쓰시오.

01 > 간에서 일어나는 물질대사

그림은 간에서 일어나는 물질 변화 (가)와 (나)를 나타낸 것이다.

이에 대한 설명으로 옳은 것은?

① (가)는 동화 작용이다.

② (가)에서는 생성물보다 반응물에 저장된 에너지양이 많다.

③ (나)에서는 에너지가 방출된다.

④ (나)에서는 크고 복잡한 물질이 작고 간단한 물질로 된다.

⑤ (가)에는 효소가 필요하고, (나)에는 효소가 필요하지 않다.

(가)와 (나)는 모두 생물체 내에서 일어나는 물질 변화이므로 물질대사에 해당된다. (가)는 간에서 글리코젠이 포도당으로 분해되는 과정이고, (나)는 간에서 아미노산이 단백질로 합성되는 과정이다.

02 > 세포의 물질대사

그림은 어떤 세포에서 일어나는 물질대사 (가)~(라)를 나타낸 것이다.

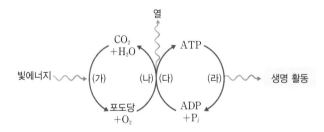

이에 대한 설명으로 옳은 것만을 〈보기〉에서 있는 대로 고른 것은?

> 보기

ㄱ. (나)와 (라)는 모두 이화 작용이다.

ㄴ. (다) 과정이 진행될 때 에너지가 흡수된다.

ㄷ. 사람의 근육 세포에서는 (가)~(라)가 모두 일어난다.

① ㄱ   ② ㄴ   ③ ㄱ, ㄴ   ④ ㄱ, ㄷ   ⑤ ㄴ, ㄷ

이화 작용이 일어날 때에는 반응물에 저장되어 있던 에너지가 방출되고, 동화 작용이 일어날 때에는 에너지가 흡수되어 생성물에 저장된다.

03 ▶ 세포 호흡 과정

그림은 세포 호흡 과정을 나타낸 것이다.

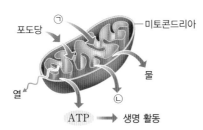

이에 대한 설명으로 옳은 것만을 〈보기〉에서 있는 대로 고른 것은?

> 보기
>
> ㄱ. ㉠은 산소(O_2)이다.
> ㄴ. ㉡은 암모니아(NH_3)이다.
> ㄷ. 생명 활동에 포도당이 아니라 ATP에 저장된 에너지를 이용하는 까닭은 많은 양의 에너지를 한번에 이용하기 위해서이다.

① ㄱ   ② ㄴ   ③ ㄱ, ㄴ   ④ ㄱ, ㄷ   ⑤ ㄴ, ㄷ

● 암모니아(NH_3)는 단백질이 세포 호흡의 호흡 기질로 이용되었을 때 생성된다.

04 ▶ ATP의 구조

그림은 ATP의 구조를 나타낸 것이다.

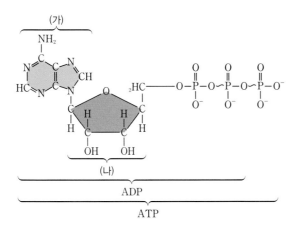

이에 대한 설명으로 옳지 않은 것은?

① (가)는 아데닌이다.
② (나)는 탄수화물의 한 종류이다.
③ ADP에는 2개의 고에너지 인산 결합이 있다.
④ ATP는 ADP보다 더 많은 양의 에너지를 저장하고 있다.
⑤ 인산기와 인산기 사이의 결합이 끊어질 때 비교적 많은 양의 에너지가 방출된다.

● ATP는 1개의 염기, 1개의 당(리보스), 3개의 인산기가 결합한 화합물로, 인산기와 인산기는 고에너지 인산 결합으로 연결되어 있다.

05 › ATP−ADP 회로
그림은 ATP와 ADP 사이의 전환을 나타낸 것이다.

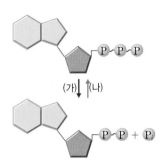

이에 대한 설명으로 옳은 것만을 〈보기〉에서 있는 대로 고른 것은?

> 보기
>
> ㄱ. (가) 반응이 일어날 때 에너지가 흡수된다.
> ㄴ. 근육이 수축할 때 (가) 반응이 일어난다.
> ㄷ. (나)는 동화 작용에 해당한다.
> ㄹ. 세포 호흡 과정에서 (나) 반응이 일어난다.

① ㄱ, ㄴ   ② ㄷ, ㄹ   ③ ㄱ, ㄴ, ㄷ
④ ㄴ, ㄷ, ㄹ   ⑤ ㄱ, ㄴ, ㄷ, ㄹ

• ADP와 무기 인산(P_i)이 결합하여 ATP가 합성될 때 에너지가 흡수되며, 이 에너지는 세포 호흡을 통해 공급된다.

06 › 생물에서 에너지의 전환과 이용
그림은 생물체 내에서 일어나는 에너지의 전환과 이용 과정을 나타낸 것이다.

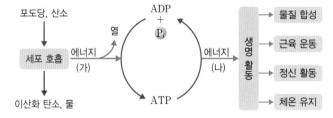

이에 대한 설명으로 옳은 것만을 〈보기〉에서 있는 대로 고른 것은?

> 보기
>
> ㄱ. 포도당의 화학 에너지가 생명 활동에 직접 이용된다.
> ㄴ. (가) 과정에서 방출되는 에너지는 모두 ATP에 저장된다.
> ㄷ. (나) 과정에서 ATP의 화학 에너지가 다양한 형태의 에너지로 전환된다.

① ㄱ   ② ㄷ   ③ ㄱ, ㄴ   ④ ㄴ, ㄷ   ⑤ ㄱ, ㄴ, ㄷ

• 세포 호흡이 일어날 때 포도당의 화학 에너지 중 일부는 ATP에 저장되고, 나머지는 열로 방출된다.

07 ▶ 동물체 내에서의 에너지 흐름

그림은 동물체 내에서 일어나는 에너지의 흡수와 이용 과정을 모식적으로 나타낸 것이다.

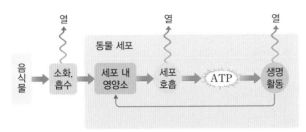

이에 대한 설명으로 옳은 것만을 〈보기〉에서 있는 대로 고른 것은?

보기

ㄱ. 소화는 이화 작용에 해당한다.
ㄴ. 동물 세포에서는 동화 작용과 이화 작용이 모두 일어난다.
ㄷ. 세포 내 영양소의 화학 에너지가 생명 활동에 직접 이용된다.
ㄹ. ATP의 에너지가 세포 내 영양소의 화학 에너지로 전환되기도 한다.

① ㄱ, ㄴ, ㄷ   ② ㄱ, ㄴ, ㄹ   ③ ㄱ, ㄷ, ㄹ
④ ㄴ, ㄷ, ㄹ   ⑤ ㄱ, ㄴ, ㄷ, ㄹ

• 세포 내 영양소의 화학 에너지 일부는 세포 호흡을 통해 ATP의 에너지로 전환된 후 세포의 생명 활동에 쓰인다. 세포의 생명 활동 중에는 생장 등을 위한 영양소 합성도 포함된다.

08 ▶ 효모의 세포 호흡

한 종류의 당이 포함된 음료수와 효모액의 혼합 용액을 그림과 같이 발효관에 넣고 입구를 솜으로 막은 다음, 35 ℃에 20분간 두었다가 맹관부에 모인 기체의 부피를 측정하였다.

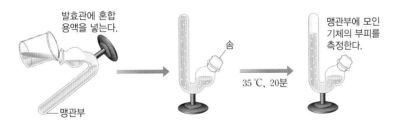

이에 대한 설명으로 옳은 것만을 〈보기〉에서 있는 대로 고른 것은?

보기

ㄱ. 발효관 내에서 알코올 발효가 일어난다.
ㄴ. 발효관의 맹관부에 모인 기체는 산소이다.
ㄷ. 발효관의 맹관부에 모인 기체의 부피가 클수록 음료수의 당 함량이 높은 것이다.

① ㄱ   ② ㄴ   ③ ㄱ, ㄴ   ④ ㄱ, ㄷ   ⑤ ㄴ, ㄷ

• 효모는 산소가 없으면 알코올 발효를 하여 포도당($C_6H_{12}O_6$)을 에탄올(C_2H_5OH)과 이산화 탄소(CO_2)로 분해한다.

02 기관계의 통합적 작용

학습 Point 세포의 에너지 획득에 관여하는 기관계 > 영양소의 소화와 흡수 및 이동 > 산소의 공급과 이산화 탄소의 배출 > 노폐물의 생성과 배설 경로 > 기관계의 통합적 작용

1. 세포의 에너지 획득에 관여하는 기관계

세포 호흡을 통해 생명 활동에 필요한 에너지를 얻기 위해서는 소화계, 호흡계, 순환계, 배설계가 맞물린 톱니바퀴처럼 서로 밀접한 관계를 맺고 협력하면서 제 역할을 잘 수행하여야 한다.

1. 세포 호흡과 기관계의 관계

세포 호흡으로 생명 활동에 필요한 에너지를 얻기 위해서는 세포에 영양소와 산소가 공급되어야 하고, 세포 호흡 결과 생성된 이산화 탄소, 물, 질소 노폐물이 몸 밖으로 배출되어야 한다. 이 과정은 소화계, 호흡계, 순환계, 배설계에 의해 이루어진다.

2. 소화계, 호흡계, 순환계, 배설계의 작용

소화계는 영양소의 소화와 흡수를 담당하고, 호흡계는 산소의 흡수와 이산화 탄소의 배출을 담당한다. 배설계는 과잉의 물과 질소 노폐물의 배출을 담당하며, 순환계는 기관계 사이의 물질 운반을 담당한다. 따라서 이들 기관계가 서로 협력하여 소화, 호흡, 순환, 배설이 모두 원활하게 일어나야 세포 호흡이 지속적으로 일어나 생명을 유지할 수 있다.

기관계
동물체에서 연관된 기능을 하는 기관을 묶어 기관계라고 한다. 사람의 몸에는 소화계, 순환계, 호흡계, 배설계, 신경계 등의 다양한 기관계가 있다.

주요 기관계를 구성하는 기관

기관계	기관
소화계	입, 식도, 위, 소장, 대장, 항문, 간, 쓸개, 이자 등
호흡계	폐, 기관, 기관지 등
순환계	심장, 혈관 등
배설계	콩팥, 오줌관, 방광, 요도 등

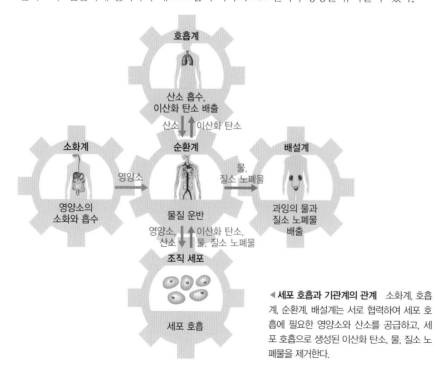

◀ **세포 호흡과 기관계의 관계** 소화계, 호흡계, 순환계, 배설계는 서로 협력하여 세포 호흡에 필요한 영양소와 산소를 공급하고, 세포 호흡으로 생성된 이산화 탄소, 물, 질소 노폐물을 제거한다.

② 영양소의 공급

이사할 때 너무 커서 문을 통과하지 못하는 조립식장은 문짝, 격판, 선반, 서랍 등으로 분리해서 문 밖으로 들고 나가 이삿짐 차에 실어 운반한다. 우리 몸에서는 크기가 커서 몸속으로 흡수하지 못하는 영양소를 소화계가 작은 영양소로 소화해서 흡수하여 순환계가 온몸의 세포로 운반한다.

1. 소화계
음식물 속의 영양소를 소화하여 몸속으로 흡수하는 일은 소화계가 담당한다. 소화계는 입, 식도, 위, 소장, 대장, 항문으로 이루어진 소화관과 침샘, 위샘, 간, 쓸개, 이자 등의 소화샘으로 구성되어 있다.

2. 영양소의 소화와 흡수
우리가 먹는 음식물 속에 들어 있는 영양소 중 세포 호흡에 호흡 기질로 쓰이는 영양소는 탄수화물, 단백질, 지방이다. 그런데 음식물 속의 탄수화물(주로 녹말), 단백질, 지방은 분자 크기가 커서 소화관에서 그대로 흡수되지 못하고, 소화 과정을 거쳐 분자 크기가 작은 영양소로 분해된 다음 몸속으로 흡수된다.

(1) **소화 과정**: 음식물이 소화관을 지나가는 동안 소화관 주변의 소화샘에서 분비된 소화 효소의 작용을 받아 음식물 속의 탄수화물(주로 녹말)은 포도당과 같은 단당류로, 단백질은 아미노산으로, 지방은 지방산과 모노글리세리드로 최종 분해된다.

(2) **흡수 과정**: 최종 분해된 영양소는 소장의 융털에서 몸속으로 흡수된다. 단당류(주로 포도당)와 아미노산은 융털의 모세 혈관으로 흡수되고, 지방산과 모노글리세리드는 융털의 암죽관으로 흡수된다.

소화관
음식물이 지나가는 통로로, 입 → 식도 → 위 → 소장 → 대장 → 항문으로 연결되어 있다. 소화관에서 영양소의 소화와 흡수가 일어난다.

소화샘
소화액을 생성하거나 분비하는 기관으로, 침샘, 위샘, 간, 쓸개, 이자 등이 있다. 간은 소화액인 쓸개즙을 생성하고, 쓸개는 쓸개즙을 모아 두었다가 분비하므로 둘 다 소화샘으로 본다.

소장의 구조
소장은 소화관 중에서 길이가 가장 길고 안쪽 벽에는 주름이 많으며, 주름의 표면에는 융털이라는 작은 돌기가 무수히 많이 돋아나 있다. 이런 구조는 영양소와 접촉할 수 있는 표면적을 증가시켜 소화된 영양소를 효율적으로 흡수하게 한다.

지방산과 모노글리세리드의 흡수
지방산과 모노글리세리드는 융털의 상피 세포를 통과할 때 작은 지방으로 재합성되어 암죽관으로 흡수된다.

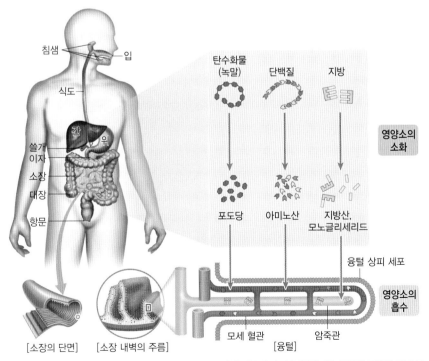

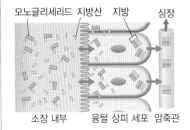

▲ **영양소의 소화와 흡수** 음식물이 소화관을 지나가는 동안 음식물 속의 탄수화물(녹말), 단백질, 지방은 각각 포도당, 아미노산, 지방산과 모노글리세리드로 최종 분해되어 소장의 융털에서 몸속으로 흡수된다.

3. 흡수된 영양소의 이동

소장에서 흡수된 영양소를 온몸의 조직 세포로 운반하는 일은 순환계가 담당한다.

(1) 포도당과 아미노산의 이동: 포도당과 아미노산은 소장 융털의 모세 혈관으로 흡수된 후, 혈액에 실려 간을 거쳐 심장으로 이동하여 온몸의 조직 세포로 공급된다.

(2) 지방산과 모노글리세리드의 이동: 지방산과 모노글리세리드는 소장 융털의 상피 세포를 통과할 때 지방으로 재합성되어 암죽관으로 흡수된 후, 림프관을 통해 이동하다가 혈액에 실려 심장으로 이동하여 온몸의 조직 세포로 공급된다.

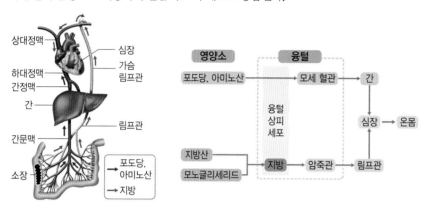

▲ **영양소의 이동** 소장 융털의 모세 혈관으로 흡수된 포도당과 아미노산은 혈액에 실려 간을 지나 심장으로 이동하고, 소장 융털의 암죽관으로 흡수된 지방은 림프관을 지나 혈액에 실려 심장으로 이동한다.

시야 확장 ➕ 주영양소(3대 영양소)의 특징과 소화 과정

❶ **탄수화물:** 단위체는 단당류(포도당, 과당, 갈락토스 등)이며, 이당류(엿당, 설탕, 젖당 등), 다당류(녹말, 글리코젠, 셀룰로스 등)로 구분된다. 주로 에너지원으로 쓰이며, 사용하고 남은 여분의 탄수화물은 글리코젠이나 지방으로 전환되어 저장된다.

❷ **단백질:** 단위체는 아미노산이다. 세포의 주요 구성 성분이며, 효소, 호르몬, 항체의 주성분이다. 탄수화물이나 지방이 부족할 때에는 에너지원으로도 쓰인다.

❸ **지방:** 글리세롤 1분자에 지방산 3분자가 결합한 화합물이다. 탄수화물과 함께 주요 에너지원으로 사용되는데, 주로 저장 에너지원으로 쓰인다.

❹ **탄수화물(녹말)**은 입과 소장에서 소화되고, 단백질은 위와 소장에서 소화된다. 지방은 소장에서 소화된다.

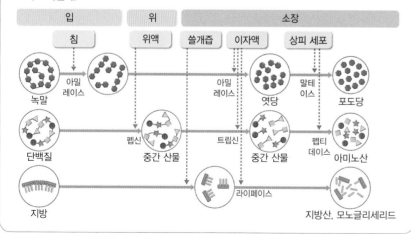

비타민과 무기염류의 흡수와 이동
비타민과 무기염류는 분자 크기가 작아 소화 과정을 거치지 않고 소장에서 그대로 흡수된다. 수용성 비타민(비타민 B군, C)과 무기염류는 융털의 모세 혈관으로 흡수되어 포도당과 같은 경로로 이동한다. 지용성 비타민(비타민 A, D, E, K)은 융털의 암죽관으로 흡수되어 지방과 같은 경로로 이동한다.

주영양소와 부영양소
우리 몸에서 에너지원으로 쓰이는 탄수화물, 단백질, 지방의 3대 영양소를 주영양소라고 한다. 우리 몸에서 에너지원으로 쓰이지는 않지만, 몸을 구성하거나 생리 작용을 조절하는 물, 비타민, 무기염류를 부영양소라고 한다.

소화의 종류
• 기계적 소화: 소화 기관의 물리적인 힘으로 음식물을 잘게 부수고, 소화액과 음식물이 잘 섞이게 하거나 음식물을 이동시키는 작용이다. 저작 운동(씹는 운동), 꿈틀 운동(연동 운동), 분절운동(혼합 운동)이 있다.
• 화학적 소화: 소화 효소가 영양소를 화학적으로 분해하여 다른 물질로 변화시키는 작용이다.

쓸개즙
큰 지방 덩어리를 작은 지방 알갱이로 분산시키는 것을 지방의 유화라고 한다. 쓸개즙은 소화 효소가 들어 있지 않지만, 지방을 유화시켜 라이페이스와 지방이 잘 접촉하게 하여 지방의 소화를 돕는다.

③ 산소의 공급과 이산화 탄소의 배출

창문을 열면 집 밖의 맑은 공기가 집 안으로 들어오고, 집 안의 탁한 공기는 집 밖으로 나간다. 우리 몸에서는 호흡계를 통해 몸 밖의 산소가 몸속으로 흡수되고, 몸속에서 생성된 이산화 탄소가 몸 밖으로 배출된다. 그리고 몸속에서 산소와 이산화 탄소는 순환계에 의해 운반된다.

1. 호흡계

산소를 몸속으로 흡수하고, 이산화 탄소를 몸 밖으로 내보내는 일은 호흡계가 담당한다. 사람의 호흡계는 코, 기관, 기관지, 폐 등으로 이루어져 있다. 폐는 수많은 폐포로 이루어져 있는데, 폐포의 바깥 표면은 모세 혈관으로 둘러싸여 있어 폐포 내의 공기와 모세 혈관 사이에서 산소와 이산화 탄소의 교환이 일어난다.

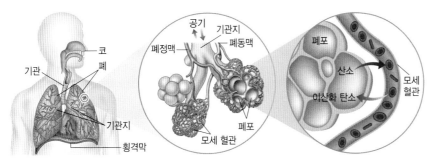

▲ **사람의 호흡계** 호흡계는 코, 기관, 기관지, 폐 등으로 이루어져 있으며, 공기 중의 산소를 흡수하고 몸속에서 생성된 이산화 탄소를 배출하는 일을 한다.

2. 순환계

몸속에서 산소와 이산화 탄소를 운반하는 일은 순환계가 담당한다. 사람의 순환계는 심장, 혈관, 혈액으로 이루어져 있는데, 물질 운반을 직접 담당하는 것은 혈액이다. 혈액은 온몸에 퍼져 있는 혈관을 통해 온몸을 순환하면서 조직 세포에 산소와 영양소를 공급하고, 조직 세포로부터 이산화 탄소 등의 노폐물을 받아 배출 장소로 운반한다.

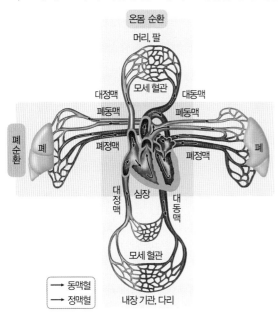

◀ **사람의 순환계** 순환계는 심장, 혈관, 혈액으로 이루어져 있으며, 온몸의 조직 세포에 산소와 영양소를 공급하고, 조직 세포에서 이산화 탄소 등의 노폐물을 받아 배출 장소로 운반하는 일을 한다.

폐의 구조
• 사람의 폐는 좌우 한 쌍으로, 오른쪽 폐는 3개, 왼쪽 폐는 2개의 조각으로 나누어져 있다.
• 폐는 수많은 폐포로 이루어져 있어서 표면적이 매우 넓어 성인 남자의 경우에는 약 $100 \ m^2$에 달한다. 그래서 공기와 접하는 면적이 넓어 기체 교환이 효율적으로 일어날 수 있다.

횡격막
• 가슴과 배를 나누는 근육성 막으로, 가로막이라고도 한다.
• 횡격막의 위쪽은 가슴(흉강), 아래쪽은 배(복강)로 구분된다.

혈액의 물질 운반
영양소와 질소 노폐물은 혈장에 의해 운반된다. 산소는 적혈구에 의해 운반되고, 이산화 탄소는 대부분 혈장에 의해 운반되는데 일부는 적혈구에 의해 운반된다.

혈액 순환의 경로
• 혈액 순환의 경로는 크게 폐순환과 온몸 순환(체순환)으로 구분된다.
• 폐순환은 심장(우심실)에서 나간 혈액이 폐에서 이산화 탄소를 내보내고 산소를 받아들여 심장(좌심방)으로 돌아오는 경로이다.
• 온몸 순환은 심장(좌심실)에서 나간 혈액이 조직 세포에 산소와 영양소를 내어 주고 이산화 탄소 등의 노폐물을 받아 심장(우심방)으로 돌아오는 경로이다.

동맥혈과 정맥혈
동맥혈은 산소가 많고 이산화 탄소가 적은 혈액이고, 정맥혈은 산소가 적고 이산화 탄소가 많은 혈액이다.

3. 산소의 공급과 이산화 탄소의 배출

(1) 산소의 공급: 숨을 들이마실 때 폐로 들어온 공기 중의 산소는 폐포에서 주변의 모세 혈관으로 들어간다. 그리고 혈액에 실려 심장으로 이동한 다음, 심장에서 온몸의 모세 혈관으로 운반되어 조직 세포로 공급된다.

(2) 이산화 탄소의 배출: 조직 세포에서 세포 호흡 결과 생성된 이산화 탄소는 조직 세포 주변의 모세 혈관으로 들어간다. 그리고 혈액에 실려 심장을 지나 폐로 운반된다. 폐에서 이산화 탄소는 모세 혈관에서 폐포로 이동하여 숨을 내쉴 때 몸 밖으로 배출된다.

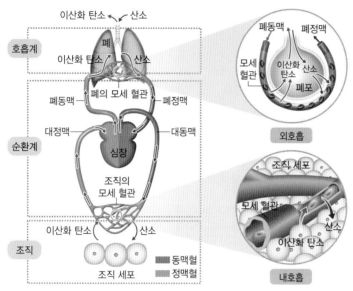

▲ **산소의 공급과 이산화 탄소의 배출 경로** 산소는 호흡계를 통해 몸속으로 흡수된 후 순환계에 의해 조직 세포로 운반되어 공급되고, 이산화 탄소는 순환계에 의해 조직 세포에서 폐로 운반된 후 호흡계를 통해 몸 밖으로 배출된다.

시야확장 ➕ 기체 교환이 일어나는 원리

폐와 조직에서 산소와 이산화 탄소의 교환은 기체의 분압 차에 의한 확산으로 일어난다.

구분	폐	조직
기체 분압	• 산소: 폐포 > 모세 혈관 • 이산화 탄소: 폐포 < 모세 혈관	• 산소: 모세 혈관 > 조직 세포 • 이산화 탄소: 모세 혈관 < 조직 세포
기체 이동	폐포 →산소→ 모세 혈관 폐포 ←이산화 탄소← 모세 혈관	모세 혈관 →산소→ 조직 세포 모세 혈관 ←이산화 탄소← 조직 세포

대기
O_2: 158 mmHg
CO_2: 0.3 mmHg

동맥혈 O_2: 95 mmHg
CO_2: 40 mmHg

폐
조직

폐포
O_2: 100 mmHg
CO_2: 40 mmHg

조직 세포
O_2: 40 mmHg 이하
CO_2: 60 mmHg 이상

정맥혈 O_2: 40 mmHg
CO_2: 50 mmHg

들숨과 날숨의 성분 비교

폐에서 산소와 이산화 탄소의 교환이 일어나기 때문에 들숨(외부 공기)과 날숨의 성분은 다르다. 날숨은 들숨(외부 공기)에 비해 산소는 적고, 이산화 탄소와 수증기는 많다.

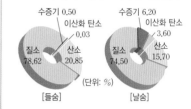

수증기 0.50
이산화 탄소 0.03
질소 78.62
산소 20.85
[들숨]

수증기 6.20
이산화 탄소 3.60
질소 74.50
산소 15.70
[날숨]

(단위: %)

외호흡

폐포와 모세 혈관 사이에서 일어나는 기체 교환으로, 산소는 폐포에서 모세 혈관으로 이동하고 이산화 탄소는 모세 혈관에서 폐포로 이동한다.

내호흡

조직 세포와 모세 혈관 사이에서 일어나는 기체 교환으로, 산소는 모세 혈관에서 조직 세포로 이동하고 이산화 탄소는 조직 세포에서 모세 혈관으로 이동한다.

폐에서 흡수된 산소와 조직 세포에서 방출된 이산화 탄소의 이동 경로

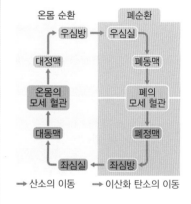

→ 산소의 이동   → 이산화 탄소의 이동

분압과 분압 차

혼합 기체에서 한 성분의 기체 압력을 분압이라고 하며, 기체는 분압 차에 따라 분압이 높은 쪽에서 낮은 쪽으로 이동한다.

4 노폐물의 생성과 배설 (탐구) 1권 74쪽

우리가 생활하는 과정에서 쓰레기가 발생하듯이 온몸의 조직 세포에서는 세포 호흡 결과 여러 가지 노폐물이 발생한다. 조직 세포에서 생성된 노폐물은 순환계에 의해 호흡계와 배설계로 운반되어 몸 밖으로 배출된다.

1. 노폐물의 생성

조직 세포에서 탄수화물, 지방, 단백질이 세포 호흡으로 분해되면 이산화 탄소, 물, 암모니아 등의 노폐물이 생성된다.

(1) **탄수화물과 지방 분해 시:** 탄소(C), 수소(H), 산소(O)로 구성되어 있는 탄수화물과 지방이 세포 호흡으로 분해되면 이산화 탄소(CO_2)와 물(H_2O)이 생성된다.

(2) **단백질 분해 시:** 탄소(C), 수소(H), 산소(O), 질소(N)로 구성되어 있는 단백질이 세포 호흡으로 분해되면 이산화 탄소(CO_2), 물(H_2O)과 함께 질소 노폐물인 암모니아(NH_3)가 생성된다.

영양소	구성 원소	세포 호흡 결과 생성된 노폐물
탄수화물, 지방	탄소(C), 수소(H), 산소(O)	이산화 탄소(CO_2), 물(H_2O)
단백질	탄소(C), 수소(H), 산소(O), 질소(N)	이산화 탄소(CO_2), 물(H_2O), 암모니아(NH_3)

2. 노폐물의 배설

조직 세포에서 세포 호흡 결과 생성된 노폐물은 순환계에 의해 호흡계와 배설계로 운반되어 각각 날숨과 오줌의 형태로 몸 밖으로 배출된다. 이처럼 몸속에서 세포의 물질대사 결과로 생성된 노폐물을 몸 밖으로 내보내는 것을 배설이라고 한다.

(1) **이산화 탄소의 배설:** 조직 세포에서 생성된 이산화 탄소는 혈액에 의해 폐로 운반되어 날숨의 형태로 배출된다.

(2) **물의 배설:** 조직 세포에서 생성된 물은 몸속에서 이용되거나, 혈액에 의해 콩팥이나 폐로 운반되어 오줌이나 날숨의 형태로 배출된다.

(3) **질소 노폐물의 배설:** 독성이 강한 암모니아는 간에서 독성이 약한 요소로 전환된다. 간에서 합성된 요소는 대부분 혈액에 의해 콩팥으로 운반되어 오줌의 형태로 배출된다.

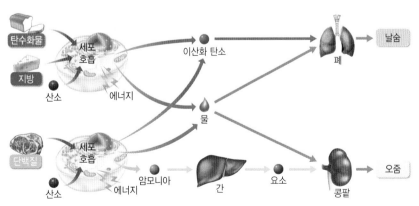

▲ **노폐물의 생성과 배설** 이산화 탄소는 날숨으로, 물은 날숨과 오줌으로 배출되며, 독성이 강한 암모니아는 간에서 요소로 전환된 후 과잉의 물과 함께 오줌으로 배출된다.

세포 호흡에 이용되는 탄수화물, 지방, 단백질의 형태
조직 세포에서 탄수화물, 지방, 단백질은 각각 단당류(주로 포도당), 지방산과 글리세롤, 아미노산으로 분해된 형태로 세포 호흡의 호흡 기질로 이용된다.

질소 노폐물
사람의 몸에서 생성되는 질소 노폐물로는 암모니아(NH_3), 요소((NH_2)$_2$CO), 요산($C_5H_4N_4O_3$)이 있다. 단백질의 분해 산물인 암모니아는 독성이 강하고 체액의 pH를 높이기 때문에 간에서 독성이 약한 요소로 전환되어 배설된다. 한편, 요산은 핵산의 염기가 분해되어 생성되며, 콩팥을 통해 오줌의 형태로 배설된다.

대변은 배설인가?
대변은 생리적으로 몸 밖에 해당하는 소화관에서 음식물을 소화하여 영양소를 흡수하고 남은 찌꺼기를 배출하는 것이므로, 배설에 해당하지 않는다.

땀
땀은 땀샘 주변의 모세 혈관에서 땀샘으로 물과 노폐물이 빠져나와 만들어진다. 땀으로 노폐물을 일부 배출하지만 땀은 체온 조절을 위해 배출하는 것이므로, 땀을 내보내는 것은 배설에 포함시키지 않는다.

▲ **땀샘의 구조**

3. 배설계

요소와 같은 질소 노폐물과 과잉의 물을 몸 밖으로 내보내는 일은 배설계가 담당한다.

(1) **배설계의 구조:** 사람의 배설계는 콩팥, 오줌관, 방광, 요도로 이루어져 있으며, 콩팥에는 콩팥 동맥과 콩팥 정맥이 연결되어 있다.

(2) **노폐물의 배설 경로:** 심장에서 나온 혈액은 콩팥 동맥을 지나 콩팥으로 들어갔다가 콩팥 정맥으로 나오는데, 콩팥을 지나는 동안 혈액 속 과잉의 물과 요소 같은 질소 노폐물이 걸러져 오줌이 생성된다. 콩팥에서 생성된 오줌은 오줌관을 지나 방광에 모였다가 몸 밖으로 배설된다.

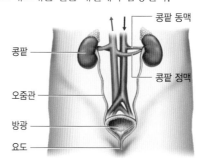

▲ **배설계의 구조** 배설계는 콩팥, 오줌관, 방광, 요도로 구성되어 있다.

배설계의 역할

배설계는 몸속에서 생성된 노폐물을 제거할 뿐만 아니라, 몸속 수분과 무기염류의 양을 조절하여 체액의 조성, 삼투압, pH 등을 일정하게 유지함으로써 항상성을 유지하는 역할도 한다.

시야확장 ⊕ 콩팥의 속 구조와 오줌의 생성 과정

❶ **콩팥의 속 구조:** 콩팥은 겉질, 속질, 콩팥 깔때기로 구분되며, 겉질과 속질에 걸쳐 오줌을 생성하는 단위인 네프론이 분포한다. 콩팥 1개에 약 100만 개의 네프론이 있으며, 네프론에서 생성된 오줌은 집합관, 콩팥 깔때기, 오줌관을 거쳐 방광에 모였다가 요도를 통해 몸 밖으로 배설된다.

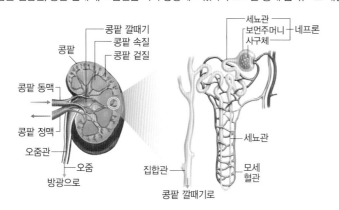

❷ **오줌의 생성 과정:** 오줌은 네프론에서 여과, 재흡수, 분비의 과정을 거쳐 만들어진다.

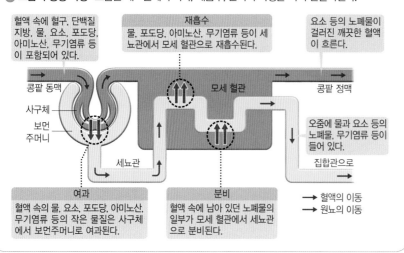

네프론

콩팥의 구조적·기능적 단위이며, 사구체, 보먼주머니, 세뇨관으로 구성되어 있다.
- 사구체: 콩팥 동맥에서 갈라져 나온 모세 혈관이 실타래처럼 뭉친 덩어리이다.
- 보먼주머니: 사구체를 둘러싸고 있는 주머니 모양의 구조이다.
- 세뇨관: 보먼주머니에 연결된 가늘고 긴 관이며, 세뇨관 주변을 모세 혈관이 둘러싸고 있다.

오줌 생성 과정에서 물질의 이동 원리

- 여과: 사구체와 보먼주머니의 압력 차에 의해 일어난다. 즉, 압력이 높은 사구체에서 압력이 낮은 보먼주머니로 크기가 작은 물질이 빠져나온다.
- 재흡수: 물은 삼투에 의해 재흡수되고, 포도당, 아미노산, 무기염류는 능동 수송에 의해 재흡수된다.
- 분비: 능동 수송에 의해 일어난다.

5 기관계의 통합적 작용

탐구 1권 75쪽 집중 분석 1권 76쪽

가정에서 생활에 필요한 전기, 수돗물, 생필품 등이 잘 공급되고, 생활 속에서 발생한 하수와 쓰레기가 잘 배출되어야 생활이 유지되듯이 우리 몸에서도 소화계, 호흡계, 순환계, 배설계가 서로 협력하여 세포 호흡에 필요한 산소와 영양소가 잘 공급되고, 세포 호흡 결과 발생한 노폐물이 잘 배출되어야 생명 활동이 원활하게 이루어진다.

세포 호흡에 필요한 영양소와 산소를 조직 세포에 공급하는 과정에는 소화계, 호흡계, 순환계가 관여한다. 소화계에서 흡수한 영양소와 호흡계에서 흡수한 산소는 각각 순환계에 의해 조직 세포로 운반되어 공급된다. 한편, 조직 세포에서 세포 호흡 결과 생성된 이산화 탄소, 물, 질소 노폐물을 몸 밖으로 배출하는 과정에는 순환계, 호흡계, 배설계가 관여한다. 조직 세포에서 생성된 이산화 탄소는 순환계에 의해 호흡계로 운반되어 몸 밖으로 배출되고, 과잉의 물과 질소 노폐물은 순환계에 의해 배설계로 운반되어 몸 밖으로 배출된다. 이와 같이 소화계, 호흡계, 순환계, 배설계는 기능이 각각 분리되어 있는 것이 아니고, 순환계를 중심으로 서로 밀접하게 연관되어 있어 서로 협력하여 작용함으로써 우리 몸의 생명 활동이 원활하게 일어나도록 한다.

기관계의 관계
- 영양소 공급: 소화계와 순환계 작용
- 산소 공급: 호흡계와 순환계 작용
- 이산화 탄소 배출: 순환계와 호흡계 작용
- 과잉의 물과 질소 노폐물 배출: 순환계와 배설계 작용

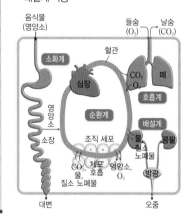

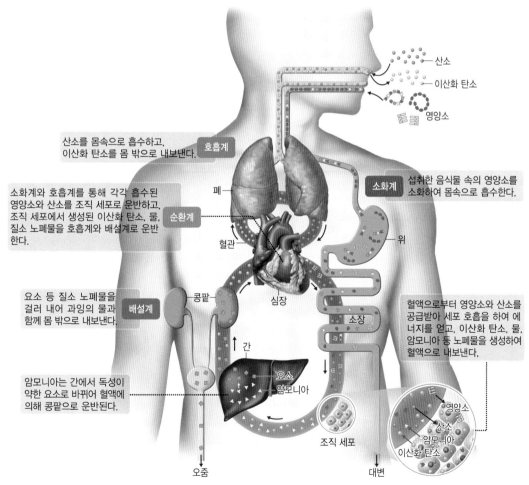

▲ **기관계의 통합적 작용** 소화계, 호흡계, 순환계, 배설계는 통합적으로 작용하여 조직 세포에 영양소와 산소를 공급하고, 조직 세포에서 생성된 이산화 탄소, 물, 질소 노폐물을 배출함으로써 생명 활동이 원활하게 일어나도록 한다.

과정이 살아 있는 탐구

콩즙으로 오줌 속 요소 분해하기

콩즙으로 오줌 속에 요소가 들어 있음을 확인할 수 있다.

과정

1 물에 불린 흰콩 30 g을 물 200 mL와 함께 믹서에 넣고 간 다음, 거름종이로 걸러 콩즙을 준비한다.

2 비커 A~D에 증류수, 요소 수용액, 암모니아수, 오줌을 각각 20 mL씩 담고, 각 비커에 BTB 용액을 10 mL씩 넣은 후 용액의 색깔을 관찰한다.

3 비커 A~D에 콩즙을 10 mL씩 넣고, 콩즙을 넣은 직후 용액의 색깔과 콩즙을 넣은 지 약 10분이 지난 후 용액의 색깔을 각각 관찰한다.

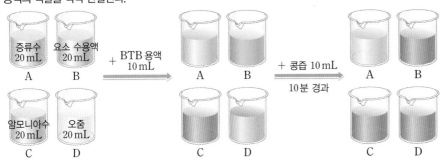

결과

비커 속 용액의 색깔 변화

비커	A(증류수)	B(요소 수용액)	C(암모니아수)	D(오줌)
과정 2(BTB 용액을 넣은 후)	초록색	청록색	파란색	황록색~청록색
과정 3(콩즙을 넣은 직후)	초록색	청록색	파란색	황록색~청록색
과정 3(콩즙을 넣은 지 10분 후)	초록색	파란색	파란색	청록색~파란색

해석

1 BTB 용액을 넣은 후의 색깔로 볼 때 요소 수용액과 오줌은 중성에 가깝고, 암모니아수는 염기성을 띤다.

2 BTB 용액을 넣은 요소 수용액(B)에 콩즙을 넣고 10분이 지났을 때 색깔이 파란색으로 변한 것은 콩즙 속 효소에 의해 요소가 분해되어 염기성인 암모니아가 생성되었기 때문이다.

3 BTB 용액을 넣은 오줌(D)에 콩즙을 넣고 10분이 지났을 때 색깔이 청록색~파란색으로 변한 것으로 보아 오줌 속에 요소가 들어 있음을 알 수 있다. 즉, 오줌 속 요소가 콩즙 속 효소에 의해 분해되어 염기성인 암모니아가 생성되었기 때문에 청록색~파란색으로 변한 것이다.

유의점

· 콩즙을 만들 때에는 반드시 날콩을 불려서 사용한다.
· 지시약으로 BTB 용액 대신 만능 지시약이나 양배추 지시약을 이용하면 색깔 변화를 좀 더 잘 볼 수 있다.

BTB 용액

pH에 따라 색깔이 달라지는 지시약으로, 산성에서는 노란색, 중성에서는 초록색, 염기성에서는 파란색을 띤다.

pH 0 1 2 3 4 5 6 7 8 9 1011121314
산성　　중성　　염기성

오줌의 pH

정상적인 오줌의 pH는 약 6.0~8.0으로, 거의 중성에 가깝다.

콩즙 속 효소

콩즙 속에는 요소를 암모니아와 이산화 탄소로 분해하는 유레이스(urease)라는 효소가 들어 있다.

$(NH_2)_2CO + H_2O \longrightarrow 2NH_3 + CO_2$

탐구 확인 문제

> 정답과 해설 **12**쪽

01 위 탐구에 대한 설명으로 옳은 것을 모두 고르면? (정답 2개)

① 요소는 산성을 띤다.
② 암모니아는 중성을 띤다.
③ BTB 용액은 산염기 지시약의 한 종류이다.
④ 콩즙을 넣기 전 오줌 속에 암모니아가 들어 있다.
⑤ 오줌에 콩즙을 첨가하면 염기성 물질이 생성된다.

02 위 탐구에서 이용한 콩즙 속 효소의 작용을 쓰시오.

03 위 탐구에서 날콩 대신 삶은 콩으로 만든 콩즙을 사용하면 실험 결과가 어떻게 달라질지 쓰시오.

물질 이동에 대한 모의 활동하기

세포 호흡과 관련된 물질의 이동 경로를 모의 활동으로 설명할 수 있다.

과정

1 세포 호흡과 관련된 물질의 이동에 관여하는 기관과 순환계를 나타낸 모형 그림을 준비하여 자석 칠판에 붙인다.

2 모형 그림에 다음과 같은 물질의 이동 경로를 네 가지 색깔의 단추 자석을 붙여 나타내고, 설명한다.

> • 음식물 속의 포도당이 다리 근육에 공급되는 경로
> • 공기 중의 산소가 다리 근육에 공급되는 경로
> • 다리 근육에서 세포 호흡 결과 생성된 이산화 탄소가 몸 밖으로 배출되는 경로
> • 다리 근육에서 세포 호흡 결과 생성된 질소 노폐물이 몸 밖으로 배출되는 경로

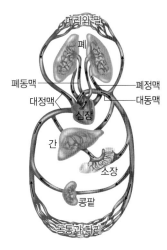

결과

1 음식물 속의 포도당이 다리 근육에 공급되는 경로: 소장 → 간 → 대정맥 → 심장 → 폐동맥 → 폐 → 폐정맥 → 심장 → 대동맥 → 다리 근육

2 공기 중의 산소가 다리 근육에 공급되는 경로: 폐 → 폐정맥 → 심장 → 대동맥 → 다리 근육

3 다리 근육에서 생성된 이산화 탄소가 몸 밖으로 배출되는 경로: 다리 근육 → 대정맥 → 심장 → 폐동맥 → 폐

4 다리 근육에서 생성된 질소 노폐물이 몸 밖으로 배출되는 경로: 다리 근육 → 대정맥 → 심장 → 폐동맥 → 폐 → 폐정맥 → 심장 → 대동맥 → 간(암모니아가 요소로 전환) → 대정맥 → 심장 → 폐동맥 → 폐 → 폐정맥 → 심장 → 대동맥 → 콩팥

해석

1 식사 후 소장에서 흡수된 포도당은 간을 지나면서 일부가 간에 글리코젠으로 저장되므로, 소장에서 간으로 이동한 혈액이 간을 통과하면 혈당량이 낮아진다.

2 폐에서 산소가 흡수되고 이산화 탄소가 배출되므로, 혈액이 폐를 통과하면 산소 농도는 높아지고 이산화 탄소 농도는 낮아진다.

3 콩팥에서 요소가 걸러져 오줌으로 배출되므로, 혈액이 콩팥을 통과하면 요소 농도가 낮아진다.

혈당량

혈액 속 포도당의 농도로, 건강한 사람의 혈당량은 일정하게 유지된다. 식사 후 소장에서 포도당이 흡수되어 혈당량이 높아지면 간에서 포도당을 글리코젠으로 합성하여 저장한다. 반대로 식사 전 혈당량이 낮을 때에는 간에서 글리코젠을 포도당으로 분해하여 혈액으로 방출한다.

요소 농도

간에서는 암모니아를 요소로 바꾸어 방출하므로 혈액이 간을 통과하면 요소 농도가 높아진다.

▶ 탐구 확인 문제

▶ 정답과 해설 13쪽

01 위 탐구에 대한 설명으로 옳은 것만을 〈보기〉에서 있는 대로 고르시오.

> 보기
> ㄱ. 혈액이 간을 통과하면 요소 농도가 낮아진다.
> ㄴ. 혈액이 콩팥을 통과하면 요소 농도가 높아진다.
> ㄷ. 혈액 속 산소 농도는 폐정맥보다 폐동맥에서 높다.
> ㄹ. 혈액 속 이산화 탄소 농도는 대동맥보다 대정맥에서 높다.

02 식사 전(공복 상태)과 식사 후에 소장에서 간으로 이동한 혈액이 간을 통과하면 혈당량은 각각 어떻게 변하는지 쓰시오.

03 팔 부위의 조직 세포에서 세포 호흡 결과 생성된 암모니아가 요소로 전환되어 몸 밖으로 배출되기까지 심장을 최소 몇 회 거치는지 쓰시오.

기관계의 통합적 작용

소화계, 호흡계, 순환계, 배설계는 통합적으로 작용하여 세포 호흡에 필요한 영양소와 산소를 공급하고, 세포 호흡으로 생성된 이산화 탄소, 물, 질소 노폐물을 배출한다. 이러한 기관계의 통합적 작용을 나타내는 그림 자료를 제시하고 기관계를 구성하는 기관, 물질의 이동 방향, 물질의 농도 변화 등을 묻는 형태로 출제된다.

❶ 기관계의 통합적 작용

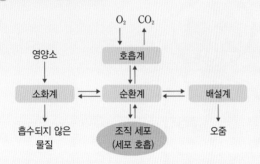

(1) **소화계**: 이화 작용에 해당하는 소화가 일어나며, 소화된 영양소가 흡수된다. 입, 식도, 위, 소장, 대장, 항문, 간, 쓸개, 이자 등으로 구성되어 있다.

(2) **호흡계**: 분압 차에 따른 확산에 의해 산소(O_2)를 흡수하고, 이산화 탄소(CO_2)를 배출한다. 폐, 기관, 기관지 등으로 구성되어 있다.

(3) **순환계**: 소화계가 흡수한 영양소, 호흡계가 흡수한 산소(O_2)를 조직 세포로 운반한다. 또, 조직 세포에서 생성된 이산화 탄소(CO_2), 물, 질소 노폐물을 폐와 콩팥으로 운반한다. 심장, 혈관, 혈액으로 구성되어 있다.

(4) **배설계**: 과잉의 물과 요소 같은 질소 노폐물을 오줌으로 만들어 내보낸다. 콩팥, 오줌관, 방광, 요도로 구성되어 있는데, 특히 콩팥은 수분량 조절, 삼투압 조절 등 항상성을 유지하는 역할도 한다.

❷ 물질의 이동 경로

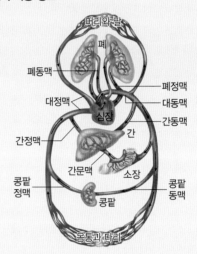

(1) **간**: 소화계에 속하며, 식사 후에는 소장에서 흡수한 포도당을 글리코젠으로 합성하여 저장하고, 식사 전(공복 상태)에는 글리코젠을 포도당으로 분해하여 혈액으로 방출한다. → 식사 후 혈당량은 간정맥보다 간문맥에서 높고, 식사 전 혈당량은 간문맥보다 간정맥에서 높다.

(2) **콩팥**: 배설계에 속하며, 혈액 속 요소를 걸러 오줌을 만든다. → 혈액 속 요소 농도는 콩팥 동맥보다 콩팥 정맥에서 낮다.

(3) **폐**: 호흡계에 속하며, 산소(O_2)를 흡수하고 이산화 탄소(CO_2)를 내보낸다. → 혈액 속 산소(O_2) 농도는 폐동맥보다 폐정맥에서 높고, 이산화 탄소(CO_2) 농도는 폐정맥보다 폐동맥에서 높다.

〉 정답과 해설 **13**쪽

유제

그림은 사람의 체내에서 일어나는 물질의 이동을 나타낸 것이다. (가)~(라)는 각각 순환계, 호흡계, 소화계, 배설계 중 하나이다. 이에 대한 설명으로 옳은 것만을 〈보기〉에서 있는 대로 고르시오.

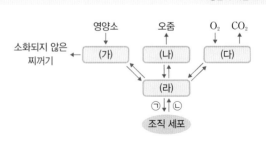

보기
ㄱ. (가)에서는 이화 작용이 일어난다.
ㄴ. 콩팥과 간은 모두 (나)에 속한다.
ㄷ. 질소 노폐물은 ㉠ 방향으로 이동한다.

02 기관계의 통합적 작용

① 세포의 에너지 획득에 관여하는 기관계

1. **세포 호흡과 기관계의 관계** 세포에서 생명 활동에 필요한 에너지를 얻기 위한 (❶   )이 일어나려면 영양소와 산소의 공급 및 이산화 탄소, 물, 질소 노폐물의 배출이 원활하게 이루어져야 하며, 이러한 과정은 소화계, 호흡계, 순환계, 배설계에 의해 이루어진다.

2. **소화계, 호흡계, 순환계, 배설계의 작용** 소화계는 (❷   )의 소화와 흡수, 호흡계는 (❸   ) 흡수와 이산화 탄소 배출, 배설계는 과잉의 물과 질소 노폐물 배출, 순환계는 기관계 사이의 물질 운반을 담당한다.

② 영양소의 공급

1. **영양소의 소화** 음식물이 소화관을 지나는 동안 소화 효소의 작용을 받아 녹말은 (❹   )으로, 단백질은 아미노산으로, 지방은 지방산과 (❺   )로 소화된 후 소장 융털에서 몸속으로 흡수된다.

2. **영양소의 흡수와 이동**
   - 포도당과 아미노산은 융털의 (❻   )으로 흡수된 다음, 혈액에 실려 간을 거쳐 심장으로 이동하여 온몸의 조직 세포로 공급된다.
   - 지방산과 모노글리세리드는 융털의 상피 세포에서 지방으로 재합성되어 (❼   )으로 흡수된 다음, 림프관을 지나 혈액에 실려 심장으로 이동하여 온몸의 조직 세포로 공급된다.

③ 산소의 공급과 이산화 탄소의 배출

1. **산소의 공급** 숨을 들이마실 때 폐로 들어온 공기 중의 산소는 폐포에서 주변의 모세 혈관으로 들어간 다음, 혈액에 실려 조직 세포로 운반되어 공급된다.

2. **이산화 탄소의 배출** 조직 세포에서 세포 호흡 결과 생성된 이산화 탄소는 조직 세포 주변의 모세 혈관으로 들어가 혈액에 실려 폐로 운반되고, 모세 혈관에서 폐포로 이동하여 숨을 내쉴 때 몸 밖으로 배출된다.

④ 노폐물의 생성과 배설

1. **노폐물의 생성** 탄수화물과 지방이 세포 호흡으로 분해되면 이산화 탄소와 물이 생성되고, 단백질이 세포 호흡으로 분해되면 이산화 탄소, 물, (❽   )가 생성된다.

2. **노폐물의 배설** 이산화 탄소는 날숨으로, 물은 날숨과 오줌으로 배출되고, 암모니아는 간에서 (❾   )로 전환된 후 물과 함께 오줌으로 배출된다.

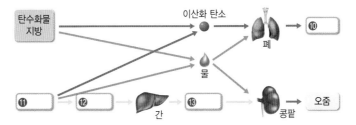

⑤ 기관계의 통합적 작용

1. 소화계, 호흡계, 순환계, 배설계는 (⓮   )를 중심으로 통합적으로 작용하여 우리 몸의 생명 활동이 원활하게 일어나도록 한다.

2. 영양소는 소화계와 순환계의 작용으로, 산소는 호흡계와 순환계의 작용으로 조직 세포에 공급된다.

3. 이산화 탄소는 순환계와 호흡계의 작용으로 배출된다.

4. 과잉의 물과 질소 노폐물은 순환계와 (⓯   )의 작용으로 배출된다.

01 그림은 조직 세포에서 세포 호흡이 일어나는 데 관여하는 기관계 (가)~(라)의 통합적 작용을 모식적으로 나타낸 것이다. (가)~(라)는 각각 소화계, 순환계, 배설계, 호흡계 중 하나이다.

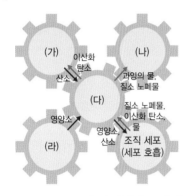

(1) 조직 세포에서 세포 호흡이 일어나는 데 필요한 물질 두 가지를 쓰시오.

(2) 조직 세포에서 세포 호흡이 일어난 결과 생성되어 몸 밖으로 배출되어야 할 노폐물 세 가지를 쓰시오.

(3) (가)~(라)에 해당하는 기관계는 각각 무엇인지 쓰시오.

(4) 간, 폐, 심장, 콩팥은 각각 (가)~(라) 중 어느 기관계에 속하는지 쓰시오.

02 세포 호흡과 관련된 기관계의 작용에 대한 설명으로 옳은 것만을 〈보기〉에서 있는 대로 고르시오.

보기
ㄱ. 조직 세포로 산소를 공급하는 과정에는 호흡계와 순환계가 관여한다.
ㄴ. 조직 세포로 영양소를 공급하는 과정에는 소화계와 순환계가 관여한다.
ㄷ. 순환계가 작용하지 못해도 호흡계와 배설계의 작용으로 노폐물을 몸 밖으로 계속 내보낼 수 있다.

03 그림은 3대 영양소가 세포 호흡으로 분해된 결과 생성된 노폐물이 배설되는 과정을 나타낸 것이다.

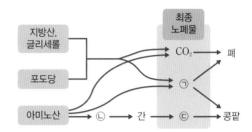

(1) ㉠~㉢에 해당하는 물질은 각각 무엇인지 쓰시오.

(2) 폐와 콩팥에서 노폐물을 어떤 형태로 배출하는지 각각 쓰시오.

04 그림은 조직 세포에서 세포 호흡이 일어나는 데 관여하는 기관계 (가)~(라)를 나타낸 것이다.

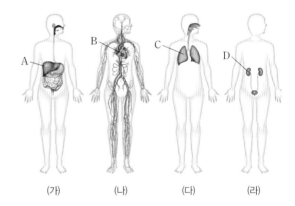

(가)　　(나)　　(다)　　(라)

(1) A~D 각 기관의 이름을 쓰시오.

(2) 이에 대한 설명으로 옳은 것만을 〈보기〉에서 있는 대로 고르시오.

보기
ㄱ. 이자는 (나)에 속하는 기관이다.
ㄴ. (나)는 물질 운반에 관여한다.
ㄷ. (다)에서는 기체 교환이 일어난다.
ㄹ. (가)에서 흡수되지 않은 물질은 (라)를 통해 몸 밖으로 배출된다.

05 그림은 사람의 혈액 순환 경로를 나타낸 것이다.

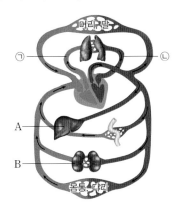

(1) A와 B는 각각 어떤 기관계에 속하는지 쓰시오.

(2) ㉠과 ㉡ 중 단위 부피당 O_2의 양이 더 많은 혈액이 흐르는 혈관의 기호와 이름을 쓰시오.

(3) (가)소장 융털에서 흡수된 포도당과 (나)폐에서 흡수된 O_2가 다리 근육으로 운반되기까지 심장을 각각 최소 몇 회 지나는지 쓰시오.

06 그림은 사람의 혈액 순환 경로 일부를 모식적으로 나타낸 것이다. 다음 ☐ 안에 >, =, < 중 하나를 써 넣으시오.

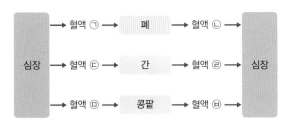

(1) 혈액의 단위 부피당 O_2 양: ㉠ ☐ ㉡

(2) 혈액의 단위 부피당 CO_2 양: ㉠ ☐ ㉡

(3) 식사 전 공복 시 혈당량: ㉢ ☐ ㉣

(4) 혈액의 요소 농도: ㉢ ☐ ㉣, ㉤ ☐ ㉥

07 그림은 단백질이 세포 호흡에 이용된 결과 생성된 암모니아가 간을 거쳐 오줌으로 배출되기까지의 경로를 나타낸 것이다.

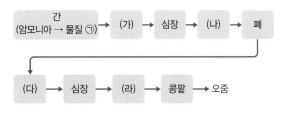

(1) 물질 ㉠은 무엇인지 쓰시오.

(2) (가)~(라)에 해당하는 혈관을 〈보기〉에서 각각 고르시오.

보기
ㄱ. 대동맥   ㄴ. 대정맥
ㄷ. 폐동맥   ㄹ. 폐정맥

08 그림은 정상인이 섭취한 음식물 속 단백질이 조직 세포로 전달되어 세포 호흡에 호흡 기질로 이용된 다음, 노폐물로 배출되기까지 기관계의 통합적 작용을 나타낸 것이다.

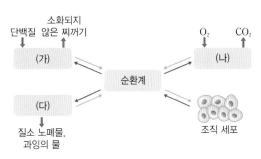

(1) (가)~(다)에 해당하는 기관계는 각각 무엇인지 쓰시오.

(2) 조직 세포에서 단백질이 세포 호흡에 이용된 결과 생성되어 순환계로 이동하는 물질을 모두 쓰시오.

(3) (다)에서 몸 밖으로 배출되는 질소 노폐물은 주로 무엇이며, 이 물질은 인체의 어느 기관에서 생성된 것인지 순서대로 각각 쓰시오.

01 ▶기관계의 통합적 작용

그림은 사람의 소화계, 호흡계, 순환계, 배설계의 관계를 나타낸 것이며, A ~ D는 각각 소화계, 호흡계, 순환계, 배설계 중 하나이다.

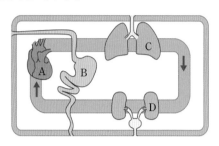

이에 대한 설명으로 옳지 <u>않은</u> 것은?

① 간과 이자는 B에 속한다.

② 산소는 C를 통해 몸속으로 들어온다.

③ B에서 흡수된 물질은 A에 의해 조직 세포로 운반된다.

④ 단백질이 분해될 때 생성된 암모니아는 D에서 요소로 전환된다.

⑤ 조직 세포에서 생성된 이산화 탄소는 A와 C에 의해 몸 밖으로 배출된다.

간은 쓸개즙을 생성하여 소화에 관여하기 때문에 소화계에 속한다. 암모니아는 간에서 요소로 전환된다.

02 ▶세포 호흡에 필요한 물질의 공급

그림은 기관계 (가) ~ (다)에 의해 세포 호흡에 필요한 물질이 조직 세포에 공급되는 과정과, 조직 세포에서 일어나는 ATP의 합성과 분해를 나타낸 것이다. (가) ~ (다)는 각각 호흡계, 순환계, 소화계 중 하나이다.

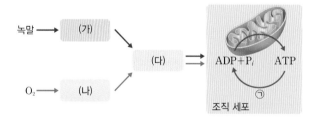

이에 대한 설명으로 옳은 것만을 〈보기〉에서 있는 대로 고른 것은?

보기
ㄱ. 녹말은 (가)에서 엿당으로 분해된 다음 (다)로 이동된다.
ㄴ. (나)를 통해 흡수된 O_2는 조직 세포 내의 미토콘드리아에서 소비된다.
ㄷ. O_2가 (나)에서 (다)로 이동할 때 ㉠ 과정에서 방출된 에너지가 쓰인다.

① ㄱ 　 ② ㄴ 　 ③ ㄷ 　 ④ ㄱ, ㄴ 　 ⑤ ㄴ, ㄷ

녹말은 소화관을 지나는 동안 엿당을 거쳐 포도당으로 소화된 후에 몸속으로 흡수된다. 폐와 모세 혈관 사이에서 일어나는 O_2와 CO_2의 교환은 확산에 의해 일어난다.

03 > 세포 호흡과 기관계의 통합적 작용

그림은 사람의 몸에서 일어나는 에너지 대사 과정을 나타낸 것이다.

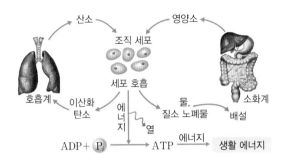

이에 대한 설명으로 옳은 것만을 〈보기〉에서 있는 대로 고른 것은?

> 보기
>
> ㄱ. 세포 호흡으로 방출된 에너지가 생활 에너지로 직접 이용된다.
> ㄴ. 조직 세포에서 세포 호흡 결과 생성된 물질은 모두 배설계를 통해 몸 밖으로 배출된다.
> ㄷ. 세포 호흡에 필요한 물질은 소화계, 호흡계, 순환계의 작용으로 조직 세포에 공급된다.

① ㄱ   ② ㄷ   ③ ㄱ, ㄴ   ④ ㄱ, ㄷ   ⑤ ㄴ, ㄷ

생활 에너지로 직접 이용되는 에너지원은 ATP이다. 세포 호흡 결과 생성된 이산화 탄소는 호흡계를 통해 몸 밖으로 배출된다.

04 > 호흡계, 배설계, 순환계, 소화계의 구분

그림은 호흡계, 배설계, 순환계, 소화계를 구분하는 과정을 나타낸 것이다. (가)~(라)는 각각 호흡계, 배설계, 순환계, 소화계 중 하나이다.

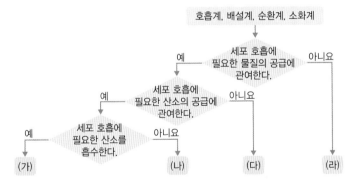

이에 대한 설명으로 옳은 것만을 〈보기〉에서 있는 대로 고른 것은?

> 보기
>
> ㄱ. (가)는 소화계이다.
> ㄴ. 소장은 (다)에 속한다.
> ㄷ. 암모니아를 요소로 전환하는 기관은 (라)에 속한다.
> ㄹ. (가)와 (라)는 세포 호흡 결과 생성된 물질을 몸 밖으로 배출하는 과정에 관여한다.

① ㄱ, ㄴ   ② ㄱ, ㄷ   ③ ㄴ, ㄷ   ④ ㄴ, ㄹ   ⑤ ㄷ, ㄹ

세포 호흡에 필요한 포도당과 산소는 각각 소화계와 호흡계에 의해 몸속으로 흡수된 후 순환계에 의해 조직 세포로 운반된다.

05 ❯ 기체 교환과 이동

그림은 사람의 호흡계, 순환계, 조직 세포 사이에서 이루어지는 기체 교환 및 이동 과정을 나타낸 것이다. A와 B는 각각 산소와 이산화 탄소 중 하나이다. 이에 대한 설명으로 옳은 것만을 〈보기〉에서 있는 대로 고른 것은?

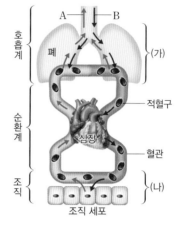

보기
ㄱ. A는 산소이다.
ㄴ. (가)와 (나)에서 확산에 의해 기체 교환이 일어난다.
ㄷ. (가)와 (나)에서 일어나는 기체 교환을 각각 폐호흡과 세포 호흡이라고 한다.

① ㄱ　　　② ㄴ　　　③ ㄷ　　　④ ㄱ, ㄴ　　　⑤ ㄴ, ㄷ

• (가)는 폐포와 모세 혈관 사이에서 일어나는 기체 교환이고, (나)는 조직 세포와 모세 혈관 사이에서 일어나는 기체 교환이다.

고난도
06 ❯ 세포 호흡 과정과 노폐물의 배설

그림은 조직 세포에서 아미노산이 세포 호흡을 통해 완전히 분해되어 방출된 에너지가 생명 활동에 이용되는 과정을 나타낸 것이고, 자료는 ⓒ과 ⓔ에 대해 설명한 것이다.

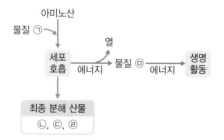

[자료]
• ⓒ은 날숨과 오줌을 통해 몸 밖으로 배출되는 물질이다.
• ⓔ은 질소를 포함한 물질이다.

이에 대한 설명으로 옳은 것만을 〈보기〉에서 있는 대로 고른 것은?

보기
ㄱ. 폐에서는 확산에 의해 ㉠과 ㉡의 교환이 일어난다.
ㄴ. ⓔ은 간에서 비교적 독성이 약한 물질로 전환된다.
ㄷ. ⓜ은 질소와 인을 포함하고 있는 물질이다.

① ㄱ　　　② ㄴ　　　③ ㄱ, ㄴ　　　④ ㄴ, ㄷ　　　⑤ ㄱ, ㄴ, ㄷ

• 날숨을 통해 CO_2와 물(수증기)이 몸 밖으로 배출되고, 오줌을 통해 과잉의 물과 질소 노폐물이 몸 밖으로 배출된다. 한편, ATP는 염기 : 당 : 인산기가 1 : 1 : 3의 비로 결합한 화합물이다.

07 ▶ 영양소의 흡수와 노폐물의 생성 및 배설

그림은 3대 영양소의 최종 소화 산물이 소장 융털에서 흡수되어 세포 호흡을 통해 분해된 결과 생성된 노폐물이 몸 밖으로 배출되는 과정을 나타낸 것이다. (가)와 (나)는 각각 모세 혈관과 암죽관 중 하나이고, ㉠과 ㉡은 각각 지방과 아미노산 중 하나이다. 그리고 A~C는 각각 사람의 기관 중 하나이다.

이에 대한 설명으로 옳은 것만을 〈보기〉에서 있는 대로 고른 것은?

보기
ㄱ. (가)는 모세 혈관이다.
ㄴ. ㉡은 질소 성분이 포함된 물질이다.
ㄷ. A에서는 쓸개즙이 만들어진다.
ㄹ. B와 C는 모두 배설계에 속한다.

① ㄱ, ㄴ 　② ㄱ, ㄷ 　③ ㄴ, ㄷ 　④ ㄴ, ㄹ 　⑤ ㄷ, ㄹ

> 수용성 영양소는 소장 융털의 모세 혈관으로 흡수되고, 지용성 영양소는 소장 융털의 암죽관으로 흡수된다.

08 ▶ 노폐물의 생성과 배설

표는 3대 영양소의 구성 원소와 각 영양소가 조직 세포에서 세포 호흡을 통해 분해된 결과 생성되는 노폐물의 종류 및 배설 형태를 정리한 것이다.

영양소	구성 원소	노폐물	배설 형태
탄수화물, 지방	탄소, 수소, 산소	이산화 탄소, 물	(가)
단백질	탄소, 수소, 산소, ㉠	이산화 탄소, 물, ㉡	(나)

이에 대한 설명으로 옳은 것만을 〈보기〉에서 있는 대로 고른 것은?

보기
ㄱ. ㉠은 인이다.
ㄴ. ㉡은 요소이다.
ㄷ. (가)와 (나)에 각각 날숨과 오줌이 모두 포함된다.

① ㄱ 　② ㄴ 　③ ㄷ 　④ ㄱ, ㄴ 　⑤ ㄴ, ㄷ

> 단백질은 질소를 포함하고 있어 조직 세포에서 세포 호흡을 통해 분해되었을 때 독성이 강한 질소 노폐물이 생성된다. 이 질소 노폐물은 간에서 비교적 독성이 약한 질소 노폐물로 전환되어 배설된다.

09 › 물질의 이동 경로

그림은 사람의 혈액 순환 경로 일부를 모식적으로 나타낸 것이다.

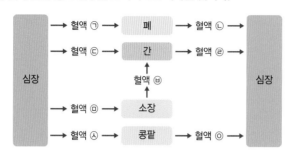

이에 대한 설명으로 옳은 것만을 〈보기〉에서 있는 대로 고른 것은?

┌─ 보기 ───
│ ㄱ. ⓒ~ⓗ 중 식사 전 공복 시 혈당량이 가장 높은 혈액은 ⓗ이다.
│ ㄴ. ㉠~◎ 중 단위 부피당 O_2의 양이 가장 많은 혈액은 ⓛ이다.
│ ㄷ. 요소 농도는 ⓒ보다 ⓔ이 높고, ⓼보다 ◎이 높다.
└──

① ㄱ ② ㄴ ③ ㄱ, ㄴ ④ ㄴ, ㄷ ⑤ ㄱ, ㄴ, ㄷ

간은 혈당량에 따라 혈액 내 포도당을 흡수하여 글리코젠으로 합성해서 저장하기도 하고, 저장하고 있던 글리코젠을 포도당으로 분해하여 혈액으로 방출하기도 한다.

10 › 물질의 이동 경로

그림은 사람의 혈액 순환 경로를 나타낸 것이다.

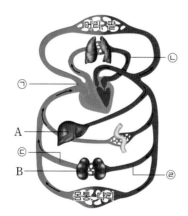

이에 대한 설명으로 옳은 것만을 〈보기〉에서 있는 대로 고른 것은?

┌─ 보기 ───
│ ㄱ. 소장 융털의 암죽관으로 흡수된 영양소는 A를 거쳐 심장으로 이동한다.
│ ㄴ. 암모니아는 B에서 요소로 전환된 후 오줌의 성분이 된다.
│ ㄷ. 혈액의 단위 부피당 CO_2 양은 ㉠~ⓔ 중 ㉠에서 가장 많다.
└──

① ㄱ ② ㄷ ③ ㄱ, ㄴ ④ ㄱ, ㄷ ⑤ ㄴ, ㄷ

소장 융털의 모세 혈관으로 흡수된 영양소와 암죽관으로 흡수된 영양소는 서로 다른 경로를 거쳐 심장으로 이동한다.

11 〉기관계의 통합적 작용

그림은 소화계, 순환계, 호흡계, 배설계에서 일어나는 작용을 나타낸 것이다.

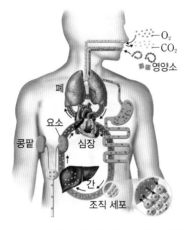

폐와 소화관은 외부와 통하는 공간이므로, 산소와 영양소는 폐와 소화관에서 각각 혈액으로 이동하여야 비로소 몸속으로 흡수된 것이다. 그리고 소화관에서 흡수되지 않은 물질은 대변의 형태로 항문을 통해 배출된다.

이에 대한 설명으로 옳은 것만을 〈보기〉에서 있는 대로 고른 것은?

보기
ㄱ. 폐에서 외부 환경과 혈액 간의 기체 교환이 일어난다.
ㄴ. 소화계에서 흡수되지 않은 물질은 콩팥에 의해 몸 밖으로 배출된다.
ㄷ. 조직 세포에서 세포 호흡 결과 생성된 질소 노폐물은 간에서 몸 밖으로 배출된다.

① ㄱ   ② ㄴ   ③ ㄱ, ㄴ   ④ ㄱ, ㄷ   ⑤ ㄴ, ㄷ

12 〉기관계의 통합적 작용

그림은 기관계의 통합적 작용을 나타낸 것이다. (가)와 (나)는 각각 기관계 중 하나이다.

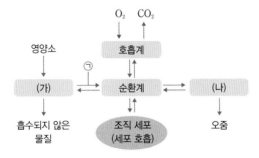

영양소는 소화계에서 흡수되어 순환계로 이동한다. 수분의 재흡수는 콩팥에서 일어나며, 콩팥은 배설계에 속한다.

이에 대한 설명으로 옳은 것만을 〈보기〉에서 있는 대로 고른 것은?

보기
ㄱ. 콩팥은 (가)에 속한다.
ㄴ. ㉠에는 요소의 이동이 포함된다.
ㄷ. (나)에서는 수분의 재흡수가 일어난다.

① ㄱ   ② ㄷ   ③ ㄱ, ㄴ   ④ ㄴ, ㄷ   ⑤ ㄱ, ㄴ, ㄷ

03 물질대사와 건강

1 에너지 균형

 1권 93쪽

양팔 저울의 한쪽 접시에 놓인 물체의 질량이 반대쪽 접시에 놓인 추의 질량보다 크거나 작으면 저울의 팔이 한쪽으로 기울어진다. 사람도 이와 마찬가지로 에너지 섭취량이 에너지 소비량보다 많거나 적으면 에너지 균형을 유지하지 못한다.

1. 에너지 균형

우리는 세포의 생명 활동에 필요한 에너지를 섭취한 음식물로부터 얻는다. 건강하게 생활하기 위해서는 음식물로 섭취한 에너지양과 생명 활동 등으로 소비한 에너지양이 같은 상태, 즉 에너지 균형 상태를 유지해야 한다. 섭취한 에너지양이 소비한 에너지양보다 적거나 많으면 영양 부족 상태나 영양 과다 상태가 되어 건강을 유지하지 못한다.

(1) **영양 부족:** 에너지 섭취량이 에너지 소비량보다 적으면 영양 부족 상태가 된다. 영양 부족 상태가 지속되면 우리 몸은 몸을 구성하는 단백질이나 지방을 분해하여 에너지를 얻으므로 체중이 감소하고, 심하면 영양실조나 생장 장애 등의 이상이 나타난다.

(2) **영양 과다:** 에너지 섭취량이 에너지 소비량보다 많으면 영양 과다 상태가 된다. 영양 과다 상태가 지속되면 우리 몸은 사용하고 남은 에너지를 주로 지방의 형태로 저장하므로 체지방이 축적되어 체중이 증가하고, 심하면 비만이 될 수 있다.

영양실조
영양소 부족으로 일어나는 신체의 이상 상태를 말한다. 영양실조에 걸리면 빈혈, 부종, 피로감 등의 증상이 나타난다.

영양 부족 상태	에너지 균형 상태	영양 과다 상태
에너지 섭취량 < 에너지 소비량	에너지 섭취량 = 에너지 소비량	에너지 섭취량 > 에너지 소비량
체지방, 단백질이 소모되어 체중이 감소한다.	체중이 유지된다.	체지방이 쌓여 체중이 증가한다.

▲ **에너지 섭취량과 소비량의 균형** 에너지 섭취량이 에너지 소비량보다 적으면 영양 부족, 에너지 섭취량이 에너지 소비량보다 많으면 영양 과다 상태가 된다.

영양 부족과 영양 과다
영양 부족 상태를 에너지 부족 상태, 영양 과다 상태를 에너지 과잉 상태라고도 한다.

2. 에너지 소비량

(1) **기초 대사량:** 우리는 운동이나 특별한 활동을 하지 않더라도 호흡, 심장 박동, 체온 유지 등의 생명 유지 활동에 에너지를 소비한다. 이와 같이 생명 유지를 위한 기본적인 활동에 필요한 최소한의 에너지양을 기초 대사량이라고 한다. 기초 대사량은 체중, 키, 체구성 성분, 성별, 나이, 호르몬 등에 따라 달라진다.

기초 대사량에 영향을 미치는 요인
기초 대사량은 여자보다 남자가 높고, 노인보다 젊은 사람이 높다. 성별과 나이가 같은 경우에는 체중이 무거울수록, 키가 클수록, 체지방량이 적고 근육량이 많을수록 기초 대사량이 높다. 그리고 갑상샘 호르몬인 티록신의 분비량이 증가하면 기초 대사량이 높아진다.

(2) **활동 대사량:** 우리는 다양한 육체적 · 정신적 활동을 하기 때문에 기초 대사량 외에 추가로 에너지를 소비하는데, 이와 같이 각종 활동에 필요한 에너지양을 활동 대사량이라고 한다. 활동 대사량은 체중과 키, 활동의 종류와 강도 및 지속 시간 등에 따라 달라진다.

(3) **식품 이용을 위한 에너지 소비량:** 섭취한 음식물을 소화 · 흡수하여 체내에서 이동 · 대사 · 저장하는 데 소비하는 에너지양이다.

(4) **1일 대사량:** 하루 동안 소비하는 에너지양이다. 우리가 일상생활을 하려면 기초 대사량, 활동 대사량, 식품 이용을 위한 에너지 소비량을 합한 값만큼의 에너지를 필요로 하는데, 이 에너지양이 1일 대사량, 즉 1일 에너지 소비량이다.

> 1일 대사량 = 기초 대사량 + 활동 대사량 + 식품 이용을 위한 에너지 소비량

시야확장 ➕ 1일 대사량 계산

해리스 – 베네딕트 공식에 따른 1일 대사량 계산

❶ 성별에 따라 체중, 키, 나이를 고려하여 다음 공식으로 기초 대사량(kcal)을 계산한다.
- 남자: $66.5 + \{13.8 \times$ 체중$(kg)\} + \{5 \times$ 키$(cm)\} - (6.8 \times$ 나이$)$
- 여자: $655 + \{9.6 \times$ 체중$(kg)\} + \{1.8 \times$ 키$(cm)\} - (4.7 \times$ 나이$)$

❷ 표와 같이 활동 강도를 고려하여 기초 대사량으로 1일 대사량을 계산한다.

활동 강도	1일 대사량(kcal)
주로 앉아서 보낸다면(운동을 거의 하지 않음)	기초 대사량×1.2
약간 활동적(일주일에 1일~3일 운동을 함)	기초 대사량×1.375
중간 정도로 활동적(일주일에 3일~5일 적당한 운동을 함)	기초 대사량×1.55
꽤 활동적(일주일에 6일~7일 격렬한 운동을 함)	기초 대사량×1.725
엄청나게 활동적(육체적으로 아주 힘든 일이나 운동을 함)	기초 대사량×1.9

❸ 약간 활동적이고, 체중 60 kg, 키 170 cm, 나이 17세인 남학생의 기초 대사량과 1일 대사량은 다음과 같다.
- 기초 대사량: $66.5 + (13.8 \times 60) + (5 \times 170) - (6.8 \times 17) = 1628.9(kcal)$
- 1일 대사량: $1628.9 \times 1.375 ≒ 2239.7(kcal)$

표준 체중에 따른 1일 대사량 계산

❶ 다음 공식으로 표준 체중(kg)을 계산한다.
- 남자: 키$(m) \times$ 키$(m) \times 22$
- 여자: 키$(m) \times$ 키$(m) \times 21$

❷ 1일 대사량(kcal)은 '표준 체중(kg)×kg당 필요 열량(kcal/kg)'으로 계산하며, 비만도와 활동 강도에 따른 kg당 필요 열량(kcal/kg)은 표와 같다.

활동 강도＼비만도	저체중	정상 체중	과체중, 비만
가벼운 활동	35	30	20~25
보통 활동	40	35	30
힘든 활동	45	40	35

❸ 보통 활동을 하는 체중 60 kg, 키 170 cm, 나이 17세인 남학생의 표준 체중과 1일 대사량은 다음과 같다. (단, 비만도는 정상 체중으로 본다.)
- 표준 체중: $1.7 \times 1.7 \times 22 = 63.58(kg)$
- 1일 대사량: $63.58 \times 35 = 2225.3(kcal)$

1일 대사량 구성비

1일 대사량 중 활동 대사량의 비율은 25 %~35 %이고, 기초 대사량의 비율은 60 %~65 %에 이른다.

기초 대사량
60 %~65 %

활동 대사량
25 %~35 %

식품 이용을 위한 에너지 소비량
5 %~10 %

체중만을 이용한 기초 대사량 계산

성인은 대체로 1시간에 체중 1 kg당 남자는 1 kcal의 에너지를, 여자는 0.9 kcal의 에너지를 기초 대사에 소비한다는 가정 하에 기초 대사량(kcal)을 계산하는 방법이다.
- 남자: 체중$(kg) \times 1(kcal/kg·h) \times 24(h)$
- 여자: 체중$(kg) \times 0.9(kcal/kg·h) \times 24(h)$

해리스 – 베네딕트 공식

이 공식은 기초 대사량을 단순히 체중만으로 구할 때보다 훨씬 정확하게 구할 수 있지만, 비만도를 반영하지는 않는다. 또, 체중과 키가 너무 작으면 여자가 남자보다 기초 대사량이 높게 나온다. 그래서 이 공식은 보통 성장이 끝난 만 19세 이상의 성인에게 적용한다.

2 대사성 질환

최근 고기를 비롯해 기름진 음식을 많이 먹는 서구화된 식습관으로 인해 영양 섭취가 과다해져 비만 인구가 크게 늘어나고 있다. 그에 따라 비만으로 초래되는 당뇨병, 고혈압, 이상 지혈증 등의 여러 가지 성인병을 동시에 앓는 환자의 수가 크게 증가하고 있다.

1. 대사성 질환

과다한 영양 섭취와 운동 부족 등 잘못된 생활 습관으로 영양 과다 상태가 지속되면 물질대사에 이상이 생겨 비만과 비만으로 인한 각종 성인병이 발생하는데, 이러한 질환을 대사성 질환이라고 한다. 대사성 질환으로는 비만, 당뇨병, 고혈압, 이상 지혈증(고지혈증), 심혈관계 질환 등이 있다.

2. 대사 증후군

심혈관계 질환을 일으키는 위험 요인인 비만(특히 복부 비만), 고혈당, 고혈압, 이상 지혈증과 같은 대사성 질환이 한 사람에게서 동시에 나타나는 것이다.

(1) **대사 증후군의 위험성:** 비만(특히 복부 비만), 고혈당, 고혈압, 이상 지혈증은 공통적으로 동맥 경화증을 일으킬 수 있기 때문에 대사 증후군이 있으면 심혈관계 질환의 발병 위험성이 커진다.

(2) **대사 증후군의 진단 기준:** 대사 증후군으로 진단하는 국제적 기준은 아래와 같이 허리둘레, 혈압, 공복 혈당, 혈중 중성 지방, 혈중 HDL 콜레스테롤의 5가지 항목이 제시되고 있으며, 이 5가지 항목 중 3가지 이상에 해당되면 대사 증후군으로 진단한다.

항목	기준
허리둘레	남자: 90 cm(약 35.4인치) 이상, 여자: 85 cm(약 33.5인치) 이상
혈압	130/85 mmHg 이상 또는 고혈압약 복용자
공복 혈당	100 mg/dL 이상 또는 당뇨병약 복용자
혈중 중성 지방	150 mg/dL 이상 또는 이상 지혈증약 복용자
혈중 HDL 콜레스테롤	남자: 40 mg/dL 미만, 여자: 50 mg/dL 미만 또는 이상 지혈증약 복용자

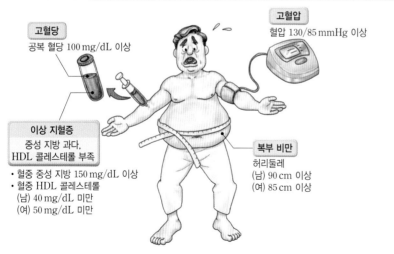

▲ **대사 증후군의 진단 기준** 기준치 이상의 허리둘레, 혈압, 공복 혈당, 혈중 중성 지방, 기준치 미만의 혈중 HDL 콜레스테롤 중 3가지 이상에 해당되면 대사 증후군으로 진단한다.

대사성 질환의 정의

대사성 질환은 물질대사 이상으로 발생하는 질환으로 정의되기도 한다. 이와 같이 정의되면 페닐케톤뇨증 같은 유전자 이상으로 발생하는 선천성 대사성 질환도 포함된다. 그렇지만 일반적으로 대사성 질환이라고 하면 과다한 영양 섭취나 운동 부족 등 잘못된 생활 습관으로 발생한 비만과 이로 인해 유발되는 각종 성인병으로 정의된다.

심혈관계 질환

심장과 주요 동맥에 발생하는 질환

고혈당

일부 교과서나 자료에는 대사 증후군 항목에 '고혈당' 대신 '당뇨병'으로 표기되어 있다. 하지만 대사 증후군 진단 기준에서 공복 혈당은 100 mg/dL 이상이 기준이므로 '고혈당'을 쓰는 것이 적합하다. 고혈당은 당뇨병 전 단계와 당뇨병을 모두 포함한다. '당뇨병'의 기준은 공복 혈당 126 mg/dL 이상으로 '고혈당' 기준보다 높다.

HDL 콜레스테롤

콜레스테롤은 지질과 단백질의 복합체인 지단백질(HDL 또는 LDL)에 결합한 형태로 운반된다. HDL(고밀도 지단백질) 콜레스테롤은 말초 혈관에 남아도는 콜레스테롤을 간으로 운반하여 콜레스테롤이 쓸개즙의 성분이 되어 몸 밖으로 배출되게 한다. 그래서 HDL 콜레스테롤을 좋은 콜레스테롤이라고 한다.

3. 대사성 질환의 종류와 특징

(1) **비만:** 불규칙한 식습관, 열량이 높은 음식의 과다 섭취, 운동량 부족 등으로 에너지 섭취량이 에너지 소비량보다 많은 영양 과다 상태가 지속되면 남은 에너지가 지방의 형태로 지방 조직에 쌓이는데, 그 정도가 심해져 체지방이 과다하게 쌓인 상태를 비만이라고 한다. 비만, 특히 복부에 지방이 과다하게 쌓여 복부 비만이 되면 당뇨병, 고혈압, 이상 지혈증 등과 같은 다른 대사성 질환에 걸릴 가능성이 높아진다.

① 복부 비만인 사람은 간과 근육에서 인슐린의 효과가 떨어지는 인슐린 저항성이 발생하여 고혈당이 나타나고, 그 정도가 심해지면 제2형 당뇨병이 발생한다.

② 비만인 사람은 정상인에 비해 더 많은 조직에 영양소와 산소를 공급해 주어야 하기 때문에 혈액의 양이 늘어나고, 이를 순환시키기 위해 심장 박동은 더 강해진다. 그 결과 혈관벽이 받는 압력이 증가하여 고혈압이 나타난다.

③ 비만인 사람은 간에서 중성 지방과 콜레스테롤의 생성량이 증가한다. 그 결과 혈액 내 중성 지방과 콜레스테롤의 양이 증가하여 이상 지혈증이 발생한다.

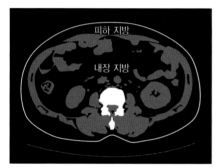

내장 지방형 비만

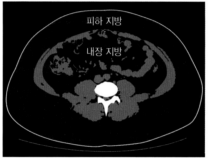

피하 지방형 비만

▲ **복부 비만 환자의 CT 사진** 내장 지방형 비만은 지방이 복강 내 내장 주위에 많이 분포하고, 피하 지방형 비만은 지방이 피부 아래층에 많이 분포한다.

시야 확장 ➕ 비만도 판정

비만도는 체지방의 양을 직접 측정하거나 간접적으로 추정하여 판정하는데, 가장 간단한 방법은 허리둘레를 측정하여 복부 비만 여부를 판정하는 것이다. 그 외에 체질량 지수(BMI)와 상대 체중으로 비만도를 판정하는 방법이 많이 쓰이고 있다.

❶ **허리둘레로 판정하는 방법:** 허리둘레가 남자는 90 cm(약 35.4인치) 이상, 여자는 85 cm(약 33.5인치) 이상이면 복부 비만으로 판정한다.

❷ **체질량 지수(BMI)로 판정하는 방법:** BMI(Body Mass Index)는 '체중(kg)을 키(m)의 제곱으로 나눈 값'으로, 이 값에 따라 표와 같이 비만도를 판정한다.

BMI	18.5 미만	18.5~23 미만	23~25 미만	25 이상
비만도	저체중	정상	과체중	비만

❸ **상대 체중으로 판정하는 방법:** 상대 체중(표준 체중에 대한 현재 체중의 백분율)에 따라 표와 같이 비만도를 판정한다.

상대 체중	90 미만	90~110 미만	110~120 미만	120 이상
비만도	저체중	정상	과체중	비만

체지방

몸을 구성하는 지방 조직으로, 적당량의 체지방은 우리 몸에 꼭 필요하다. 체중에서 체지방이 차지하는 비율이 성인의 경우 남자는 15 %~20 %, 여자는 20 %~25 %가 정상 범위이며, 남자는 25 % 이상, 여자는 30 % 이상이면 비만으로 본다.

인슐린

이자에서 분비되는 호르몬으로, 혈당량이 정상치보다 높아지면 분비되어 혈당량을 낮추는 작용을 한다.

허리둘레 측정 방법

먼저 양발을 25 cm~30 cm 정도 벌려 체중을 골고루 분산시키고, 숨을 편안히 내쉰 상태에서 갈비뼈 가장 아래 위치와 골반의 가장 높은 위치의 중간 부위를 줄자로 측정한다.

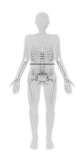

체질량 지수(BMI) 계산식

$$\frac{체중(kg)}{키(m) \times 키(m)}$$

상대 체중 계산식

남자의 표준 체중은 '키(m)×키(m)×22', 여자의 표준 체중은 '키(m)×키(m)×21'이므로 상대 체중은 다음과 같이 계산한다.

- 남자: $\dfrac{현재 체중(kg)}{키(m) \times 키(m) \times 22} \times 100$

- 여자: $\dfrac{현재 체중(kg)}{키(m) \times 키(m) \times 21} \times 100$

(2) **당뇨병**: 혈당량이 비정상적으로 높아 포도당의 일부가 오줌으로 배출되는 질환이다. 공복 혈당이 126 mg/dL 이상이면 당뇨병으로 진단한다.

① 당뇨병은 인슐린 분비 세포가 파괴된 결과 인슐린이 부족해져 발생하거나, 세포에서 인슐린의 효과가 저하되는 인슐린 저항성 증가로 발생한다. 인슐린이 부족하여 발생하는 당뇨병을 인슐린 의존형 당뇨병 또는 제1형 당뇨병이라 하고, 인슐린 저항성 증가로 발생하는 당뇨병을 인슐린 비의존형 당뇨병 또는 제2형 당뇨병이라고 한다. 제2형 당뇨병이 비만에 의해 유발되는 대사성 질환이다.

② 혈당량이 지나치게 높아지면 혈액 속에 중성 지방과 콜레스테롤 등 지질의 양이 증가하여 이상 지혈증이 발생할 가능성이 높아진다.

③ 당뇨병은 완치가 거의 불가능하고 조절하여 치료하는 질환이다. 제1형 당뇨병 환자는 인슐린을 규칙적으로 투여하여 치료한다. 제2형 당뇨병 환자는 대부분 인슐린 주사의 효과가 작기 때문에 인슐린 주사보다는 식습관과 생활 습관 개선 및 규칙적인 운동을 통해 체중을 줄이고 혈당 강하제를 투여하여 치료한다.

구분	제1형 당뇨병	제2형 당뇨병
주요 발병 연령	20세 이하	40세 이상(성인병의 한 종류)
발병 원인	자기 항체, 바이러스 감염, 염증 등으로 인한 인슐린 분비 부족	유전적 원인, 비만 등으로 인한 인슐린 저항성 증가
가족력	적음	종종 있음
인슐린 분비량	현저히 저하	초기에는 오히려 증가하기도 함
인슐린 주사	효과 있음	대부분 효과가 작음

▲ **제1형 당뇨병과 제2형 당뇨병 비교**　제1형 당뇨병은 인슐린 분비 세포의 파괴로 인슐린이 부족하여 발생하고, 제2형 당뇨병은 비만 등으로 인슐린 저항성이 증가하여 발생한다.

(3) **고혈압**: 혈압이 정상 범위보다 높은 상태가 지속되는 질환이다. 성인의 표준 혈압은 120/80 mmHg이며, 혈압이 지속적으로 140/90 mmHg 이상이면 고혈압으로 진단한다.

① 고혈압이 되면 특히 심실 수축기에 심장에서 동맥으로 방출되는 혈액의 압력이 높기 때문에 동맥이 손상되고 노화가 진행되어 심혈관계 질환이 발생할 가능성이 높아진다.

② 고혈압도 당뇨병과 마찬가지로 완치되는 질환이 아니고 조절하여 치료하는 질환이다. 식습관과 생활 습관 개선 및 규칙적인 운동을 통해 적정한 체중을 유지하도록 노력해야 하며, 이뇨제 등의 약물로 치료한다.

(4) **이상 지혈증(고지혈증)**: 혈액 속에 총콜레스테롤이나 LDL 콜레스테롤 또는 중성 지방이 과다한 상태가 지속되거나, HDL 콜레스테롤이 부족한 상태가 지속되는 질환이다. 혈중 총콜레스테롤 230 mL/dL 이상, LDL 콜레스테롤 150 mg/dL 이상, 중성 지방 200 mg/dL 이상, HDL 콜레스테롤 40 mg/dL 미만의 4가지 중 어느 하나에라도 해당되면 이상 지혈증으로 진단한다.

① 혈액 속에 중성 지방과 콜레스테롤 같은 지질이 과다해지면 이들 물질이 혈관벽에 쌓여 동맥 경화증 등 각종 심혈관계 질환을 유발한다.

② 이상 지혈증의 치료와 예방을 위해서는 고혈압과 마찬가지로 식습관과 생활 습관 개선 및 규칙적인 운동을 통해 적정 체중을 유지해야 한다.

인슐린 저항성
세포의 인슐린 수용체 등에 이상이 생겨 인슐린 효과가 저하되는 상태를 말하는데, 고혈당을 초래하여 대사 증후군을 발생시키는 주된 원인으로 작용한다. 그래서 대사 증후군을 인슐린 저항성 증후군이라고도 한다.

혈압 표기 방식
혈압은 '최고 혈압/최저 혈압'의 방식으로 표기한다. 최고 혈압이 심실 수축기 혈압이고, 최저 혈압이 심실 이완기 혈압이다.

이뇨제
오줌의 양을 증가시켜 체내의 수분 배출을 촉진하는 약물이다. 혈액의 양을 줄여 혈압을 낮춘다.

LDL 콜레스테롤
LDL(저밀도 지단백질) 콜레스테롤은 HDL 콜레스테롤과 반대로 간에서 조직 세포로 콜레스테롤을 운반하는데, 남는 것은 혈관벽에 쌓여 혈관을 좁게 만들어 고혈압과 동맥 경화증을 유발한다. 그래서 LDL 콜레스테롤을 나쁜 콜레스테롤이라고 한다.

이상 지혈증과 고지혈증의 관계
이전에는 '혈액 속에 중성 지방과 콜레스테롤 같은 지질이 과다한 질환'이라는 의미에서 '고지혈증'이라는 용어를 사용하였지만, 최근에는 'HDL 콜레스테롤이 부족한 상태'도 포함하여 '비정상적인 혈액 내 지질 상태'라는 의미에서 이상 지혈증이라는 용어를 사용한다.

(5) **심혈관계 질환:** 심장과 주요 동맥에 발생하는 질환으로, 동맥 경화증, 심장 질환인 협심증과 심근 경색, 뇌혈관 질환(뇌졸중)인 뇌경색과 뇌출혈 등이 있다.

① **동맥 경화증:** 동맥 내벽에 콜레스테롤과 중성 지방 등이 쌓여 동맥이 좁아지고 탄력성을 잃는 질환으로, 대사성 질환인 당뇨병, 고혈압, 이상 지혈증 등에 의해 유발된다. 이들 질환으로 인해 동맥 내벽이 손상되면 동맥 내벽에 콜레스테롤과 중성 지방이 쉽게 쌓여 동맥 경화증이 발생한다.

② **협심증과 심근 경색:** 심장 근육에 혈액을 공급하는 관상 동맥이 동맥 경화로 좁아져 발생하는 질환이다.

• 협심증: 관상 동맥이 동맥 경화로 좁아져 심장 근육에 산소와 영양소가 적게 공급된 결과 가슴을 조이는 듯한 통증을 일으키는 질환이다.

• 심근 경색: 동맥 경화로 좁아진 관상 동맥이 혈전에 의해 갑자기 막혀 심장 근육에 산소와 영양소가 공급되지 않아 심장 근육이 괴사하는 질환이다.

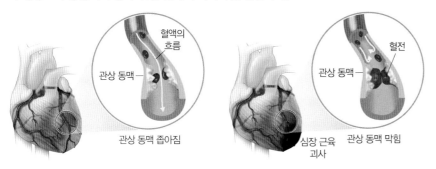

▲ **협심증** 심장 근육에 혈액을 공급하는 관상 동맥이 동맥 경화로 좁아져 발생한다.

▲ **심근 경색** 동맥 경화로 좁아진 관상 동맥이 혈전으로 갑자기 막혀 발생한다.

③ **뇌졸중:** 뇌혈관이 막히거나 터져서 뇌 손상이 발생한 결과 뇌 기능에 이상이 생기는 질환으로, 뇌경색과 뇌출혈로 구분된다.

• 뇌경색: 동맥 경화로 좁아진 뇌혈관이 혈전에 의해 갑자기 막혀 뇌에 산소와 영양소가 공급되지 않아 뇌 조직이 괴사하는 질환이다.

• 뇌출혈: 고혈압 등으로 인해 뇌에 분포하는 가는 혈관이 터져 뇌 속에 혈액이 고이는 질환이다.

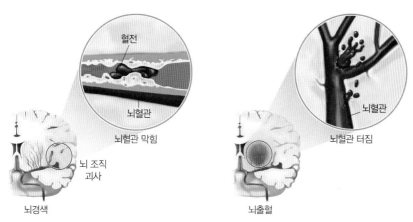

▲ **뇌졸중** 뇌혈관이 막혀 발생하는 뇌경색과 뇌혈관이 터져 발생하는 뇌출혈로 구분된다.

관상 동맥
심장 근육(심근)에 산소와 영양소를 공급하는 동맥으로, 심장 동맥이라고도 한다. 관상 동맥은 심장을 둘러싸고 있는 모습이 왕관 같다고 해서 붙여진 이름이다.

경색
동맥이 막혀서 조직으로 혈액이 공급되지 않아 조직이 괴사하는 것이다.

혈전(피떡)
혈관 속에서 혈액이 응고해서 생긴 덩어리로, 혈구가 섬유소 등에 의해 엉겨 있는 것이다.

괴사
생체 내의 세포나 조직의 일부가 죽는 것

뇌졸중과 중풍의 관계
중풍은 전신, 반신, 사지 등 몸의 일부가 마비되는 병을 가리키는 한의학 용어인데, 뇌졸중뿐만 아니라 다른 뇌 질환으로 발생한 것까지 포함한다.

협심증, 심근 경색, 뇌경색의 치료
혈관 확장제, 혈전 생성 억제제, 혈전 용해제 등을 복용하여 약물 치료를 하고, 정도가 심하면 동맥을 넓히거나 우회로를 만들어 주는 수술을 한다.

4. 대사성 질환을 예방하는 생활 습관

비만, 당뇨병, 고혈압, 이상 지혈증과 같이 잘못된 생활 습관에서 오는 대사성 질환은 생활 습관을 바꾸면 충분히 예방할 수 있다.

(1) 균형 잡힌 식생활: 비만은 에너지 섭취량이 에너지 소비량보다 많은 영양 과다 상태에서 비롯된 것이므로, 식습관을 관리하거나 개선할 필요가 있다.

① 에너지 섭취량을 줄이기 위해 고탄수화물, 고지방 등 고열량 식품을 적게 섭취하고, 한식 위주의 균형 잡힌 식단으로 규칙적인 식사를 한다.

② 육류나 생선으로 양질의 단백질을 섭취하며, 섬유소와 비타민, 무기염류 등이 풍부한 현미와 같은 전곡류와 각종 채소 및 해조류 등을 꼭 먹도록 한다. 특히, 간식으로 다양한 제철 과일과 우유, 두유, 요구르트와 같은 유제품을 먹는 것이 좋다.

③ 혈압 상승 요인으로 작용하는 염분의 섭취를 줄이기 위해 음식을 짜지 않게 먹는다.

(2) 규칙적인 운동: 에너지 소비량을 늘리기 위해 규칙적인 운동을 한다. 1주일에 3회~4회 이상 최소 30분 이상씩 빠르게 걷기, 줄넘기, 자전거 타기, 수영 등과 같은 유산소 운동을 하며, 엎드려 팔 굽혀 펴기, 윗몸 일으키기와 같은 근력 운동을 병행한다.

(3) 부정적인 생활 습관 개선: 식습관 개선과 규칙적인 운동도 중요하지만 흡연, 음주 등과 같은 부정적인 생활 습관을 개선하는 것도 중요하다.

① 흡연은 심혈관 질환을 일으키는 주요 요인이므로 반드시 금연한다.

② 과다한 음주는 복부 비만을 유발하고 혈압을 상승시키므로 과도한 알코올 섭취를 피한다.

③ 스트레스 호르몬은 복부 비만을 유발하므로 충분한 수면과 휴식을 취하고, 적절한 스트레스 해소 방법을 찾아 스트레스를 관리한다.

(4) 건강 검진: 적어도 1년에 1회 이상 대사 증후군 관련 검진을 받는다.

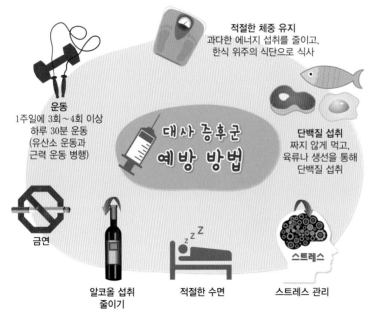

▲ **대사 증후군 예방 방법** 국민건강보험 공단에서는 대사 증후군 예방 방법으로 적절한 체중 유지, 단백질 섭취, 운동, 금연, 알코올 섭취 줄이기, 적절한 수면, 스트레스 관리 등을 제시하고 있다.

염분과 혈압의 관계

짜게 먹으면 혈액 속의 나트륨 농도가 높아져 콩팥에서 수분 재흡수가 촉진된다. 그 결과 혈액의 양이 늘어나 혈압이 상승한다.

유산소 운동

· 편안한 호흡을 지속하면서 할 수 있는 운동, 즉 숨이 차지 않고 큰 힘을 들이지 않고도 할 수 있는 운동을 말한다.

· 걷기, 조깅, 줄넘기, 자전거 타기, 등산, 수영 등이 유산소 운동에 해당한다.

· 유산소 운동과 반대로 힘이 들고 숨이 차서 오래 지속할 수 없는 형태의 운동을 무산소 운동이라고 한다. 단거리 달리기, 씨름, 역도 등이 무산소 운동에 해당한다.

근력 운동

근육에 일정한 무게를 가하는 운동이다. 엎드려 팔 굽혀 펴기, 윗몸 일으키기, 덤벨(아령)이나 바벨 운동 등이 근력 운동에 해당한다.

스트레스 호르몬

· 부신 겉질에서 생성되는 당질 코르티코이드계 호르몬인 코르티솔을 말한다.

· 스트레스에 대항하여 몸이 더 많은 에너지를 만들 수 있도록 단백질과 지방을 당화시켜 혈당량을 높이고, 혈압도 높인다.

· 만성 스트레스로 코르티솔의 분비가 지속적으로 증가하면 인슐린 저항성이 증가하여 비만 등 대사성 질환이 발생한다.

1일 에너지 섭취량 조사하기

자신의 1일 에너지 섭취량을 계산해 보고, 식습관에서 개선해야 할 점을 말할 수 있다.

과정

1 표는 한국인의 식사 구성안에 속하는 주요 식품별 1인 1회 분량과 칼로리(열량)를 정리한 것이다(2010 한국인 영양소 섭취 기준). 이를 토대로 자신의 1일 에너지 섭취량을 계산한다.

식품군	1인 1회 분량
곡류 (1인 1회 분량당 약 300 kcal)	밥 1공기(백미 90 g), 국수 1대접(건면 100 g), 식빵(대) 2쪽(100 g), 시리얼 1접시(40 g)*
고기 · 생선 · 달걀 · 콩류 (1인 1회 분량당 약 100 kcal)	육류 1접시(생 60 g), 닭고기 1조각(생 60 g), 생선 1토막(생 60 g), 달걀 1개(60 g), 콩(20 g), 두부 2조각(80 g)
채소류 (1인 1회 분량당 약 15 kcal)	콩나물 1접시(생 70 g), 시금치 나물 1접시(생 70 g), 배추김치 1접시(생 40 g), 오이소박이 1접시(생 60 g), 버섯 1접시(생 30 g)
과일류 (1인 1회 분량당 약 50 kcal)	사과(중) 반 개(100 g), 귤(중) 1개(100 g), 참외(중) 반 개(200 g), 포도(중) 15알(100 g), 수박 1쪽(200 g), 오렌지 주스 반 컵(100 g)
우유 · 유제품류 (1인 1회 분량당 약 125 kcal)	우유 1컵(200 g), 치즈 1장(20 g)*, 호상 요구르트(떠먹는 요구르트) 반 컵(100 g), 액상 요구르트 3/4컵(150 g), 아이스크림 반 컵(100 g)
유지 · 당류 (1인 1회 분량당 약 45 kcal)	식용유 1작은술(5 g), 버터 1작은술(5 g), 마요네즈 1작은술(5 g), 커피믹스 1봉(12 g), 설탕 1큰술(10 g)

* 다른 식품 1회 분량당 칼로리의 $\frac{1}{2}$을 함유하고 있으므로 식단 작성 시 0.5회로 간주함

2 표는 15세~18세 한국 청소년의 체위 기준과 1일 에너지 섭취 기준이다(2015 한국인 영양소 섭취 기준). 자신의 1일 에너지 섭취량을 표에 제시된 에너지 섭취 기준과 비교하고, 어떻게 식단을 조절할지 생각해 본다.

구분	키(cm)	체중(kg)	1일 에너지 섭취 기준(kcal)
남자	173.3	63.1	2700
여자	160.9	53.1	2000

결과 및 해석

1 각 식품군을 하루에 3회 분량씩 먹는다고 가정하면 1일 에너지 섭취량은 다음과 같이 계산한다.
$(300+100+15+50+125+45) \times 3 = 1905(\text{kcal})$

2 자신의 1일 에너지 섭취량이 1일 에너지 섭취 기준에 비해 적거나 많다면 주요 에너지원을 함유하고 있는 곡류나 고기 · 생선 · 달걀 · 콩류 또는 유지 · 당류의 섭취량을 늘리거나 줄일 필요가 있다.

유의점
- 식단을 짤 때 식품을 0.5회 등으로 줄여서 짤 수도 있다.
- 식품별 에너지 섭취량을 정확하게 알고자 할 때에는 '2015 한국인 영양소 섭취 기준'에 제시된 자료를 활용한다.
- 자신의 키와 체중이 청소년의 체위 기준과 차이나는 정도에 따라 1일 에너지 섭취 기준을 적절히 조정한다.

유지
지방과 기름 등을 통틀어 이르는 말이다. 버터, 마가린, 식용유 등이 해당된다.

탐구 확인 문제

> 정답과 해설 **16쪽**

01 표는 키 160.9 cm, 체중 53.1 kg인 17세 여고생 영희가 하루에 섭취한 식품군과 분량을 나타낸 것이다.

식품군	곡류	고기 · 생선 · 달걀 · 콩류	채소류	과일류	우유 · 유제품류	유지 · 당류
분량	5회	2회	6회	3회	3회	3회

(1) 영희의 1일 에너지 섭취량을 구하시오.

(2) 영희의 1일 에너지 섭취량을 1일 에너지 섭취 기준과 비교하여 영희가 에너지 섭취량을 어떻게 조절해야 건강을 유지할 수 있는지 쓰시오.

심화 인슐린 저항성

비만, 특히 복부 비만은 간과 근육 세포에서 인슐린의 효과가 저하되는 인슐린 저항성을 유발하여 고혈당과 제2형 당뇨병까지 초래한다. 왜 복부에 지방이 과다하게 쌓이면 인슐린의 효과가 떨어지는 것일까? 인슐린의 작용에 대해 알아보고, 복부 비만이 어떻게 간과 근육 세포의 인슐린 저항성을 일으키는지 알아보자.

❶ 인슐린의 작용

인슐린은 이자섬의 β세포에서 분비되는 호르몬으로, 혈당량을 낮추는 작용을 한다. 인슐린은 간, 지방 조직, 근육 등에 작용하여 세포의 포도당 흡수를 촉진한다. 또, 간에서 글리코젠 합성을 촉진하고, 포도당 생합성과 지방 분해를 억제한다. 지방 조직에서는 지방 합성을 촉진하고 지방 분해를 억제하며, 근육에서는 글리코젠 합성을 촉진하고 단백질 분해를 억제한다.

❷ 복부 비만과 인슐린 저항성

복부 비만인 사람은 복부 내장 주변의 지방 조직에서 인슐린 저항성이 증가하여 지방산을 방출하므로 혈중 지방산 농도가 높다. 혈중 지방산이 과다해지면 간과 근육 세포는 포도당 대신 지방산을 흡수하여 세포 호흡에 이용한다. 그 결과 이들 세포에서 포도당을 흡수할 필요가 없어져 인슐린의 효과가 저하되는 인슐린 저항성이 발생한다. 지방산을 과다하게 흡수한 간에서는 지방과 콜레스테롤의 생성량이 증가한다. 그로 인해 간에서 조직으로 콜레스테롤을 운반하는 LDL의 생성량은 증가하고, 그와 반대 작용을 하는 HDL의 생성량은 감소하여 이상지혈증이 나타난다. 또, 근육과 지방 조직의 포도당 흡수가 줄어들고 간에서 방출되는 포도당이 늘어나 혈당량이 증가하여 제2형 당뇨병이 나타난다. 한편, 인슐린 저항성이 나타나면 이에 대한 보상으로 이자에서 인슐린 분비가 증가하여 고인슐린혈증이 나타나고, 인슐린 저항성이 장기간 진행되면 이자는 인슐린 생산 능력을 상실하여 혈당량은 더욱 높아진다.

포도당 생합성

탄수화물이 아닌 물질로부터 포도당을 합성하는 과정

지방산과 포도당의 관계

지방산은 세포 호흡의 에너지원으로, 포도당과 경쟁 관계에 있기 때문에 세포의 지방산 이용이 늘어나면 포도당 이용은 줄어든다.

고인슐린혈증

혈중 인슐린 농도가 높은 상태이다. 인슐린 저항성이 나타나는 초기에는 혈중 인슐린 농도를 증가시켜 정상 혈당량을 유지할 수도 있지만, 인슐린 저항성 상태가 지속되면 이것만으로 정상 혈당량을 유지할 수 없게 된다.

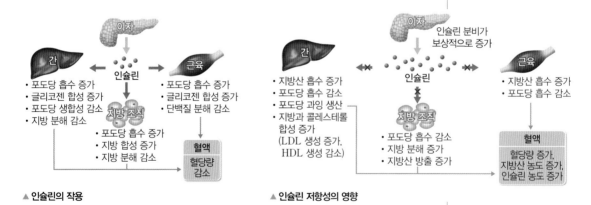

▲ 인슐린의 작용

▲ 인슐린 저항성의 영향

예제

인슐린 저항성 발생 초기의 혈중 농도가 정상일 때에 비해 높지 않은 물질은?

① HDL   ② LDL   ③ 포도당   ④ 인슐린   ⑤ 지방산

정답 ①

해설 인슐린 저항성이 나타날 때 조직에서 간으로 콜레스테롤을 운반하는 HDL의 혈중 농도는 감소한다.

개념 모아 정리하기

03 물질대사와 건강

① 에너지 균형

1. 에너지 균형

- 에너지 섭취량이 에너지 소비량보다 적으면 (❶   ) 상태가 되고, 에너지 섭취량이 에너지 소비량보다 많으면 (❷   ) 상태가 된다.
- 건강하게 생활하기 위해서는 에너지 섭취량이 에너지 소비량과 같은 (❸   ) 상태를 유지해야 한다.

2. 에너지 소비량

- (❹   ): 생명 유지를 위한 기본적인 생명 활동에 필요한 최소한의 에너지양이다.
- 활동 대사량: 각종 활동을 하는 데 필요한 에너지양이다.
- 식품 이용을 위한 에너지 소비량: 섭취한 음식물을 소화 · 흡수하여 체내에서 이동 · 대사 · 저장하는 데 소비하는 에너지양이다.
- (❺   ): 하루 동안 소비하는 에너지양으로, 기초 대사량, 활동 대사량, 식품 이용을 위한 에너지 소비량을 합한 값이다.

② 대사성 질환

1. 대사성 질환   과다한 영양 섭취와 운동 부족 등 잘못된 생활 습관으로 인해 영양 과다 상태가 지속되면서 (❻   )에 이상이 생겨 나타나는 질환으로, 비만과 이로 인해 유발되는 각종 성인병을 말한다.

2. 대사 증후군   심혈관계 질환을 일으키는 비만, 고혈당, 고혈압, 이상 지혈증과 같은 대사성 질환이 한 사람에게서 동시에 나타나는 것이다.

- 진단: 기준치 이상의 허리둘레, 혈압, 공복 혈당, 혈중 중성 지방, 기준치 미만의 혈중 HDL 콜레스테롤의 5가지 항목 중 3가지 이상에 해당되면 대사 증후군으로 진단한다.

3. 대사성 질환의 종류와 특징

- (❼   ): 영양 과다 상태가 지속되어 체지방이 과다하게 쌓인 상태이다. 특히 복부 비만이 되면 당뇨병, 고혈압, 이상 지혈증 등과 같은 대사성 질환에 걸릴 가능성이 높아진다.
- (❽   ): 혈당량이 비정상적으로 높아 포도당의 일부가 오줌으로 배출되는 질환이다. 인슐린 부족으로 발생하는 제1형 당뇨병과 인슐린의 효과 저하로 발생하는 제2형 당뇨병이 있다.
- 고혈압: 혈압이 정상 범위보다 높은 상태가 지속되는 질환이다.
- (❾   ): 혈액 속에 총콜레스테롤이나 LDL 콜레스테롤 또는 중성 지방이 과다한 상태가 지속되거나, HDL 콜레스테롤이 부족한 상태가 지속되는 질환이다.
- 심혈관계 질환: 심장과 주요 동맥에 발생하는 질환이다.
  - → (❿   ): 동맥 내벽에 콜레스테롤과 중성 지방 등이 쌓여 동맥이 좁아지고 탄력성을 잃는 질환이다.
  - → (⓫   ): 관상 동맥이 동맥 경화로 좁아져 가슴을 조이는 듯한 통증을 일으키는 질환이다.
  - → (⓬   ): 동맥 경화로 좁아진 관상 동맥이 혈전에 의해 막혀 심장 근육이 괴사하는 질환이다.
  - → (⓭   ): 뇌혈관이 막히거나 터져 뇌 기능에 이상이 생기는 질환이며, 동맥 경화로 좁아진 뇌혈관이 혈전에 의해 막혀 발생하는 (⓮   )과 뇌에 있는 가는 혈관이 터져 발생하는 (⓯   )이 있다.

4. 대사성 질환의 예방   균형 잡힌 식생활, 에너지 소비량을 늘리는 규칙적인 운동, 부정적인 생활 습관(흡연, 음주, 스트레스 등) 개선, 적절한 수면과 휴식, 1년에 1회 이상 건강 검진 등으로 예방한다.

01 그림은 하루 동안의 에너지 섭취량과 소비량을 비교한 두 가지 경우를 나타낸 것이다.

(1) 에너지 섭취량과 소비량이 (가)인 상태와 (나)인 상태를 각각 무엇이라고 하는지 쓰시오.

(2) (가)와 (나)의 상태가 오래 지속되면 체중은 각각 어떻게 변할지 예상하여 쓰시오.

02 다음 각 설명에 해당하는 에너지양을 무엇이라고 하는지 쓰시오.

(1) 하루 동안 소비하는 에너지양이다.

(2) 육체적 활동이나 정신적 활동 등 각종 활동을 하는 데 소비하는 에너지양이다.

(3) 섭취한 음식물을 소화·흡수하여 체내에서 이동·대사·저장하는 데 소비하는 에너지양이다.

(4) 심장 박동, 호흡, 체온 유지 등 기본적인 생명 유지 활동에 소비하는 최소한의 에너지양이다.

03 다음은 1일 대사량을 식으로 나타낸 것이다. 빈칸에 들어갈 알맞은 용어를 쓰시오.

> 1일 대사량 = ☐ + 활동 대사량 + 식품 이용을 위한 에너지 소비량

04 다음은 체중으로 기초 대사량(kcal)을 구하는 식이다.

> • 남자: 체중$(kg) \times 1(kcal/kg \cdot h) \times 24(h)$
> • 여자: 체중$(kg) \times 0.9(kcal/kg \cdot h) \times 24(h)$

체중이 60 kg으로 동일한 남학생 철수와 여학생 영희의 기초 대사량에 대한 설명으로 옳은 것만을 〈보기〉에서 있는 대로 고르시오.

> 보기
> ㄱ. 철수가 영희보다 기초 대사량이 크다.
> ㄴ. 영희의 기초 대사량은 1300 kcal보다 크다.
> ㄷ. 철수와 영희의 기초 대사량 차이는 144 kcal이다.

05 대사성 질환을 〈보기〉에서 있는 대로 고르시오.

> 보기
> ㄱ. 비만   ㄴ. 저혈압
> ㄷ. 당뇨병   ㄹ. 이상 지혈증

06 대사 증후군을 진단하는 기준으로 옳은 것만을 〈보기〉에서 있는 대로 고르시오.

> 보기
> ㄱ. 혈압이 기준치 이상일 때
> ㄴ. 공복 혈당이 기준치 이상일 때
> ㄷ. 혈중 중성 지방이 기준치 이상일 때
> ㄹ. 혈중 HDL 콜레스테롤이 기준치 이상일 때

07 표는 체질량 지수(BMI)에 따른 비만도를 나타낸 것이다. BMI는 체중(kg)을 키(m)의 제곱으로 나눈 값이다.

BMI	18.5 미만	18.5 ~ 23 미만	23 ~ 25 미만	25 이상
비만도	저체중	정상	과체중	비만

키가 170 cm이고, 체중이 70 kg인 사람의 비만도를 위 표를 기준으로 판정하시오.

08 다음은 상대 체중으로 비만도를 판정하는 방법이다.

> (가) 키로 표준 체중(kg)을 계산한다.
> - 남자: 키(m)×키(m)×22
> - 여자: 키(m)×키(m)×21
>
> (나) 상대 체중은 표준 체중에 대한 현재 체중의 백분율이다. 상대 체중을 구하여 표에 따라 비만도를 판정한다.
>
> | 상대 체중 | 90 미만 | 90 ~ 110 미만 | 110 ~ 120 미만 | 120 이상 |
> |---|---|---|---|---|
> | 비만도 | 저체중 | 정상 | 과체중 | 비만 |

키가 160 cm, 체중이 60 kg으로 동일한 남학생 철수와 여학생 영희의 표준 체중, 상대 체중을 구하고 비만도를 각각 판정하시오.

(1) 철수의 표준 체중, 상대 체중, 비만도

(2) 영희의 표준 체중, 상대 체중, 비만도

09 제2형 당뇨병에 대한 설명으로 옳은 것만을 〈보기〉에서 있는 대로 고르시오.

> ── 보기 ──
> ㄱ. 비만인 사람에서 발생하는 경향이 있다.
> ㄴ. 인슐린을 주사하여도 대부분 효과가 없다.
> ㄷ. 이자에서 인슐린이 적게 분비되어 발생한다.

10 심혈관계 질환을 〈보기〉에서 있는 대로 고르시오.

> ── 보기 ──
> ㄱ. 협심증   ㄴ. 당뇨병
> ㄷ. 뇌졸중   ㄹ. 심근 경색
> ㅁ. 동맥 경화증

11 그림은 동맥 경화증이 진행되는 혈관 상태를 나타낸 것이다.

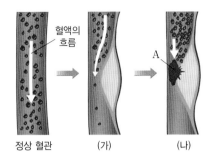

정상 혈관   (가)   (나)

(1) (가)와 같이 혈관벽 내부에 쌓여 혈관벽을 좁게 만드는 물질을 두 가지 쓰시오.

(2) (나)에서 동맥 경화로 좁아진 혈관을 막히게 하는 A는 무엇인지 쓰시오.

(3) (나)와 같이 동맥 경화로 좁아진 혈관이 막혀 발생하는 질환을 두 가지만 쓰시오.

12 다음은 심혈관계 질환에 대하여 설명한 것이다. 각 설명에 해당하는 질환을 쓰시오.

(1) 고혈압 등의 원인으로 뇌에 있는 가는 혈관이 터져 뇌 속에 혈액이 고인다.

(2) 동맥 경화로 좁아진 뇌혈관이 혈전에 의해 갑자기 막혀 뇌에 산소와 영양소가 공급되지 않아 뇌 조직이 괴사한다.

(3) 동맥 경화로 좁아진 관상 동맥이 혈전에 의해 갑자기 막혀 심장 근육에 산소와 영양소가 공급되지 않아 심장 근육이 괴사한다.

(4) 심장 근육에 혈액을 공급하는 관상 동맥이 동맥 경화로 좁아져 심장 근육에 산소와 영양소가 적게 공급되어 가슴을 조이는 듯한 통증을 느끼게 된다.

01 〉 기초 대사량

표는 나이와 성별에 따른 체표면적당 평균 기초 대사량($kcal/m^2 \cdot h$)을 나타낸 것이다. 이에 대한 설명으로 옳은 것만을 〈보기〉에서 있는 대로 고른 것은?

나이(세)	5	10	20	40
남자	53	50	41	38
여자	52	46	37	35

• 1일 기초 대사량($kcal$)=체표면적당 기초 대사량($kcal/m^2 \cdot h$)×체표면적(m^2)×24(h)

보기
ㄱ. 성별이 같을 경우 1일 기초 대사량은 5세 아이가 10세 아이보다 크다.
ㄴ. 나이와 체표면적이 같을 경우 기초 대사량은 남자가 여자보다 크다.
ㄷ. 체표면적이 $1.5\,m^2$인 20세 남자의 1일 기초 대사량은 1200 kcal보다 크다.

① ㄱ   ② ㄴ   ③ ㄱ, ㄷ   ④ ㄴ, ㄷ   ⑤ ㄱ, ㄴ, ㄷ

02 고난도
〉 1일 대사량과 1일 에너지 섭취량 비교

자료는 1일 대사량을 구하는 방법을 설명한 것이고, 표는 식품군별로 1단위당 얻을 수 있는 열량과 키가 170 cm로 같은 남학생 철수와 여학생 영희의 1일 섭취량을 나타낸 것이다.

• 1일 대사량(1일 에너지 소비량)은 하루 동안 소비하는 총 에너지양이다. 에너지 섭취량이 에너지 소비량보다 많은 상태가 지속되면 체중이 증가한다.

• 1일 대사량은 표준 체중에 kg당 필요 열량을 곱하여 구할 수 있다.
• 표준 체중은 남자는 '키(m)×키(m)×22', 여자는 '키(m)×키(m)×21'이다.
• 표준 체중인 사람이 보통 활동을 할 때 kg당 필요 열량은 35 kcal이다.

식품군	1단위당 열량(kcal)	철수의 1일 섭취량	영희의 1일 섭취량
곡류	300	3단위	2단위
고기·생선·달걀·콩류	100	5단위	5단위
채소류	15	1단위	6단위
유지·당류	45	6단위	6단위
우유·유제품류	125	3단위	3단위
과일류	50	2단위	7단위

이에 대한 설명으로 옳은 것만을 〈보기〉에서 있는 대로 고른 것은? (단, 철수와 영희의 현재 체중은 표준 체중이며, 두 사람 모두 보통 활동을 하는 것으로 가정한다.)

보기
ㄱ. 영희는 1일 대사량보다 많은 에너지를 섭취하고 있다.
ㄴ. 철수는 이와 같은 에너지 섭취를 지속하면 체중이 증가할 가능성이 높다.
ㄷ. 철수와 영희는 둘 다 곡류에서보다 유지·당류에서 에너지를 더 많이 섭취하고 있다.

① ㄱ   ② ㄴ   ③ ㄱ, ㄴ   ④ ㄴ, ㄷ   ⑤ ㄱ, ㄴ, ㄷ

03 ❯ 대사성 질환

다음은 세 학생이 대사성 질환에 대해 설명한 것이다.

> 대사성 질환은 보통 과다한 영양 섭취나 운동 부족 등 잘못된 생활 습관으로 발생한 비만과 이로 인해 유발되는 각종 성인병을 말하는 거야.

> 대사성 질환은 주로 유전자 이상으로 발생해.

> 대사성 질환으로는 당뇨병, 저혈압, 이상 지혈증, 심혈관계 질환 등이 있어.

학생 A   학생 B   학생 C

옳게 설명한 학생만을 있는 대로 고른 것은?

① A   ② B   ③ A, B   ④ B, C   ⑤ A, B, C

> 대사성 질환은 주로 비만으로 인해 발생하는데, 비만이 되면 혈액의 양이 늘어나서 심장 박동이 강해지거나 혈관이 좁아져 혈관벽이 받는 압력이 높아진다.

고난도
04 ❯ 비만도 판정

다음은 체질량 지수(BMI)와 상대 체중으로 비만도를 판정하는 방법을 설명한 것이다.

(가) BMI는 '$\dfrac{체중(kg)}{키(m) \times 키(m)}$'이며, 이 값에 따라 표와 같이 비만도를 판정한다.

BMI	18.5 미만	18.5~23 미만	23~25 미만	25 이상
비만도	저체중	정상	과체중	비만

(나) 상대 체중은 '표준 체중에 대한 현재 체중의 백분율'이며, 이 값에 따라 표와 같이 비만도를 판정한다. (단, 표준 체중은 남자는 '키(m)×키(m)×22', 여자는 '키(m)×키(m)×21'이다.)

상대 체중	90 미만	90~110 미만	110~120 미만	120 이상
비만도	저체중	정상	과체중	비만

이에 대한 설명으로 옳은 것만을 〈보기〉에서 있는 대로 고른 것은?

┌ 보기 ─────────────────────
ㄱ. 체중과 키가 같으면 남자가 여자보다 상대 체중이 크다.

ㄴ. BMI로 비만도를 판정하는 것은 성별을 고려하지 않는 판정 방법이다.

ㄷ. 키가 160 cm이고 체중이 70 kg인 남자는 BMI와 상대 체중을 기준으로 할 때 모두 과체중으로 판정된다.
└──────────────────────────

> 남자의 상대 체중은
> $\dfrac{현재 체중}{키(m) \times 키(m) \times 22} \times 100$,
> 여자의 상대 체중은
> $\dfrac{현재 체중}{키(m) \times 키(m) \times 21} \times 100$
> 이다.

① ㄱ   ② ㄴ   ③ ㄱ, ㄴ   ④ ㄴ, ㄷ   ⑤ ㄱ, ㄴ, ㄷ

05 ❯ 당뇨병의 발생 원리

그림은 제1형 당뇨병과 제2형 당뇨병이 발생하는 원리를 정상인과 비교하여 모식적으로 나타낸 것이다.

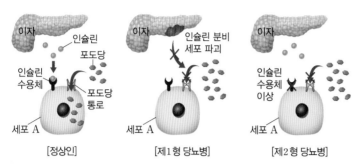

[정상인]　　[제1형 당뇨병]　　[제2형 당뇨병]

이에 대한 설명으로 옳은 것만을 〈보기〉에서 있는 대로 고른 것은?

보기
ㄱ. 간세포는 세포 A에 해당한다.
ㄴ. 포도당이 세포 A로 흡수되면 혈당량이 증가한다.
ㄷ. 제1형 당뇨병은 인슐린 분비가 저하되어 발생한다.
ㄹ. 인슐린 주사는 제1형 당뇨병 환자보다 제2형 당뇨병 환자에게 효과가 더 크다.

① ㄱ, ㄷ　　② ㄴ, ㄷ　　③ ㄴ, ㄹ　　④ ㄱ, ㄴ, ㄷ　　⑤ ㄴ, ㄷ, ㄹ

> 제1형 당뇨병은 인슐린 분비 세포가 파괴되어 발생하고, 제2형 당뇨병은 인슐린 수용체 이상으로 발생한다.

06 ❯ 협심증과 심근 경색

그림 (가)는 동맥 경화증이 진행되어 심장 근육에 혈액을 공급하는 혈관 A가 좁아진 상태를, 그림 (나)는 좁아진 혈관 A가 막힌 상태를 나타낸 것이다.

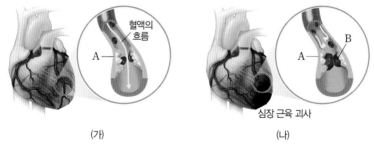

(가)　　(나)

이에 대한 설명으로 옳은 것만을 〈보기〉에서 있는 대로 고른 것은?

보기
ㄱ. A는 관상 동맥이다.
ㄴ. B는 혈장이 응고되어 생긴 덩어리이다.
ㄷ. (나)와 같은 상태를 협심증이라고 한다.

① ㄱ　　② ㄴ　　③ ㄱ, ㄴ　　④ ㄱ, ㄷ　　⑤ ㄴ, ㄷ

> 동맥 경화로 좁아진 관상 동맥이 혈전에 의해 갑자기 막히면 심근 경색이 발생한다. 혈전은 혈관 속에서 혈액이 응고해서 생긴 덩어리로, 혈구가 섬유소 등에 의해 엉겨 있는 것이다.

바이오 인공 장기

바이오 인공 장기란 '사람의 손상된 세포, 조직 및 장기를 대체하는 기술'로 정의되는데, 구체적으로 이종 장기 기술, 세포 기반 인공 장기 기술, 전자기기 인공 장기 기술로 구분된다.

이종 장기 기술은 사람의 조직이나 장기를 대체하기 위해 동물의 조직이나 장기를 개발하여 인체 내에 이식하는 기술이다. 세포 기반 인공 장기 기술은 세포나 생체 재료 등을 이용해 생체 조직 및 장기를 개발하여 사람의 조직이나 장기를 대체하는 기술이다. 전자기기 인공 장기 기술은 바이오 및 기계 · 전자 기술을 융합하여 인공적으로 만든 기계 장치로 사람의 장기나 조직을 대체하는 기술이다.

이종 장기 기술은 현재 돼지의 심장, 각막, 이자섬 등을 원숭이에게 이식한 실험이 성공했고, 일부 사람을 대상으로 한 임상 시험도 이미 성공했거나 진행 중이다. 이 기술의 궁극적 목표는 면역 거부 반응을 최소화하고 장기간 생존 가능한 이종 장기를 개발하는 것이다.

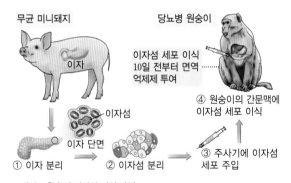

▲ 돼지 – 원숭이 이자섬 이식 과정

세포 기반 인공 장기 기술은 현재 사람의 줄기세포를 활용하여 피부, 근육 등 일부 조직을 개발하는 데 성공했으며, 일부 유사 장기도 개발 중이다. 그리고 최근 3D 바이오 프린팅 기술이 개발되어 여러 조직이나 장기의 개발에도 가속도가 붙을 전망이다. 이 기술의 궁극적 목표는 개인 맞춤형 주요 조직과 장기를 생산하는 것이다.

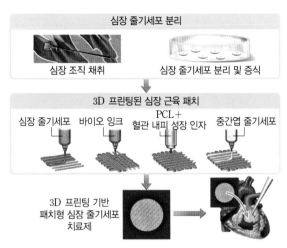

▲ 3D 바이오 프린팅을 기반으로 한 패치형 심근 경색 줄기세포 치료제 개발 예상 모식도

전자기기 인공 장기 기술의 경우 현재 콩팥 투석기 등과 같이 장기 이식 전에 임시로 손상된 기능을 대체 보조하는 단순한 기계 장치는 이미 상용화되어 보급된 상태이다. 또, 인체 생체 정보와 상호 작용하는 착용형 또는 이식형 장치가 개발 중이거나 임상 단계에 진입하였다. 이 기술의 궁극적 목표는 완전 이식형 기계 장치로 주요 신체 장기를 대체하는 것이다.

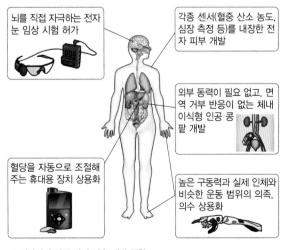

▲ 전자기기 인공 장기 기술 개발 동향

01 ▶ 물질대사

그림은 어떤 세포 내에서 일어나는 물질대사 (가)와 (나)를 모식적으로 나타낸 것이다.

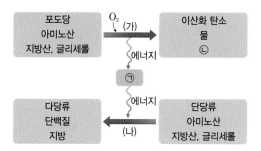

3대 영양소가 분해되는 (가) 과정에서 방출된 에너지는 ㉠에 저장되었다가 (나)와 같은 물질 합성에 이용된다.

이에 대한 설명으로 옳은 것만을 〈보기〉에서 있는 대로 고른 것은?

보기
ㄱ. (가)와 (나)의 과정에는 모두 효소가 관여한다.
ㄴ. (가)는 이화 작용, (나)는 동화 작용이다.
ㄷ. ㉠은 ATP, ㉡은 요소이다.

① ㄱ   ② ㄴ   ③ ㄱ, ㄴ   ④ ㄴ, ㄷ   ⑤ ㄱ, ㄴ, ㄷ

02 ▶ 에너지의 전환과 이용

그림은 사람이 세포 호흡을 통해 ATP를 생성하고, 이 ATP를 생명 활동에 이용하는 과정을 나타낸 것이다.

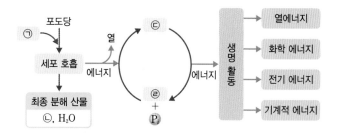

세포 호흡 결과 생성된 노폐물 중 이산화 탄소는 호흡계를 통해 몸 밖으로 배출되고, 과잉의 물과 질소 노폐물은 배설계를 통해 몸 밖으로 배출된다. 생장이 일어날 때에는 ATP 에너지를 이용하여 몸을 구성하는 물질을 합성한다.

이에 대한 설명으로 옳은 것만을 〈보기〉에서 있는 대로 고른 것은?

보기
ㄱ. ㉠은 호흡계에 의해 몸속으로 흡수되고, ㉡은 배설계에 의해 몸 밖으로 배출된다.
ㄴ. ㉢은 ㉣보다 에너지를 더 많이 저장하고 있다.
ㄷ. 생장이 일어날 때에는 ㉢의 에너지가 화학 에너지로 전환된다.
ㄹ. 세포에서 ㉢의 에너지가 열에너지로 전환되어 능동 수송에 사용된다.

① ㄱ, ㄴ   ② ㄱ, ㄷ   ③ ㄱ, ㄹ   ④ ㄴ, ㄷ   ⑤ ㄴ, ㄹ

03 > 산소 호흡과 알코올 발효 비교

표는 같은 양의 포도당이 효모의 세포 호흡에 이용된 결과 생성되는 물질을 정리한 것이다. 세포 호흡 Ⅰ과 Ⅱ는 각각 산소 호흡과 알코올 발효 중 하나이다.

세포 호흡	생성 물질
Ⅰ	물질 X, 이산화 탄소, ATP
Ⅱ	물, 이산화 탄소, ATP

이에 대한 설명으로 옳은 것만을 〈보기〉에서 있는 대로 고른 것은?

보기
ㄱ. 물질 X는 에탄올이다.
ㄴ. Ⅰ은 산소를 필요로 한다.
ㄷ. Ⅱ는 주로 미토콘드리아에서 일어난다.
ㄹ. 생성되는 ATP의 양은 Ⅱ에서가 Ⅰ에서보다 많다.

① ㄱ, ㄴ   ② ㄴ, ㄷ   ③ ㄱ, ㄴ, ㄷ   ④ ㄱ, ㄷ, ㄹ   ⑤ ㄴ, ㄷ, ㄹ

알코올 발효는 무산소 호흡의 한 종류이다. 알코올 발효에서는 포도당이 불완전 분해되어 비교적 많은 에너지를 저장하고 있는 유기물이 생성된다.

04 > 물질의 이동 경로

그림은 사람의 혈액 순환 경로를 나타낸 것이다.

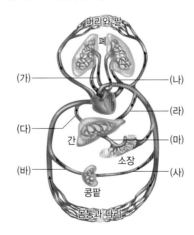

이에 대한 설명으로 옳은 것만을 〈보기〉에서 있는 대로 고른 것은?

보기
ㄱ. 혈액의 산소 농도는 (나)에서가 (가)에서보다 높다.
ㄴ. 혈액의 요소 농도는 (라)에서가 (다)에서보다 높고, (바)에서가 (사)에서보다 높다.
ㄷ. (가)~(사) 중 공복 혈당이 가장 높은 혈액이 흐르는 혈관은 (마)이다.

① ㄱ   ② ㄴ   ③ ㄱ, ㄴ   ④ ㄱ, ㄷ   ⑤ ㄴ, ㄷ

폐에서는 산소와 이산화 탄소의 교환이 일어나며, 혈당량이 낮을 때에는 간에서 글리코젠을 포도당으로 분해하여 혈액으로 방출한다. 콩팥은 혈액 속의 질소 노폐물을 걸러 내어 몸 밖으로 배출한다.

05 ❯ 기관계의 통합적 작용

그림은 세포 호흡과 관련된 소화계와 호흡계의 작용을 나타낸 것이다. (가)~(다)는 각각 포도당, 산소, 이산화 탄소 중 하나이다.

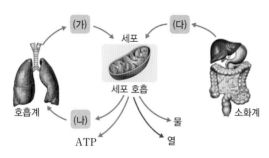

이에 대한 설명으로 옳은 것만을 〈보기〉에서 있는 대로 고른 것은?

보기
ㄱ. (가)는 주로 적혈구에 의해 운반된다.
ㄴ. 심한 운동을 하면 단위 시간당 폐에서 배출되는 (나)의 양이 증가한다.
ㄷ. 혈액 속 (다)의 농도가 정상치보다 높아지면 인슐린의 분비가 증가한다.
ㄹ. 세포 호흡에 의해 (다)에 저장되어 있던 에너지가 방출되어 모두 ATP에 저장된다.

① ㄱ, ㄴ   ② ㄴ, ㄷ   ③ ㄱ, ㄴ, ㄷ
④ ㄴ, ㄷ, ㄹ   ⑤ ㄱ, ㄴ, ㄷ, ㄹ

• (가)와 (다)는 세포 호흡의 반응 물질이고, (나)와 물은 세포 호흡의 생성 물질이다. 인슐린은 간과 근육 세포에서 글리코젠 합성과 포도당 흡수를 촉진하여 혈당량을 낮추는 호르몬이다.

06 ❯ 심혈관계 질환

그림은 협심증, 뇌경색, 뇌출혈, 심근 경색을 구분하는 과정을 나타낸 것이다. (가)~(라)는 각각 협심증, 뇌경색, 뇌출혈, 심근 경색 중 하나이다.

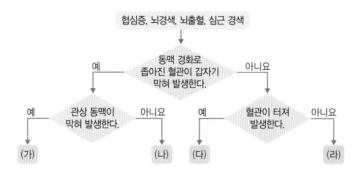

이에 대한 설명으로 옳은 것만을 〈보기〉에서 있는 대로 고른 것은?

보기
ㄱ. (가)~(라)는 모두 비만으로 인해 발생할 수 있는 질환이다.
ㄴ. (나)는 뇌졸중의 한 종류이다.
ㄷ. 심장 질환에 해당하는 것은 (가)와 (다)이다.

① ㄱ   ② ㄴ   ③ ㄱ, ㄴ   ④ ㄱ, ㄷ   ⑤ ㄴ, ㄷ

• 협심증과 심근 경색은 관상 동맥에 이상이 생겨 나타나는 심장 질환이고, 뇌경색과 뇌출혈은 뇌혈관에 이상이 생겨 나타나는 뇌혈관 질환(뇌졸중)이다.

07 ❯ 대사성 질환 예방 방법

다음은 세 학생이 대사성 질환 예방 방법에 대하여 의견을 발표한 것이다.

지방 함량이 높은 식품의 섭취를 피하고, 탄수화물 함량이 높은 식품 위주로 섭취해야 해.

유산소 운동보다 무산소 운동 위주로 규칙적인 운동을 해야 해. 또, 근력 운동을 병행하는 것이 좋아.

반드시 금연하도록 하고, 알코올 섭취를 피해야 해. 또, 스트레스를 받지 않도록 충분한 수면과 휴식을 취해야 해.

학생 A 　학생 B 　학생 C

> 유산소 운동은 숨이 차지 않고 큰 힘을 들이지 않으면서 할 수 있는 운동으로, 걷기, 조깅, 줄넘기, 자전거 타기 등이 있다. 무산소 운동은 힘이 들고 숨이 차서 오래 지속할 수 없는 형태의 운동으로, 단거리 달리기, 씨름, 역도 등이 있다.

적절한 의견을 제시한 학생만을 있는 대로 고른 것은?

① A 　　② B 　　③ C 　　④ A, B 　　⑤ B, C

08 ❯ 뇌졸중

그림은 뇌졸중에 속하는 두 가지 질환이 발생한 상태를 모식적으로 나타낸 것이다.

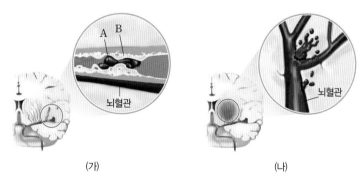

A B

뇌혈관

뇌혈관

(가) 　　　　　　　　　(나)

> (가)는 뇌혈관이 막힌 상태를 나타낸 것이고, (나)는 뇌에 있는 가는 혈관이 터진 상태를 나타낸 것이다. 한편, 혈액이 응집한 것과 응고된 것은 서로 다른 현상이다.

이에 대한 설명으로 옳은 것만을 〈보기〉에서 있는 대로 고른 것은?

보기
ㄱ. (가)는 뇌경색, (나)는 뇌출혈이 발생한 상태이다.
ㄴ. A는 적혈구가 항원 항체 반응에 의해 응집한 덩어리이다.
ㄷ. B는 혈관벽에 주로 혈장 단백질이 쌓인 것이다.

① ㄱ 　　② ㄴ 　　③ ㄷ 　　④ ㄱ, ㄴ 　　⑤ ㄴ, ㄷ

01　그림 (가)는 ATP-ADP 회로를, 그림 (나)는 ATP-ADP 회로를 건전지의 충전과 방전에
비유하여 나타낸 것이다.

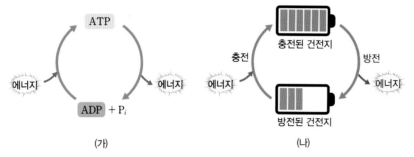

(가)　　　　　　　　　　(나)

(1) (나)의 충전된 건전지와 방전된 건전지는 (가)의 ATP와 ADP 중 각각 어느 것에 해당하
는지 그렇게 판단한 까닭을 포함하여 서술하시오.

(2) (나)의 충전과 방전은 이화 작용과 동화 작용 중 각각 어느 것에 해당하는지 그렇게 판단한
까닭을 포함하여 서술하시오.

KEY WORDS
(1) • ATP, ADP
• 충전, 방전
• 에너지 흡수
• 에너지 방출
(2) • 충전, 방전
• 에너지 흡수
• 에너지 방출
• 동화 작용
• 이화 작용

02　그림은 조직 세포에서 세포 호흡이 일어나는 데 관여하는 기관계 (가)~(라)의 통합적 작용을
모식적으로 나타낸 것이다.

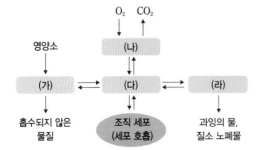

(가)~(라) 각각에 해당하는 기관계의 이름을 쓰고, 세포 호흡과 관련된 각 기관계의 역할을
서술하시오.

KEY WORDS
• 소화계, 호흡계, 순환계,
배설계
• 세포 호흡, 조직 세포
• 영양소, O_2
• CO_2, 물, 질소 노폐물

03

그림은 3대 영양소가 세포 호흡으로 분해된 결과 생성된 노폐물이 몸 밖으로 배출되는 과정을 모식적으로 나타낸 것이다. (가)와 (나)는 각각 단백질과 탄수화물 중 하나이다.

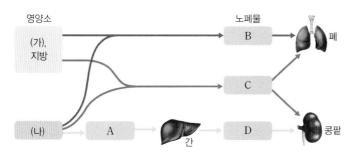

(1) (가)와 (나)에 해당하는 영양소는 각각 무엇인지 그렇게 판단한 까닭을 포함하여 서술하시오.

_____

(2) A~D에 해당하는 물질은 각각 무엇인지 그렇게 판단한 까닭을 포함하여 서술하시오.

_____

KEY WORDS
(1) • 탄수화물, 단백질
 • 세포 호흡
 • 이산화 탄소, 물, 암모니아
(2) • 이산화 탄소, 물, 암모니아, 요소
 • 간
 • 폐, 날숨
 • 콩팥, 오줌

04

그림은 사람의 혈액 순환 경로를 나타낸 것이다.

(1) 음식물 속의 포도당과 공기 중의 산소가 다리 근육에 공급되는 경로를 그림에 제시된 기관으로만 각각 쓰고, 그 경로에서 두 물질이 심장을 거치는 횟수의 합을 구하시오.

_____

_____

(2) 다리 근육에서 세포 호흡 결과 생성된 이산화 탄소와 암모니아가 몸 밖으로 배출되는 경로를 그림에 제시된 기관으로만 각각 쓰고, 그 경로에서 두 물질이 심장을 거치는 횟수의 합을 구하시오. (단, 암모니아가 요소로 전환되어 몸 밖으로 배출되기까지의 경로를 포함한다.)

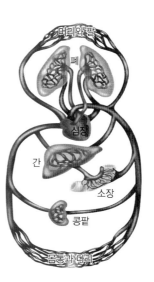

KEY WORDS
(1) • 포도당, 산소
 • 소장, 간, 심장, 폐
(2) • 이산화 탄소, 암모니아, 요소
 • 심장, 폐, 간, 콩팥

05 다음은 해리스−베네딕트 공식에 따라 기초 대사량과 1일 대사량을 구하는 과정이다.

KEY WORDS

(1) • 해리스 − 베네딕트 공식
 • 기초 대사량
 • 체중, 키, 나이
(2) • 해리스 − 베네딕트 공식
 • 기초 대사량
 • 1일 대사량

> (가) 다음 공식에 따라 기초 대사량($kcal$)을 계산한다.
> • 남자: $66.5 + \{13.8 \times 체중(kg)\} + \{5 \times 키(cm)\} - (6.8 \times 나이)$
> • 여자: $655 + \{9.6 \times 체중(kg)\} + \{1.8 \times 키(cm)\} - (4.7 \times 나이)$
> (나) 다음 공식에 따라 1일 대사량을 계산한다.
> 1일 대사량＝기초 대사량×활동 계수
> [활동 강도에 따른 활동 계수]
>
> | 활동 강도 | 안정 상태 | 가벼운 활동 | 보통 활동 | 심한 활동 | 격심한 활동 |
> |---|---|---|---|---|---|
> | 활동 계수 | 1.2 | 1.375 | 1.55 | 1.725 | 1.9 |

(1) (가)에서 체중, 키, 나이에 따라 기초 대사량은 각각 어떻게 달라지는지 서술하시오.

(2) 위 자료를 토대로 체중 60 kg, 키 160 cm, 나이 20세로 동일하고 활동 정도가 보통인 남자와 여자의 기초 대사량과 1일 대사량을 각각 구하시오.

06 한국영양학회에서 발간한 '2015 한국인 영양소 섭취 기준'에 따르면 15세~18세 여자의 1일 에너지 섭취 기준은 2000 kcal이다. 그림 (가)는 17세 여고생 영희의 1일 3대 영양소 평균 섭취량을, 그림 (나)는 한국영양학회가 제시한 한국인의 에너지 적정 비율을 나타낸 것이다.

KEY WORDS

(1) • 1일 에너지 섭취량
 • 1일 에너지 섭취 기준
 • 영양 과다 상태
(2) • 영양 과다 상태
 • 체중 증가
 • 비만
 • 탄수화물, 단백질, 지방

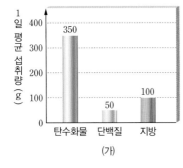

(가)

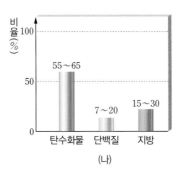

(나)

(1) 영희의 1일 에너지 섭취량($kcal$)을 구하여 영희의 에너지 균형을 평가하시오. (단, 탄수화물과 단백질은 1 g당 4 kcal, 지방은 1 g당 9 kcal의 에너지를 낸다.)

(2) 영희가 현재와 같은 식생활을 계속하면 몸 상태에 어떤 문제가 생기며, 그에 따라 3대 영양소의 섭취량을 어떻게 조절하는 것이 건강에 좋을지 근거를 들어 서술하시오.

07

그림은 제1형 당뇨병과 제2형 당뇨병이 발생하는 원리를 정상인과 비교하여 모식적으로 나타낸 것이다.

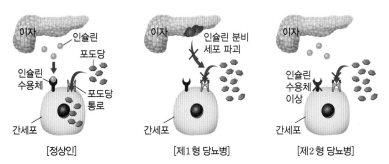

[정상인]　　　　[제1형 당뇨병]　　　　[제2형 당뇨병]

(1) 위 자료를 토대로 제1형 당뇨병의 발생 원리와 제1형 당뇨병 환자에 대한 인슐린 주사의 효과에 대해 서술하시오.

_____

(2) 위 자료를 토대로 제2형 당뇨병의 발생 원리와 제2형 당뇨병 환자에 대한 인슐린 주사의 효과에 대해 서술하시오.

_____

KEY WORDS
(1) • 제1형 당뇨병
　　• 인슐린
　　• 인슐린 분비 세포
　　• 간세포, 포도당 흡수
(2) • 제2형 당뇨병
　　• 인슐린
　　• 인슐린 수용체
　　• 간세포, 포도당 흡수

08

그림은 동맥 경화증이 진행되는 혈관의 상태를 나타낸 것이다.

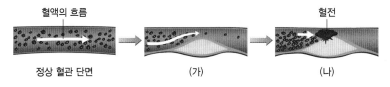

정상 혈관 단면　　　　(가)　　　　(나)

(1) 위 자료를 토대로 동맥 경화증이 어떤 질환인지 서술하시오.

_____

(2) 관상 동맥이 (가)와 같은 상태로 되면 협심증이 발생한다. 협심증이 발생하는 원리와 증상을 서술하시오.

_____

(3) 관상 동맥이 (나)와 같은 상태로 되면 심근 경색이 발생한다. 심근 경색이 발생하는 원리와 증상을 서술하시오.

_____

KEY WORDS
(1) • 동맥
　　• 콜레스테롤, 중성 지방
　　• 탄력성
(2) • 관상 동맥
　　• 동맥 경화
　　• 심장 근육
　　• 산소, 영양소
　　• 가슴 통증
(3) • 관상 동맥
　　• 동맥 경화
　　• 혈전
　　• 산소, 영양소
　　• 심장 근육 괴사

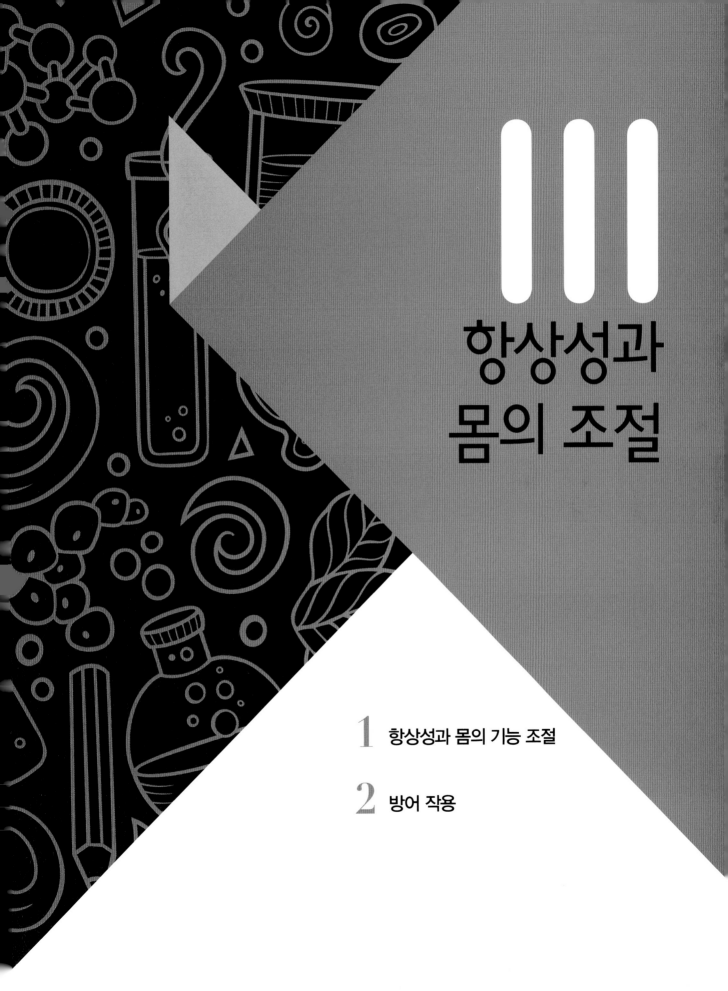

III

항상성과
몸의 조절

1

항상성과 몸의 기능 조절

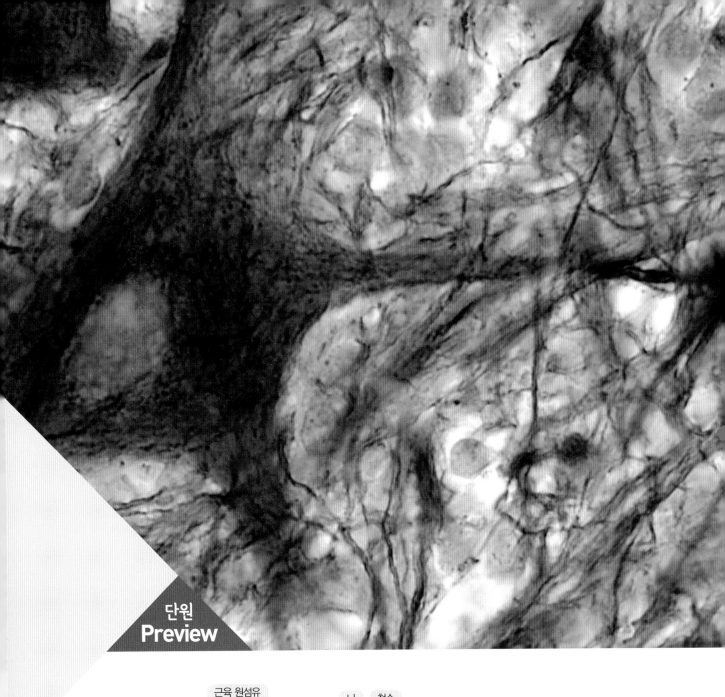

단원
Preview

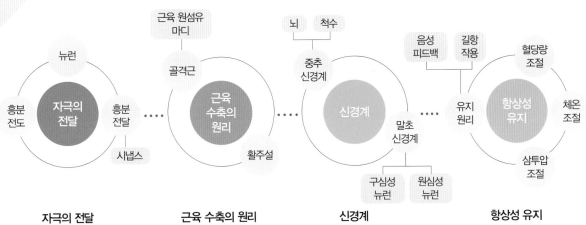

뉴런

흥분
전도 　자극의
전달　 흥분
전달

시냅스

자극의 전달

근육 원섬유
마디

골격근

근육
수축의
원리

활주설

근육 수축의 원리

뇌　척수

중추
신경계

신경계

말초
신경계

구심성
뉴런　원심성
뉴런

신경계

음성
피드백　길항
작용

유지
원리　항상성
유지

혈당량
조절

체온
조절

삼투압
조절

항상성 유지

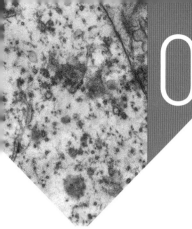

01 자극의 전달

학습 Point 뉴런의 구조와 종류 ＞ 뉴런의 흥분 전도 과정 ＞ 시냅스에서의 흥분 전달 과정

뉴런의 구조와 종류

뉴런은 신경계를 구성하는 세포로, 일반 세포와 달리 수많은 돌기가 있어 자극을 받아들이고 흥분을 전달하는 기능을 수행할 수 있도록 특수하게 분화되어 있다.

1. 뉴런의 구조

신경계를 구성하는 기본 단위가 되는 신경 세포를 뉴런(neuron)이라고 한다. 뉴런은 모양과 크기가 다양하지만, 대부분 신경 세포체, 가지 돌기, 축삭 돌기로 구성된다.

(1) **신경 세포체**: 핵과 여러 세포 소기관이 있는 세포질로 이루어져 있으며, 뉴런의 생장과 물질대사를 조절한다.

(2) **가지 돌기**: 신경 세포체에서 뻗어 나온 여러 개의 짧은 돌기로, 감각 세포나 다른 뉴런에서 오는 자극을 받아들인다.

(3) **축삭 돌기**: 신경 세포체에서 뻗어 나온 하나의 긴 돌기로, 다른 뉴런이나 반응기로 흥분을 전달한다. 축삭 돌기의 끝은 매우 작은 가지들로 갈라지고 맨 끝부분이 부풀어 오른 구조를 하고 있는데, 이 부분을 축삭 돌기 말단 또는 신경 말단이라고 한다. 축삭 돌기 말단에는 다른 뉴런이나 반응기로 흥분을 전달하는 신경 전달 물질이 들어 있는 시냅스 소포가 많이 있다.

① **말이집**: 슈반 세포의 세포막이 길게 늘어나 축삭을 여러 겹으로 싸고 있는 구조로, 대부분 지질 성분으로 되어 있어 신호 전달에서 막을 통한 이온의 이동을 막는 절연체 역할을 한다. 축삭 돌기가 말이집으로 싸여 있는 신경을 말이집 신경, 말이집으로 싸여 있지 않은 신경을 민말이집 신경이라고 한다.

② **랑비에 결절**: 말이집 신경의 축삭 돌기에서 말이집과 말이집 사이에 축삭이 노출된 부분이다.

반응기
신경에서 전달된 신호를 받아 반응을 나타내는 근육이나 분비샘 등의 기관을 말한다.

슈반 세포(Schwann's cell)
뉴런의 축삭 돌기를 따라 분포한 세포로, 축삭에 영양을 공급하고 말이집 형성에 관여한다.

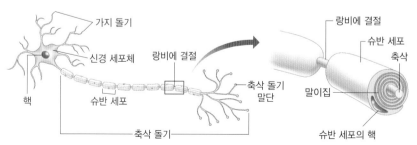

▲ **뉴런의 구조** 뉴런은 자극의 수용과 흥분 전달에 적합하도록 가지 돌기와 축삭 돌기가 발달되어 있다.

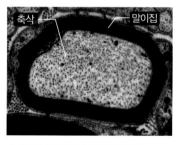

▲ **말이집 신경에서 축삭 돌기의 단면**

2. 뉴런의 종류

뉴런은 말이집의 유무와 기능에 따라 구분할 수 있다.

(1) **말이집의 유무에 따른 구분:** 말이집 신경과 민말이집 신경으로 구분한다.

① **말이집 신경:** 뉴런의 축삭 돌기가 말이집으로 싸여 있는 신경이다. 말이집 신경의 경우 흥분의 이동이 한 랑비에 결절에서 다음 랑비에 결절로 건너뛰듯이 일어나므로, 민말이집 신경에 비해 흥분의 이동 속도가 빠르다.

② **민말이집 신경:** 뉴런의 축삭 돌기가 말이집으로 싸여 있지 않은 신경이다. 말이집 신경에 비해 흥분의 이동 속도가 느리다.

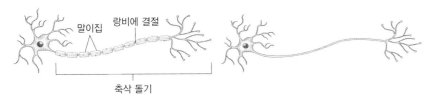

▲ **말이집 신경**   ▲ **민말이집 신경**

(2) **뉴런의 기능에 따른 구분:** 구심성 뉴런, 연합 뉴런, 원심성 뉴런으로 구분한다.

① **구심성 뉴런:** 감각 기관이나 내장 기관에서 수용한 자극을 중추 신경계로 전달하는 뉴런으로, 감각 뉴런이 여기에 해당하며 말초 신경계를 구성한다. 구심성 뉴런은 가지 돌기가 발달되어 있고, 신경 세포체가 축삭 돌기의 한쪽 옆에 있다.

② **연합 뉴런:** 중추 신경계인 뇌와 척수를 구성하고, 구심성 뉴런과 원심성 뉴런 사이에서 흥분을 중계하는 역할을 한다. 즉, 연합 뉴런은 구심성 뉴런에서 온 정보를 통합하여 원심성 뉴런으로 적절한 반응 명령을 내리는 뉴런이다. 연합 뉴런은 가지 돌기의 수가 많고 축삭 돌기가 짧다.

③ **원심성 뉴런:** 중추 신경계에서 내린 반응 명령을 근육과 같은 반응기로 전달하는 뉴런으로, 운동 뉴런이 여기에 해당하며 말초 신경계를 구성한다. 원심성 뉴런은 신경 세포체가 비교적 크고 축삭 돌기가 길다.

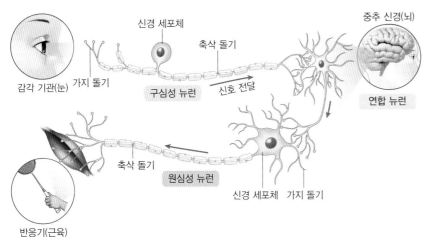

▲ **뉴런의 종류와 신호 전달** 구심성 뉴런은 감각 기관에서 받아들인 자극을 중추 신경계를 구성하는 연합 뉴런으로 전달하고, 연합 뉴런은 구심성 뉴런으로부터 받아들인 정보를 통합하여 원심성 뉴런으로 반응 명령을 내린다. 원심성 뉴런은 연합 뉴런에서 내린 반응 명령을 반응기로 전달한다.

구심성 뉴런과 원심성 뉴런
구심성은 주변부에서 중심을 향하는 성질을 의미하고, 원심성은 이와 반대로 중심에서 주변부로 향하는 성질을 의미한다. 감각 뉴런은 흥분을 신체의 말단에서 중추 쪽으로 전달하므로 구심성 뉴런에 해당하고, 운동 뉴런은 흥분을 중추에서 신체의 말단 쪽으로 전달하므로 원심성 뉴런에 해당한다.

뉴런의 신호 전달 경로
자극 → 감각 기관 → 구심성 뉴런 → 연합 뉴런 → 원심성 뉴런 → 반응기 → 반응

② 흥분 전도

집중 분석 1권 122쪽

뉴런이 자극을 받으면 세포막의 전기적 특성이 변하는데 이를 흥분이라고 하며, 발생한 흥분이 축삭 돌기를 따라 이동하는 것을 흥분 전도라고 한다. 흥분 전도는 일정 세기 이상의 자극을 받은 뉴런에서 활동 전위가 발생함으로써 시작된다.

1. 휴지 상태의 이온 분포

(1) **휴지 전위:** 자극을 받지 않은 뉴런의 세포막 안과 밖에 전극을 꽂아 전위를 측정하면 세포막 안쪽이 바깥쪽에 비해 상대적으로 음(−)의 전위를 나타낸다. 이처럼 자극을 받지 않은 휴지 상태의 뉴런에서 세포막 안팎에 형성되는 전위차를 휴지 전위라고 하며, 휴지 전위는 일반적으로 -80 mV $\sim$ -60 mV 사이에서 형성된다.

(2) **분극:** 휴지 전위는 뉴런의 세포막을 경계로 안쪽은 음(−)전하, 바깥쪽은 양(+)전하를 띠기 때문에 나타난다. 이처럼 뉴런이 자극을 받지 않았을 때 세포막 안쪽은 음(−)전하, 바깥쪽은 양(+)전하를 띠고 있는 상태를 분극이라고 한다. 분극 현상은 뉴런의 세포막 안팎에 이온이 불균등하게 분포하며, 세포막을 통한 각 이온의 투과도가 다르기 때문에 나타난다.

① $Na^+ - K^+$ **펌프에 의한 이온의 불균등 분포:** 휴지 상태의 뉴런에서 $Na^+ - K^+$ 펌프는 Na^+을 세포 밖으로, K^+을 세포 안으로 이동시킨다. 이에 따라 Na^+의 농도는 세포막의 바깥쪽이 안쪽보다 높게 유지되고, K^+의 농도는 세포막의 안쪽이 바깥쪽보다 높게 유지된다. $Na^+ - K^+$ 펌프에 의한 이온의 이동은 ATP를 소모하여 저농도에서 고농도로 이온의 농도 경사를 거슬러 일어나는 능동 수송에 해당한다.

② **세포막을 통한** Na^+**과** K^+**의 투과도 차이:** 뉴런의 세포막에는 Na^+과 K^+을 선택적으로 통과시키는 막단백질(Na^+ 통로, K^+ 통로)이 존재한다. 휴지 상태의 뉴런에서 K^+ 통로는 일부 열려 있지만, Na^+ 통로는 대부분 닫혀 있다. 이때 이온의 농도 차이로 인해 K^+은 열려 있는 K^+ 통로를 통해 농도가 높은 세포 안에서 농도가 낮은 세포 밖으로 일부가 확산되지만, 세포 밖의 Na^+은 열려 있는 Na^+ 통로가 매우 적기 때문에 세포 안으로 거의 확산되지 못한다. 그 결과 세포막 안쪽은 음(−)전하를 띠고, 바깥쪽은 양(+)전하를 띤다.

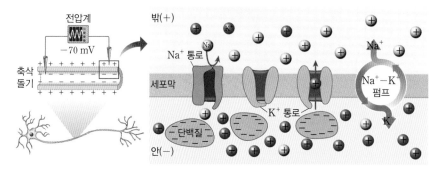

▲ **휴지 상태의 뉴런에서 이온 분포** $Na^+ - K^+$ 펌프는 ATP를 소모하여 Na^+을 세포 밖으로, K^+을 세포 안으로 이동시키므로, 세포막의 안쪽은 바깥쪽보다 Na^+ 농도는 낮고 K^+ 농도는 높다. 이때 세포막을 경계로 Na^+의 농도 차는 매우 크지만 Na^+ 통로는 거의 닫혀 있으므로, Na^+은 거의 확산되지 않는다. 반면, K^+ 통로는 일부가 열려 있어 K^+이 세포 밖으로 확산되어 나간다. 이러한 K^+의 이동으로 인해 세포막 안쪽이 음(−)전하, 바깥쪽이 양(+)전하를 띠게 된다.

전위

전기적 위치 에너지로, 단위는 V(볼트)를 사용한다.

뉴런 안팎의 이온 농도 차

뉴런의 세포막 바깥쪽에는 안쪽보다 Na^+이 10배 정도 많고, 세포막 안쪽에는 바깥쪽보다 K^+이 30배 정도 많다. A^-는 유기 음이온을 의미하며, 세포 내에 들어 있는 단백질, RNA 등 음(−)전하를 띠는 유기물이 해당된다. A^-(유기 음이온)는 분자의 크기가 커서 뉴런의 바깥쪽으로 확산되지 않으며, 양(+)전하를 띠는 K^+을 끌어당겨 K^+이 뉴런의 바깥쪽으로 과다하게 확산되는 것을 방지한다.

이온	농도(mM)	
	뉴런 안	뉴런 밖
Na^+	15	150
K^+	150	5
Cl^-	10	120
A^-	100	−

능동 수송

ATP를 소모하여 저농도에서 고농도로 물질을 이동시키는 작용이다.

막단백질의 종류와 역할

• $Na^+ - K^+$ 펌프: ATP를 소모하여 Na^+은 세포 밖으로, K^+은 세포 안으로 이동시키는 능동 수송 단백질이다. $Na^+ - K^+$ 펌프의 작용으로 세포 안팎의 이온 농도가 불균등하게 유지된다.

• Na^+ 통로: Na^+이 농도가 높은 세포 밖에서 농도가 낮은 세포 안으로 확산되는 통로 단백질이다. 휴지 상태에서 Na^+ 통로는 대부분 닫혀 있다.

• K^+ 통로: K^+이 농도가 높은 세포 안에서 농도가 낮은 세포 밖으로 확산되는 통로 단백질이다. K^+ 통로에는 항상 열려 있는 것과 막전위 변화에 따라 열리는 것이 있어 휴지 상태에서 K^+ 통로는 일부가 열려 있다.

2. 활동 전위의 발생

뉴런이 역치 이상의 자극을 받았을 때 나타나는 막전위 변화를 활동 전위라고 한다. 활동 전위는 축삭 돌기를 따라 정보를 전달하는 신호로 작용하며, 막전위가 상승하는 탈분극 단계와 막전위가 다시 하강하는 재분극 단계로 구분한다.

(1) **탈분극**: 휴지 상태의 뉴런이 자극을 받으면 세포막에 있는 Na^+ 통로가 열려 세포 밖에 있던 Na^+이 세포 안으로 확산된다. 따라서 세포막 안쪽의 양이온이 증가하여 막전위가 상승하는데, 이를 탈분극이라고 한다. 막전위가 역치 전위에 도달하면 대부분의 Na^+ 통로가 열려 Na^+이 다량 유입되므로 막전위가 급격히 상승하여 순간적으로 세포막 안쪽은 양($+$)전하, 바깥쪽은 음($-$)전하를 띠게 되며, 이때 막전위는 $+30\,mV \sim +40\,mV$까지 상승한다.

(2) **재분극**: 막전위가 최고점에 이르면 대부분의 Na^+ 통로는 닫히고 K^+ 통로가 열려 K^+이 세포 밖으로 확산되어 나간다. 이에 따라 막전위는 빠른 속도로 하강하는데, 이를 재분극이라고 한다. 막전위가 휴지 전위에 도달하면 K^+ 통로는 다시 닫히게 되는데, K^+ 통로가 약간 늦게 닫히기 때문에 막전위가 휴지 전위 이하로 떨어진 후 회복되는 과분극 현상이 일어난다. 재분극을 통해 휴지 전위는 회복했지만 활동 전위가 발생하는 동안 Na^+과 K^+이 각각 농도 경사를 따라 서로 반대 방향으로 이동하였으므로, Na^+과 K^+의 세포막 안팎의 농도 차이는 분극 때에 비해 훨씬 감소한 상태이다.

(3) **이온의 재배치**: Na^+ 통로와 K^+ 통로가 닫히고 일부 K^+ 통로만 열린 상태에서 항상 작동하고 있는 Na^+–K^+ 펌프에 의해 Na^+은 세포 밖으로, K^+은 세포 안으로 능동 수송되며, 이에 따라 Na^+과 K^+의 분포가 자극을 받기 전의 휴지 상태로 완전히 회복되는 이온의 재배치가 이루어진다.

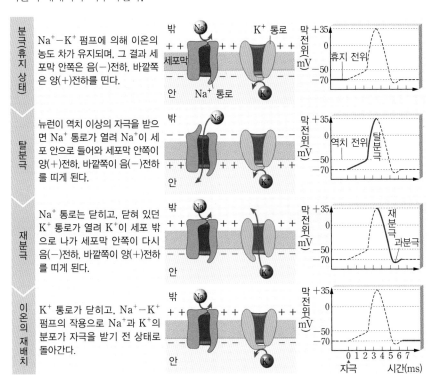

분극(휴지 상태)	Na^+–K^+ 펌프에 의해 이온의 농도 차가 유지되며, 그 결과 세포막 안쪽은 음($-$)전하, 바깥쪽은 양($+$)전하를 띤다.
탈분극	뉴런이 역치 이상의 자극을 받으면 Na^+ 통로가 열려 Na^+이 세포 안으로 들어와 세포막 안쪽이 양($+$)전하, 바깥쪽이 음($-$)전하를 띠게 된다.
재분극	Na^+ 통로는 닫히고, 닫혀 있던 K^+ 통로가 열려 K^+이 세포 밖으로 나가 세포막 안쪽이 다시 음($-$)전하, 바깥쪽이 양($+$)전하를 띠게 된다.
이온의 재배치	K^+ 통로가 닫히고, Na^+–K^+ 펌프의 작용으로 Na^+과 K^+의 분포가 자극을 받기 전 상태로 돌아간다.

역치
자극에 대해 반응을 일으킬 수 있는 최소한의 자극 세기로, 역치 전위는 뉴런에 활동 전위를 생성할 수 있는 최소한의 막전위를 말한다.

막전위
뉴런의 세포막을 경계로 나타나는 세포 안팎의 전위차이다.

활동 전위
휴지 상태의 뉴런에 역치 이상의 자극을 주면 막전위가 그림과 같이 급격하게 변하는데, 이러한 막전위의 변화 과정 전체를 활동 전위라고 한다. 활동 전위는 역치 이상의 자극에서만 발생한다.

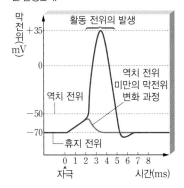

과분극
세포막 안팎의 전위차가 휴지 상태일 때보다 더 커진 상태로, 막전위가 휴지 전위보다 낮아진 상태를 말한다.

자극의 세기에 따른 활동 전위의 발생
- 자극의 세기가 역치 이상이 되면 뉴런에서 활동 전위가 발생하여 흥분이 전도되는데, 역치 이상에서는 자극의 세기에 관계없이 활동 전위의 크기와 흥분 전도 속도가 항상 일정하다.
- 자극의 세기는 활동 전위의 발생 빈도와 관련이 있다. 강한 자극을 받을수록 활동 전위가 더 자주 발생함으로써 자극의 세기를 구별할 수 있다.

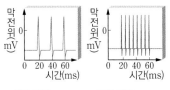

▲ 약한 자극 　　　 ▲ 강한 자극

3. 흥분 전도

탈분극이 일어날 때 뉴런 안으로 들어온 Na^+의 일부는 축삭 돌기를 따라 인접한 부위로 확산된다. 양($+$)전하를 띠는 이온의 증가로 인접한 부위도 탈분극이 일어나 새로운 활동 전위가 발생한다. 이와 같이 축삭 돌기의 한 부위에서 활동 전위가 발생하면 주변의 Na^+ 통로가 연속적으로 열리면서 탈분극이 일어나고 흥분 부위가 축삭 돌기를 따라 이동하는데, 이를 흥분 전도라고 한다.

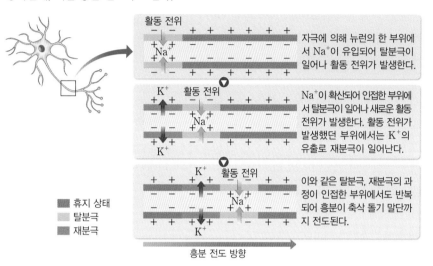

활동 전위

자극에 의해 뉴런의 한 부위에서 Na^+이 유입되어 탈분극이 일어나 활동 전위가 발생한다.

Na^+이 확산되어 인접한 부위에서 탈분극이 일어나 새로운 활동 전위가 발생한다. 활동 전위가 발생했던 부위에서는 K^+의 유출로 재분극이 일어난다.

이와 같은 탈분극, 재분극의 과정이 인접한 부위에서도 반복되어 흥분이 축삭 돌기 말단까지 전도된다.

■ 휴지 상태
■ 탈분극
■ 재분극

흥분 전도 방향

▲ 흥분 전도 과정

흥분 전도 방향

뉴런의 어느 한 부위에서 발생한 흥분은 세포막을 따라 인접한 양쪽 부위에 영향을 미친다. 따라서 양쪽 방향으로 연쇄적인 탈분극이 일어나 뉴런 내에서 흥분은 양쪽 방향으로 전도된다. 그러나 흥분이 지나간 부위는 재분극이 진행되는 상태이므로 한번 지나간 흥분이 원래 부위로 되돌아올 수는 없다.

시선 집중 ★ 흥분 전도와 막전위 변화

그림 (가)는 뉴런에 역치 이상의 자극을 1회 주고 2 ms가 지났을 때 세포막 안팎의 하전 상태를, 그림 (나)는 자극을 준 후 2 ms 동안 A~D 지점에서 각각 측정한 막전위 변화를 나타낸 것이다.

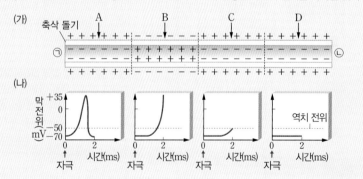

(가) 축삭 돌기

(나)

❶ **흥분 전도 방향:** 뉴런의 한 부위에서 활동 전위가 발생하면 활동 전위는 축삭 돌기를 따라 연속적으로 발생한다. 활동 전위는 A 지점에서 가장 먼저 발생하였으므로, 흥분은 ㉠에서 ㉡ 방향으로 전도된다.

❷ **자극을 주고 2 ms가 지났을 때 A~D 지점의 상태**
→ A 지점: 재분극 완료
  B 지점: 탈분극 → 활동 전위 발생
  C 지점: 탈분극이 시작되어 역치 전위에 도달
  D 지점: 분극(Na^+-K^+ 펌프에 의해 이온의 농도 차 유지)

4. 흥분 전도 속도에 영향을 미치는 요인

(1) **말이집의 유무:** 말이집 신경에서는 Na^+ 통로와 K^+ 통로가 말이집이 없는 랑비에 결절에 집중적으로 분포하고 있어서 한 랑비에 결절에서 다음 랑비에 결절로 말이집을 건너뛰듯이 흥분이 전도되는데, 이를 도약전도라고 한다. 그러나 민말이집 신경에서는 축삭 돌기를 따라 연속적으로 흥분이 전도되므로, 말이집 신경이 민말이집 신경보다 흥분 전도 속도가 빠르다.

(2) **축삭 돌기의 지름:** 축삭 돌기의 지름이 커서 단면적이 크면 축삭 돌기를 따라 흐르는 이온의 이동(전류)에 대한 저항이 작다. 따라서 축삭 돌기의 지름이 클수록 흥분 전도 속도가 빠르다.

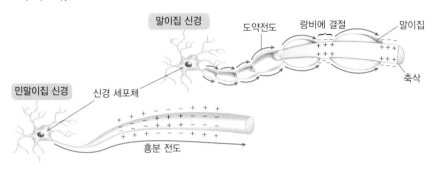

▲ **말이집 신경과 민말이집 신경에서의 흥분 전도** 말이집 신경에서는 도약전도가 일어나므로, 민말이집 신경보다 흥분 전도 속도가 빠르다.

시선 집중 ★ **흥분 전도 속도에 영향을 미치는 요인**

그림은 4개의 뉴런 (가)～(라)의 축삭 돌기 일부를 나타낸 것이다.

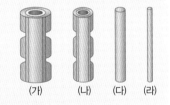

❶ (가)와 (나)는 말이집 신경이고, (다)와 (라)는 민말이집 신경이다. → 말이집 신경인 (가), (나)가 민말이집 신경인 (다), (라)보다 흥분 전도 속도가 빠르다.

❷ 축삭 돌기의 지름이 클수록 흥분 전도 속도가 빠르다.
  → (가)는 (나)보다 흥분 전도 속도가 빠르고, (다)는 (라)보다 흥분 전도 속도가 빠르다.

❸ (가)～(라)의 흥분 전도 속도 비교: (가) > (나) > (다) > (라)

③ 흥분 전달

축삭 돌기 말단까지 전도된 흥분이 다음 뉴런으로 전해지는 현상을 흥분 전달이라고 한다. 시냅스에서 흥분 전달은 신경 전달 물질에 의해 일어난다.

1. 시냅스

한 뉴런의 축삭 돌기 말단은 다른 뉴런의 가지 돌기나 신경 세포체와 약 20 nm의 틈을 두고 연접해 있는데 이 부위를 시냅스라 하고, 뉴런과 뉴런 사이의 좁은 틈을 시냅스 틈이라고 한다.

2. 흥분 전달 과정

시냅스를 통해 흥분이 한 뉴런에서 다른 뉴런으로 전달되는 현상을 흥분 전달이라고 한다. 뉴런의 축삭 돌기 말단에는 시냅스 소포라는 작은 주머니가 많이 있는데, 그 속에는 아세틸콜린과 같은 신경 전달 물질이 들어 있다.

흥분이 축삭 돌기 말단에 도달하면 시냅스 소포가 세포막과 융합하여 시냅스 소포에 들어 있던 신경 전달 물질이 시냅스 틈으로 방출된다. 방출된 신경 전달 물질이 시냅스 틈에서 확산되어 시냅스 이후 뉴런의 가지 돌기나 신경 세포체의 세포막에 있는 수용체에 결합하면 이온 통로가 열려 시냅스 이후 뉴런 안으로 Na^+이 유입되면서 활동 전위가 발생한다. 이와 같은 과정을 통해 시냅스 이전 뉴런에서 시냅스 이후 뉴런으로 흥분이 전달된다.

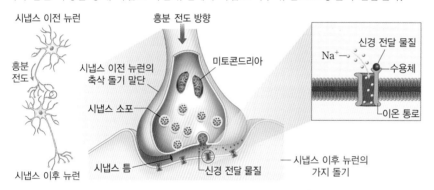

▲ **흥분 전달 과정** 신경 전달 물질은 시냅스 이후 뉴런의 이온 통로를 열어서 Na^+이 유입되도록 함으로써 탈분극을 일으킨다.

시야확장 ➕ 시냅스에서 신경 전달 물질의 작용과 제거

❶ **신경 전달 물질의 작용**: 축삭 돌기 말단에 흥분이 전도되면 시냅스 소포에서 신경 전달 물질이 방출된다. 신경 전달 물질은 시냅스 틈에서 확산되어 시냅스 이후 뉴런의 세포막에 있는 수용체에 결합하여 이온 통로가 열리게 한다. 열린 이온 통로를 통해 Na^+이 시냅스 이후 뉴런 안으로 확산되면 탈분극이 일어나고 활동 전위가 발생한다.

❷ **신경 전달 물질의 제거**: 시냅스 틈에 신경 전달 물질이 계속 남아 있으면 시냅스 이후 뉴런은 불필요한 자극을 계속 받아 흥분이 과도하게 발생할 수 있으므로, 신경 전달 물질을 신속하게 제거해야 한다. 이를 위해 시냅스 틈에는 신경 전달 물질을 분해하는 효소가 있어 신경 전달 물질을 분해하여 제거하며, 일부 신경 전달 물질은 시냅스 이전 뉴런으로 재흡수되어 이용된다.

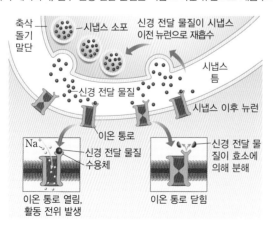

신경 전달 물질

뉴런의 축삭 돌기 말단에서 분비되는 화학 물질로, 다른 뉴런이나 반응기로 신호를 전달한다. 신경 전달 물질에는 아세틸콜린, 노르에피네프린, 도파민, 세로토닌, 엔돌핀, 가바(GABA), 글리신 등 100여 종류가 있다.

수용체

특정 물질과 결합하여 그 물질의 작용이 일어나도록 하는 막단백질이다. 신경 전달 물질이나 호르몬이 정해진 세포에서 기능을 나타내기 위해서는 표적 세포에 그 물질에 대한 수용체가 있어야 한다.

독의 작용 원리

• 사린 신경가스: 아세틸콜린 가수 분해 효소의 작용을 억제함으로써 아세틸콜린을 과도하게 증가시켜 신경 마비를 통해 죽음에 이르게 한다.

• 보툴리눔 독소: 보툴리누스균이라는 세균이 생산하는 독소로, 시냅스 이전 뉴런에서 아세틸콜린의 방출을 억제하는 역할을 한다. 섭취 시 호흡에 필요한 근육이 수축할 수 없게 되어 매우 치명적이다. 오늘날 이 독은 보톡스라는 상업명으로 얼굴의 특정 근육에 주입하여 잔주름의 형성을 줄이는 미용 목적으로 사용되고 있다.

3. 흥분 전달의 방향성

신경 전달 물질이 들어 있는 시냅스 소포는 축삭 돌기 말단에만 있으므로, 흥분은 시냅스 이전 뉴런의 축삭 돌기 말단에서 시냅스 이후 뉴런의 가지 돌기나 신경 세포체 쪽으로만 전달된다. 또, 시냅스를 통한 흥분 전달은 화학 물질의 확산에 의해 이루어지므로, 축삭 돌기를 따라 일어나는 흥분 전도보다 속도가 느리다.

흥분 전달이 한쪽 방향으로만 일어나는 까닭
- 신경 전달 물질이 들어 있는 시냅스 소포가 축삭 돌기 말단에만 있기 때문이다.
- 신경 전달 물질의 수용체가 시냅스 이후 뉴런의 가지 돌기나 신경 세포체의 세포막에만 있기 때문이다.

시선 집중 ★ 흥분의 이동 방향과 속도 비교

❶ 신경 A에 역치 이상의 자극을 주었을 때는 X 지점에서 막전위 변화가 나타나지 않는다. → 시냅스 이후 뉴런에서 시냅스 이전 뉴런으로는 흥분이 전달되지 않기 때문이다.

❷ 신경 B~D에 역치 이상의 자극을 주었을 때 X 지점까지 흥분의 이동 속도는 D>C>B의 순서이다. → D는 말이집 신경이어서 도약전도가 일어나므로 흥분의 이동 속도가 가장 빠르다. B는 시냅스를 통한 흥분 전달로 인해 C보다 흥분의 이동 속도가 느리다.

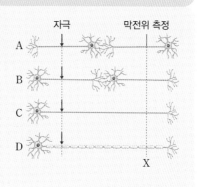

4. 흥분 전달에 영향을 미치는 약물

시냅스에서 흥분 전달에 영향을 주는 물질은 인간의 행동이나 정신에 큰 영향을 미친다. 이러한 약물은 그 영향에 따라 진정제, 각성제, 환각제 등으로 구분하는데, 긴장과 통증의 완화, 집중도 향상 등의 긍정적 측면이 있지만, 오남용으로 인한 부작용의 영향이 크기 때문에 신중하게 사용해야 한다.

구분	약물의 종류	시냅스에서의 영향	인체에 미치는 영향
진정제	알코올, 수면제, 아편, 프로포폴	시냅스에서 일어나는 신호 전달을 억제하거나 쾌감을 조절하는 뉴런의 수용체에 결합한다.	불안 감소, 쾌감, 진통 효과를 나타내는 반면, 남용 시 우울증이 나타나거나 뇌의 반응 능력을 변화시킨다.
각성제	카페인, 니코틴, 코카인, 암페타민	신경 전달 물질의 방출을 증가시키거나 신경 전달 물질의 재흡수를 억제함으로써 흥분이 지속되도록 한다.	각성, 자신감 증대 효과가 있는 반면, 심장 박동과 혈압을 증가시키며 남용하면 망상증, 무력감을 초래한다.
환각제	대마초, LSD, 뷰테인 가스	신경 전달 물질의 수용체에 결합하여 신경 전달 물질의 작용을 증가시킨다.	시간 초월감, 친밀감, 감각적 인지력을 증가시키는 반면, 환각, 공포, 기억 손상 등의 정신 이상을 초래한다.

약물의 유래
- 아편: 양귀비에서 추출한 물질로, 모르핀, 코데인 등이 속한다.
- 코카인: 남미에 서식하는 코카 식물의 잎에서 추출한 물질이다.
- 암페타민: 화학적으로 합성된 약물로, 유사한 물질에는 흔히 필로폰이라고 하는 메스암페타민과 엑스터시가 있다.
- 대마초: 대마 식물의 잎을 말린 것으로, 마리화나라고도 한다.
- LSD(Lysergic acid diethylamide): 호밀에서 자라는 곰팡이에서 추출한 물질이다.

시야 확장 ➕ 에너지 음료의 기능과 부작용

❶ 체내에 수분과 전해질을 보충해 주는 이온 음료와 달리, 에너지 음료는 에너지를 보충해 주기 위해 마시는 음료이다. 이 음료에는 빠르게 흡수되어 에너지원으로 쓰이는 당분이 함유되어 있으며, 물질대사를 촉진하여 몸에 활력을 주고 각성 효과를 얻기 위해 카페인이 들어 있는 경우가 많다. 이외에도 피로 회복을 위해 타우린이나 아르지닌 같은 아미노산이 첨가되기도 한다.

❷ 에너지 음료를 많이 마실 경우 카페인의 부작용인 혈압 상승, 어지러움, 불면, 불안, 심장 두근거림 등의 증상이 나타날 수 있다. 또, 타우린은 위벽에 심한 자극을 주어 두통과 설사가 발생할 수 있으므로, 타우린이 함유된 에너지 음료는 공복에 마시는 것을 피하는 것이 좋다.

흥분의 발생과 전도

흥분의 발생 과정에서 나타나는 막전위 변화는 막단백질인 Na^+ 통로와 K^+ 통로의 개폐 작용과 관련이 있다. 세포막을 경계로 Na^+과 K^+이 불균등한 분포를 나타내는 분극 상태에서 두 가지 이온 통로를 통한 순차적인 이온의 다량 확산은 탈분극과 재분극을 일으키며, 이때의 활동 전위는 세포막을 따라 도미노처럼 인접한 부위에 연속적으로 영향을 미쳐 흥분 전도가 일어나게 한다. 역치 이상의 자극을 주어 흥분 전도가 일어날 때, 일정 시점에서 축삭 돌기의 부위별 전위 값과 이온 통로의 개폐 여부를 시간−막전위 변화 그래프를 통해 분석할 수 있어야 한다.

❶ 흥분의 발생

뉴런의 세포막에는 능동 수송을 통해 Na^+과 K^+의 불균등한 분포를 일으키는 Na^+-K^+ 펌프와 함께, Na^+과 K^+이 농도 경사를 따라 확산되도록 해 주는 이온 통로가 각각 존재한다. 뉴런이 역치 이상의 자극을 받으면 이들 이온 통로가 열리고 닫히면서 탈분극과 재분극이 일어난다.

구분	이온의 이동	하전 상태	막전위
분극 (휴지 전위)	Na^+-K^+ 펌프에 의해 이온의 농도 차가 유지되며, Na^+은 세포 밖에, K^+은 세포 안에 각각 더 많다.	세포 밖: (+) 세포 안: (−) 막전위는 약 $-70\ mV$	
탈분극 (활동 전위 상승기)	뉴런이 역치 이상의 자극을 받으면 Na^+ 통로가 열려 Na^+이 세포 안으로 다량 확산된다.	세포 밖: (−) 세포 안: (+) 막전위가 상승	
재분극 (활동 전위 하강기)	Na^+ 통로가 닫히고 K^+ 통로가 열려 K^+이 세포 밖으로 다량 확산된다.	세포 밖: (+) 세포 안: (−) 막전위가 휴지 전위로 회복	

이온 통로의 종류

뉴런의 세포막에 있는 이온 통로는 기능에 따라 세 종류로 구분할 수 있다.

- 수동 이온 통로: 단순히 이온이 농도가 높은 쪽에서 낮은 쪽으로 이동하는 통로이며, 휴지 상태에서 일부 열려 있는 K^+ 통로가 여기에 해당한다.
- 전압 개폐성 통로: 세포막의 전위 변화에 따라 열리거나 닫히는 통로이며, 탈분극에 관여하는 Na^+ 통로와 재분극에 관여하는 K^+ 통로가 여기에 해당한다.
- 화학 개폐성 통로: 특정 화학 물질이 수용체에 결합할 때 열리거나 닫히는 통로이며, 시냅스 이후 뉴런에서 신경 전달 물질이 수용체에 결합할 때 열리는 이온 통로가 여기에 해당한다.

예제

❶ 그림은 뉴런에 역치 이상의 자극을 준 후 축삭 돌기의 한 지점에서 측정한 막전위 변화를 나타낸 것이다. A와 B는 각각 Na^+ 통로와 K^+ 통로 중 하나이다.

(1) t_1일 때 세포막의 안쪽과 바깥쪽 중 ㉠의 농도가 높은 쪽을 쓰시오.

(2) t_2일 때 세포막을 경계로 ㉡의 이동 방향을 쓰시오.

정답 (1) 바깥쪽 (2) 안쪽에서 바깥쪽으로 이동한다.

해설 (1) t_1은 탈분극이 일어나는 시기이므로, A는 Na^+ 통로이며, 세포막의 바깥쪽에서 안쪽으로 이동하는 ㉠은 Na^+이다. t_1일 때 Na^+은 세포막의 바깥쪽에서 안쪽으로 확산되므로, Na^+의 농도는 세포막의 바깥쪽이 안쪽보다 높다.

(2) t_2는 재분극이 일어나는 시기이므로, B는 K^+ 통로이며, 세포막의 안쪽에서 바깥쪽으로 확산되는 ㉡은 K^+이다.

❷ 흥분 전도

뉴런의 한 부위에서 활동 전위가 발생하면 인접한 부위에서 연속적으로 탈분극이 일어나 활동 전위가 발생함으로써 흥분이 전도된다.

활동 전위의 크기
흥분이 전도되는 동안 연속적으로 발생하는 활동 전위의 크기는 일정하다.

(가) 뉴런의 한 부위에서 Na^+이 유입되어 탈분극이 일어나 활동 전위가 발생한다.

(나) 탈분극이 일어났던 부위에서는 K^+이 유출되어 재분극이 일어나고, 인접한 부위에서 탈분극이 일어나 활동 전위가 발생한다.

(다) 탈분극과 재분극이 축삭 돌기를 따라 연속적으로 일어나 흥분이 축삭 돌기 말단까지 전도된다.

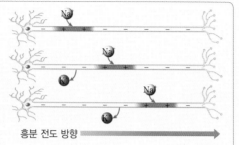

흥분 전도 방향

예제

❷ 그림 (가)는 뉴런의 축삭 돌기 일부를, 그림 (나)는 ㉠과 ㉡ 중 한 지점에 역치 이상의 자극을 1회 주었을 때 A와 B에서의 막전위 변화를 나타낸 것이다. t_1은 A와 B에서 같은 시점을 나타낸다.

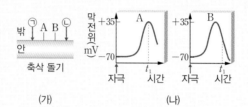

(가) (나)

(1) 자극을 준 지점은 ㉠과 ㉡ 중 어느 곳인지 쓰시오.

(2) t_1일 때 B에서 K^+의 $\dfrac{\text{세포 안 농도}}{\text{세포 밖 농도}}$는 1보다 큰지 작은지 쓰시오.

정답 (1) ㉡ (2) 1보다 크다.

해설 (1) 같은 시점을 비교할 때 자극을 준 지점과 가까울수록 활동 전위가 먼저 발생하므로, 자극을 준 지점은 B 지점과 가까운 ㉡이다.
(2) t_1일 때 B에서 K^+이 농도 경사를 따라 세포막의 안쪽에서 바깥쪽으로 확산되므로, K^+의 농도는 세포 안이 세포 밖보다 높다. 따라서 t_1일 때 B에서 K^+의 $\dfrac{\text{세포 안 농도}}{\text{세포 밖 농도}}$는 1보다 크다.

❭ 정답과 해설 23쪽

유제

그림 (가)는 활동 전위가 발생한 뉴런의 축삭 돌기 한 지점 X에서 측정한 막전위 변화를, 그림 (나)는 t_1일 때 지점 X에서 K^+ 통로를 통한 K^+의 이동을 나타낸 것이다.
이에 대한 설명으로 옳은 것만을 〈보기〉에서 있는 대로 고른 것은?

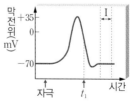

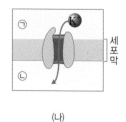

(가) (나)

보기
ㄱ. 구간 Ⅰ에서는 세포막을 통해 Na^+이 이동하지 않는다.
ㄴ. (나)에서 K^+의 이동 방식은 확산이다.
ㄷ. ㉠은 세포막의 바깥쪽, ㉡은 안쪽이다.

① ㄱ   ② ㄴ   ③ ㄱ, ㄴ   ④ ㄴ, ㄷ   ⑤ ㄱ, ㄴ, ㄷ

차이를 만드는 심화

흥분성 시냅스와 억제성 시냅스

하나의 뉴런은 수많은 다른 뉴런과 시냅스를 형성하고 있으며, 시냅스 이전 뉴런의 축삭 돌기 말단에서 분비되는 신경 전달 물질에 의해 흥분이 전달된다. 이때 시냅스 이전 뉴런에서 분비되는 신경 전달 물질은 종류에 따라 시냅스 이후 뉴런의 흥분 발생을 촉진하기도 하지만 반대로 억제하는 경우도 있다. 따라서 시냅스 이후 뉴런에서는 여러 시냅스 이전 뉴런으로부터 전달되는 흥분 신호와 억제 신호들이 통합되어 활동 전위의 발생 여부가 결정되는데, 그 과정에 대해 알아보자.

① 흥분성 시냅스와 억제성 시냅스의 작용 원리

아세틸콜린, 노르에피네프린처럼 신경 전달 물질이 시냅스 이후 뉴런의 Na^+ 통로를 열어 시냅스 이후 뉴런에 탈분극을 유도하는 경우를 흥분성 시냅스라고 한다. 반면, 가바($GABA$), 글리신 등의 신경 전달 물질은 K^+ 통로나 Cl^- 통로를 열어 시냅스 이후 뉴런에 과분극을 유도함으로써 흥분이 일어나지 않도록 하는데, 이를 억제성 시냅스라고 한다.

② 시냅스 이후 뉴런에서 흥분의 발생 여부 결정

시냅스를 통한 흥분 전달 속도가 뉴런 내에서의 흥분 전도 속도보다 느린데도 흥분 전달이 필요한 까닭은 자극의 통합에 중요하기 때문이다. 사람의 뇌에 있는 뉴런은 보통 1000개~10000개의 다른 뉴런과 흥분성 또는 억제성 시냅스를 형성하고 있다. 따라서 여러 개의 뉴런으로부터

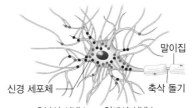

말이집
신경 세포체
축삭 돌기
• 흥분성 시냅스 • 억제성 시냅스
▲ 하나의 뉴런에 형성된 시냅스

흥분 신호나 억제 신호가 전달되면 시냅스 이후 뉴런에서는 이 신호들이 통합되어 활동 전위가 발생하거나 발생하지 않게 된다.

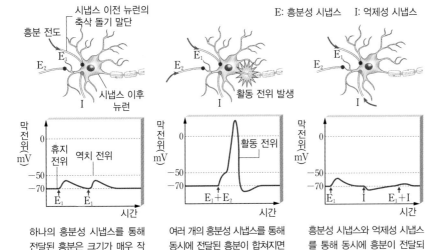

E: 흥분성 시냅스 I: 억제성 시냅스

▲ 시냅스의 통합에 따른 시냅스 이후 뉴런의 막전위 변화

하나의 흥분성 시냅스를 통해 전달된 흥분은 크기가 매우 작아 시냅스 이후 뉴런에서 활동 전위를 발생시키지 못한다.

여러 개의 흥분성 시냅스를 통해 동시에 전달된 흥분이 합쳐지면 시냅스 이후 뉴런에서 탈분극이 일어나 활동 전위가 발생한다.

흥분성 시냅스와 억제성 시냅스를 통해 동시에 흥분이 전달되면 시냅스 이후 뉴런에서 활동 전위가 발생하지 않는다.

신경 전달 물질은 항상 시냅스 이후 뉴런에 흥분을 일으킬까?

일반적으로 아세틸콜린은 시냅스 이후 뉴런에 작용하여 활동 전위의 발생을 촉진하는 흥분성 신경 전달 물질로 알려져 있다. 그러나 아세틸콜린이 항상 흥분의 발생을 촉진하는 작용만 하는 것은 아니다. 심장근에 분포하는 부교감 신경의 말단에서 분비되는 아세틸콜린의 경우 심장근 세포에서 활동 전위가 발생하는 것을 억제하여 심장 박동수와 근수축력이 감소하도록 한다. 즉, 심장근에서 아세틸콜린은 흥분성이 아니라 억제성 신경 전달 물질로 작용한다.

노르에피네프린

단백질을 구성하는 아미노산의 한 종류인 타이로신으로부터 만들어지며, 교감 신경 말단에서 분비되어 흥분성 신경 전달 물질로 작용한다.

가바($GABA$)

감마아미노부티르산(gamma aminobutyric acid)의 약자로, 뇌에서 대부분의 억제성 시냅스의 신경 전달 물질로 작용한다.

글리신

단백질을 구성하는 아미노산의 한 종류로, 척수에서 억제성 시냅스의 신경 전달 물질로 작용한다.

124 ⟩ Ⅲ. 항상성과 몸의 조절

01 자극의 전달

1. 항상성과 몸의 기능 조절

① 뉴런의 구조와 종류

1. 뉴런의 구조 신경 세포체, 가지 돌기, 축삭 돌기로 구성된다.

• (**❶**   ): 슈반 세포의 세포막이 축삭을 여러 겹으로 싸고 있는 구조로, 절연체 역할을 한다.

• (**❷**   ): 말이집과 말이집 사이에 축삭이 노출된 부분이다.

2. 뉴런의 종류

• 뉴런은 말이집의 유무에 따라 말이집 신경, (**❸**   ) 신경으로 구분한다.

• 뉴런은 기능에 따라 구심성 뉴런, 연합 뉴런, (**❹**   ) 뉴런으로 구분한다.

② 흥분 전도

1. 분극과 휴지 전위 자극을 받지 않은 휴지 상태의 뉴런에서 세포막 안쪽은 음($-$)전하, 바깥쪽은 양
($+$)전하를 띠고 있는 상태를 분극이라고 하며, 이때의 휴지 전위는 -70 mV 정도이다.

• (**❺**   )는 ATP를 소모하여 Na^+은 세포 밖으로, K^+은 세포 안으로 이동시킨다.

→ 뉴런의 안쪽은 바깥쪽보다 Na^+ 농도는 낮고 K^+ 농도는 높다.

• 휴지 상태에서 Na^+ 통로는 거의 닫혀 있지만, 일부 K^+ 통로가 열려 있어 K^+이 세포 밖으로 확산된다.

→ 세포막 안쪽은 음($-$)전하, 바깥쪽은 양($+$)전하를 띠는 분극 상태가 유지된다.

2. 막전위 변화와 활동 전위 뉴런이 역치 이상의 자
극을 받으면 탈분극 → 재분극의 과정이 일어나
는 (**❻**   )가 발생한다.

• 탈분극: (**❼**   )가 열려 세포막의 바깥쪽에
있던 Na^+이 세포막의 안쪽으로 확산되면서 막
전위가 상승한다.

• 재분극: 막전위가 최고점(약 $+35 \text{ mV}$)에 이르
면 Na^+ 통로가 닫히고, (**❽**   )가 열려 세
포막의 안쪽에 있던 K^+이 세포막의 바깥쪽으로 확산되면서 막전위가 하강한다.

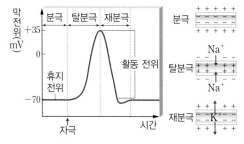

▲ **막전위 변화와 이온의 이동**

3. 흥분 전도 뉴런의 세포막 한 부위에서 활동 전위가 발생하면 인접한 부위에서 연속적으로 탈분극이 일
어나 활동 전위가 발생함으로써 흥분이 전도된다.

4. 말이집 신경과 민말이집 신경의 흥분 전도 속도 비교 말이집 신경은 흥분이 한 랑비에 결절에서 다음 랑비
에 결절로 건너뛰듯이 전도되는 (**❾**   )가 일어나므로, 민말이집 신경보다 흥분 전도 속도가 매우
빠르다.

③ 흥분 전달

1. 시냅스에서의 흥분 전달

• 시냅스에서의 흥분 전달은 시냅스 소포에서 분비되는 아세틸콜린과 같은 (**❿**   )에 의해 일어난다.

• 신경 전달 물질이 들어 있는 시냅스 소포는 (**⓫**   ) 말단에만 있다. → 시냅스에서 흥분은 축삭 돌기
말단에서 다음 뉴런의 가지 돌기나 신경 세포체 쪽으로만 전달된다.

2. 흥분 전달에 영향을 미치는 약물 시냅스에서 일어나는 흥분 전달에 영향을 미치는 약물에는 진정제, 각
성제, 환각제 등이 있다.

01 그림은 뉴런의 구조를 나타낸 것이다.

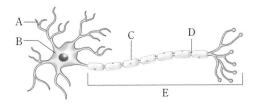

다음 설명에 해당하는 부위의 기호와 이름을 쓰시오.

(1) 뉴런의 생장과 물질대사를 조절한다.

(2) 다른 뉴런에서 오는 자극을 받아들인다.

(3) 다른 뉴런으로 흥분을 전달한다.

(4) 슈반 세포의 세포막이 축삭을 여러 겹으로 싸고 있는 구조로, 절연체 역할을 한다.

(5) 말이집과 말이집 사이에 축삭이 노출된 곳으로, 활동 전위가 발생한다.

02 그림은 기능이 서로 다른 세 종류의 뉴런이 연결된 모습을 나타낸 것이다.

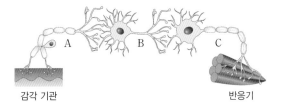

감각 기관   반응기

다음 설명에 해당하는 뉴런의 기호와 이름을 쓰시오.

(1) 뇌 또는 척수에 존재하는 뉴런이다.

(2) 자극을 중추 신경계로 전달하는 감각 뉴런이 여기에 해당한다.

(3) 중추 신경계의 명령을 반응기로 전달하는 운동 뉴런이 여기에 해당한다.

03 표는 뉴런의 막전위 변화에 관여하는 세 가지 막단백질과 이를 통한 물질의 이동 방식을 정리한 것이다. 빈칸에 알맞은 말을 쓰시오.

막전위 변화	막단백질	물질의 이동 방식
탈분극	㉠	㉡
㉢	K^+ 통로	㉣
분극	㉤	능동 수송

[**04**~**05**] 그림 (가)는 뉴런 세포막의 이온 통로 상태를, 그림 (나)는 자극에 따른 뉴런의 막전위 변화를 나타낸 것이다.

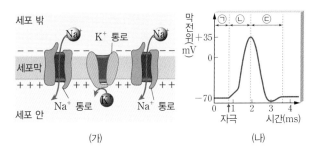

(가)   (나)

04 세포막의 이온 통로 상태가 그림 (가)와 같을 때의 막전위 변화는 그림 (나)의 ㉠~㉢ 중 어느 구간에 해당하는지 쓰시오.

05 그림 (나)에 대한 설명으로 옳은 것만을 〈보기〉에서 있는 대로 고르시오.

보기
ㄱ. 구간 ㉠에서 K^+의 농도는 세포 안쪽이 바깥쪽보다 높다.
ㄴ. 구간 ㉡에서 Na^+의 농도는 세포 바깥쪽이 안쪽보다 높다.
ㄷ. 구간 ㉢에서 Na^+ 통로와 K^+ 통로는 모두 열려 있다.

06 그림 (가)는 어떤 뉴런에 역치 이상의 자극을 주었을 때의 막전위 변화를, 그림 (나)는 같은 시간 동안 세포막 안팎으로 이동하는 이온의 막 투과도를 나타낸 것이다.

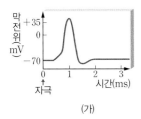 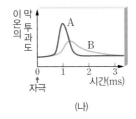

(가)　　　　　　(나)

A와 B에 해당하는 이온은 무엇인지 각각 쓰시오.

07 그림 (가)는 어떤 뉴런의 축삭 돌기에서 A~C 지점을, 그림 (나)는 (가)의 A 지점에 역치 이상의 자극을 준 후 B와 C 지점 중 어느 한 지점에서의 막전위 변화를 나타낸 것이다.

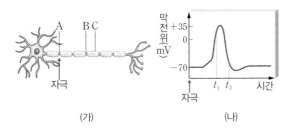

(가)　　　　　　(나)

이에 대한 설명으로 옳은 것만을 〈보기〉에서 있는 대로 고르시오.

> 보기
> ㄱ. (나)는 B 지점에서의 막전위 변화이다.
> ㄴ. t_1일 때 Na^+ 통로를 통해 Na^+이 세포 안으로 유입된다.
> ㄷ. t_2일 때 K^+의 유출에 ATP가 사용된다.

08 그림은 4개의 뉴런 (가)~(라)의 축삭 돌기 일부를 말이집의 유무와 상대적인 굵기에 따라 나타낸 것이다.

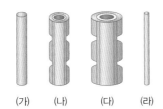

(가)　(나)　(다)　(라)

흥분 전도 속도가 빠른 것부터 순서대로 나열하시오.

09 그림은 두 뉴런 (가)와 (나) 사이에서 흥분이 전달되는 과정을 나타낸 것이다.

 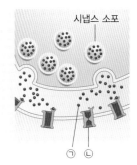

(1) (가)와 (나) 사이에 흥분이 전달되는 방향을 쓰시오.

(2) A 부위를 무엇이라고 하는지 쓰시오.

(3) 이온 통로인 ⓛ에는 ㉠의 수용체가 존재한다. ㉠이 수용체에 결합하였을 때 ⓛ에 미치는 영향을 쓰시오.

10 어떤 환자로부터 신경 조직을 분리하여 그림 (가)와 같이 A 지점에 역치 이상의 자극을 준 후, B와 C 지점에서 각각 활동 전위를 측정하여 그림 (나)와 같은 결과를 얻었다.

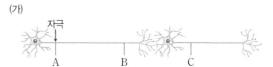

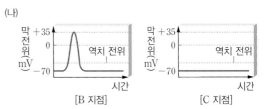

이에 대한 설명으로 옳은 것만을 〈보기〉에서 있는 대로 고르시오.

> 보기
> ㄱ. B 지점에서 활동 전위가 발생하였다.
> ㄴ. B에서 C로 흥분이 전달되지 않았다.
> ㄷ. C의 세포막에 있는 Na^+-K^+ 펌프가 작동하지 않았다.

01 ❯ 뉴런의 종류와 흥분 전달

그림은 세 종류의 뉴런 (가)~(다)를 나타낸 것이다.

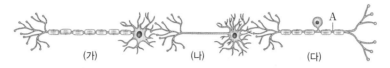

(가)　　　　　　　(나)　　　　　　　(다)

이에 대한 설명으로 옳은 것만을 〈보기〉에서 있는 대로 고른 것은?

> 보기

ㄱ. (가)는 구심성 뉴런이다.

ㄴ. (나)는 중추 신경계를 구성한다.

ㄷ. A 지점에 역치 이상의 자극을 주면 (다) → (나) → (가)로 흥분이 전달된다.

① ㄱ　　　　② ㄷ　　　　③ ㄱ, ㄴ　　　　④ ㄴ, ㄷ　　　　⑤ ㄱ, ㄴ, ㄷ

• 구심성 뉴런인 감각 뉴런은 신경 세포체가 축삭 돌기의 한쪽 옆에 있다.

02 ❯ 뉴런의 활동 전위와 이온의 이동

그림 (가)는 어떤 뉴런에 역치 이상의 자극을 주었을 때의 막전위 변화를, 그림 (나)는 (가)의 어떤 시기에 막전위와 이온 ㉠, ㉡의 농도를 나타낸 것이다. ㉠과 ㉡은 각각 Na^+과 K^+ 중 하나이다.

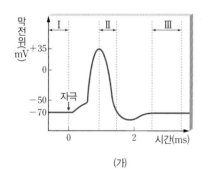

(가)

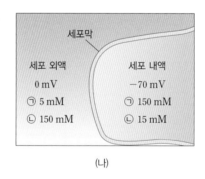

(나)

이에 대한 설명으로 옳은 것만을 〈보기〉에서 있는 대로 고른 것은?

> 보기

ㄱ. 구간 Ⅰ에서는 (나)와 같은 막전위와 이온 분포가 나타난다.

ㄴ. 구간 Ⅱ에서 이온 통로를 통한 이온의 이동량은 ㉡이 ㉠보다 많다.

ㄷ. 구간 Ⅲ에서는 ㉠의 세포 내 유입과 ㉡의 세포 외 유출에 에너지가 사용된다.

① ㄱ　　　　② ㄷ　　　　③ ㄱ, ㄷ　　　　④ ㄴ, ㄷ　　　　⑤ ㄱ, ㄴ, ㄷ

• Ⅰ은 분극, Ⅱ는 재분극, Ⅲ은 Na^+-K^+ 펌프의 작용에 의해 이온 재배치가 일어나는 구간이다.

03 ▶ 뉴런에서 이온의 막 투과도

그림은 어떤 뉴런에 역치 이상의 자극을 주었을 때, 이 뉴런 세포막에서 이온 A와 B의 막 투과도 변화를 나타낸 것이다. A와 B는 각각 Na^+과 K^+ 중 하나이다.

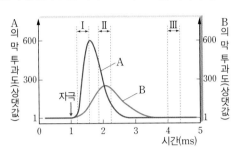

이에 대한 설명으로 옳은 것만을 〈보기〉에서 있는 대로 고른 것은?

─── 보기 ───
ㄱ. 구간 Ⅰ에서 A의 농도는 세포 안에서가 세포 밖에서보다 높다.
ㄴ. 구간 Ⅱ에서 B가 세포 밖으로 확산되어 막전위가 하강한다.
ㄷ. 구간 Ⅲ에서 세포 안의 A 농도 유지에 ATP가 사용된다.

① ㄴ　　　② ㄷ　　　③ ㄱ, ㄴ　　　④ ㄴ, ㄷ　　　⑤ ㄱ, ㄴ, ㄷ

· 뉴런이 역치 이상의 자극을 받으면 Na^+의 유입으로 탈분극이 일어나고, K^+의 유출로 재분극이 일어난다.

04 ▶ 뉴런에서 흥분 전도와 막전위 변화

그림은 민말이집 신경의 축삭 돌기 일부를, 표는 그림의 두 지점 X나 Y 중 한 곳만을 자극하여 흥분 전도가 1회 일어날 때, 네 지점($d_1 \sim d_4$)에서 동시에 측정한 막전위를 나타낸 것이다. 휴지 전위는 $-70\,mV$이다.

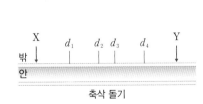

지점	막전위(mV)
d_1	-70
d_2	$+35$
d_3	-80
d_4	-70

이에 대한 설명으로 옳은 것만을 〈보기〉에서 있는 대로 고른 것은?

─── 보기 ───
ㄱ. 흥분 전도는 X에서 Y 방향으로 진행된다.
ㄴ. d_2에서 Na^+의 농도는 축삭 돌기 밖에서가 안에서보다 높다.
ㄷ. d_4에서 K^+이 축삭 돌기 밖으로 유출되는 데 ATP가 사용된다.

① ㄱ　　　② ㄴ　　　③ ㄱ, ㄴ　　　④ ㄴ, ㄷ　　　⑤ ㄱ, ㄴ, ㄷ

· 휴지 전위가 $-70\,mV$이므로 막전위가 $+35\,mV$이면 탈분극이 일어난 것이고, 막전위가 $-80\,mV$이면 재분극 과정에서 과분극이 일어난 것이다.

05 > 뉴런에서 흥분 전도와 막전위 변화

그림 (가)는 어떤 민말이집 신경 A의 지점 d_1과 d_4 중 한 곳에 역치 이상의 자극을 1회 주고 3 ms가 경과하였을 때 $d_1 \sim d_4$에서 각각 측정한 막전위를, 그림 (나)는 이 신경에서 활동 전위가 발생하였을 때 각 지점에서의 막전위 변화를 나타낸 것이다.

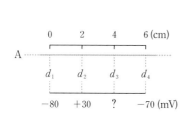

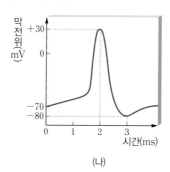

(가)   (나)

이에 대한 설명으로 옳은 것만을 〈보기〉에서 있는 대로 고른 것은? (단, 이 신경에서 흥분 전도는 1회 일어났고, 휴지 전위는 $-70 \, \mathrm{mV}$이다.)

보기
ㄱ. 자극을 준 지점은 d_1이다.
ㄴ. 흥분 전도 속도는 2 cm/ms이다.
ㄷ. 자극을 준 후 3 ms가 경과하였을 때 d_3에서 K^+이 세포 밖으로 다량 유출된다.

① ㄱ   ② ㄴ   ③ ㄱ, ㄴ   ④ ㄴ, ㄷ   ⑤ ㄱ, ㄴ, ㄷ

• 자극을 준 지점에서부터 탈분극이 시작되어 옆으로 전도되고 탈분극되었던 곳은 재분극이 일어나므로, 흥분이 가장 많이 진행된 곳은 과분극 상태인 d_1이다.

06 > 흥분의 전도와 전달

그림 (가)는 2개의 뉴런이 연결된 모습을, 그림 (나)는 (가)에서 시냅스 이전 뉴런에 역치 이상의 자극을 주었을 때 A에서의 막전위 변화를 나타낸 것이다.

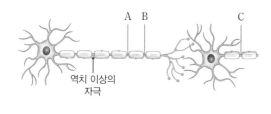

(가)   (나)

이에 대한 설명으로 옳은 것만을 〈보기〉에서 있는 대로 고른 것은?

보기
ㄱ. t_1일 때 A에서 K^+이 K^+ 통로를 통해 세포 밖으로 유출된다.
ㄴ. 구간 I 에서 유입된 Na^+은 B의 Na^+ 통로를 통해 세포 밖으로 유출된다.
ㄷ. 더 강한 자극을 주면 C에서 측정되는 활동 전위의 크기는 (나)에서보다 커진다.

① ㄱ   ② ㄴ   ③ ㄱ, ㄷ   ④ ㄴ, ㄷ   ⑤ ㄱ, ㄴ, ㄷ

• 자극의 세기는 흥분 전도 속도와 활동 전위의 크기에 영향을 주지 않는다.

07
흥분 전도 속도와 막전위 변화

다음은 신경 A와 B의 흥분 전도에 대한 자료이다.

(가) 그림은 민말이집 신경 A와 B의 d_1 지점으로부터 d_2~d_4까지의 거리를, 표는 A와 B의 d_1 지점에 역치 이상의 자극을 동시에 1회 주고 일정 시간이 지난 후 t_1일 때 네 지점 d_1~d_4에서 측정한 막전위를 나타낸 것이다. Ⅰ~Ⅲ은 각각 d_1~d_3에서 측정한 막전위 중 하나이고, Ⅳ는 d_4에서 측정한 막전위이다.

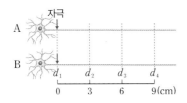

신경	t_1일 때 측정한 막전위(mV)			
	Ⅰ	Ⅱ	Ⅲ	Ⅳ
A	-55	-80	$+30$	-65
B	-20	-80	-10	㉠

(나) A와 B에서 흥분 전도 속도는 각각 2 cm/ms, 3 cm/ms이다.

(다) A와 B의 d_1~d_4에서 활동 전위가 발생하였을 때, 각 지점에서의 막전위 변화는 그림과 같다.

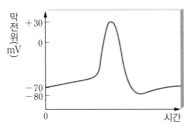

이에 대한 설명으로 옳지 않은 것은? (단, A와 B에서 흥분 전도는 각각 1회 일어났고, 휴지 전위는 -70 mV이다.)

① t_1일 때 d_1에서 측정한 막전위는 -80 mV이다.

② Ⅲ은 d_2에서 측정한 막전위이다.

③ t_1일 때 A의 d_3에서 Na^+이 세포 안으로 유입된다.

④ t_1일 때 A의 d_3에서의 막전위와 ㉠은 같다.

⑤ t_1일 때 B의 d_3에서 K^+이 세포 밖으로 다량 유출된다.

> 흥분 전도는 1회만 일어났고 흥분 발생 과정에서 과분극이 가장 마지막에 일어나므로, d_1 지점의 막전위는 과분극 상태이며, 흥분은 d_1 → d_4 방향으로 전도된다.

08 ❯흥분의 전도와 전달

그림 (가)는 두 뉴런에서 지점 B와 이 지점으로부터 같은 거리에 위치하는 두 지점 A와 C를, 그림 (나)는 B에 역치 이상의 자극을 가했을 때 A와 C에서의 막전위 변화를 나타낸 것이다.

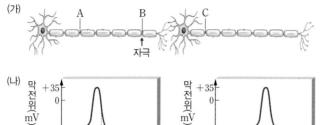

(가)

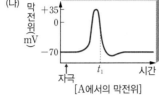

(나)

[A에서의 막전위]

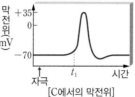

[C에서의 막전위]

이에 대한 설명으로 옳은 것만을 〈보기〉에서 있는 대로 고른 것은?

보기
ㄱ. t_1일 때 K^+의 막 투과도는 C에서가 A에서보다 크다.
ㄴ. t_1일 때 C에서 Na^+이 세포 안으로 이동한다.
ㄷ. 흥분의 이동 속도는 구간 B~C에서가 구간 A~B에서보다 느리다.

① ㄱ   ② ㄴ   ③ ㄱ, ㄷ   ④ ㄴ, ㄷ   ⑤ ㄱ, ㄴ, ㄷ

- 축삭 돌기를 통한 흥분 전도 속도보다 시냅스에서의 흥분 전달 속도가 더 느리다.

09 ❯말이집 신경과 민말이집 신경에서의 흥분 전도

그림 (가)는 신경 A~C를, 그림 (나)는 (가)의 P 지점에 역치 이상의 자극을 동시에 1회씩 준 후 Q 지점에서의 막전위 변화를 나타낸 것이다. (나)의 Ⅰ~Ⅲ은 각각 A~C의 막전위 변화 중 하나이고, t_1과 t_2는 Ⅰ~Ⅲ에서 같은 시점을 나타낸다.

(가)

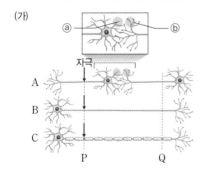

(나)

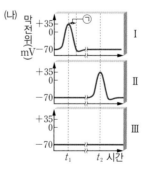

이에 대한 설명으로 옳지 <u>않은</u> 것은?

① 시냅스 소포는 ⓐ보다 ⓑ에 많다.
② A의 P 지점에 역치 이상의 자극을 주면 ⓐ까지 흥분이 전도된다.
③ A의 Q 지점에서 Na^+-K^+ 펌프의 작용으로 에너지가 소모된다.
④ C의 막전위 변화는 (나)의 Ⅰ이다.
⑤ 구간 ㉠에서 K^+의 농도는 세포 밖에서가 안에서보다 높다.

- 한 뉴런의 가지 돌기에서 다른 뉴런의 축삭 돌기 방향으로는 흥분이 전달되지 못하며, 민말이집 신경보다 말이집 신경의 흥분 전도 속도가 훨씬 빠르다.

10 ▶ 흥분 전달

그림 (가)는 시냅스로 연결된 두 뉴런을, 그림 (나)는 Ⅰ~Ⅲ의 조건일 때 ⓔ에서의 막전위 변화를 나타낸 것이다. 자극 A는 활동 전위를 발생시키지 않는다.

(가)

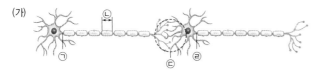

(나)

조건	Ⅰ	Ⅱ	Ⅲ
	⊙에 자극 A와 B를 순차적으로 줌	⊙에 자극 A를 준 후 ⓒ에 물질 X를 처리함	⊙에 자극 B를 준 후 ⓒ에 물질 Y를 처리함
ⓔ에서의 막전위 변화			

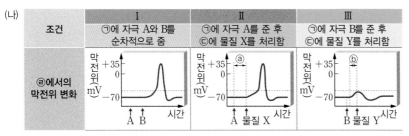

> 자극 B는 역치 이상의 세기이므로, 축삭 돌기 말단에서 신경 전달 물질을 분비하게 하고 시냅스 이후 뉴런을 흥분시켜 활동 전위가 발생하게 한다.

이에 대한 설명으로 옳은 것만을 〈보기〉에서 있는 대로 고른 것은?

보기
ㄱ. Ⅰ에서 자극 B를 주었을 때 ⓒ에서 활동 전위가 발생하지 않는다.
ㄴ. Ⅱ에서 구간 ⓐ 동안 ⓔ에서 Na^+-K^+ 펌프가 작동한다.
ㄷ. 물질 X는 시냅스 이후 뉴런에서 Na^+ 통로가 열리는 것을 억제한다.
ㄹ. Ⅲ에서 구간 ⓑ 동안 시냅스 이전 뉴런의 축삭 돌기 말단에서 신경 전달 물질이 분비된다.

① ㄱ, ㄴ　　② ㄴ, ㄹ　　③ ㄱ, ㄴ, ㄹ　　④ ㄴ, ㄷ, ㄹ　　⑤ ㄱ, ㄴ, ㄷ, ㄹ

11 ▶ 흥분성 시냅스와 억제성 시냅스

그림 (가)는 3개의 뉴런 A~C가 연결된 모습을, 그림 (나)는 A 또는 B에 역치 이상의 자극을 주었을 때 C에서의 막전위 변화를 나타낸 것이다.

(가)

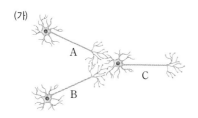

(나)

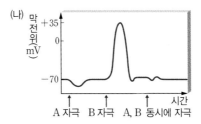

> A의 축삭 돌기 말단에서 분비되는 신경 전달 물질은 시냅스 이후 뉴런에 과분극을 일으켜 활동 전위의 발생을 억제하고, B의 축삭 돌기 말단에서 분비되는 신경 전달 물질은 시냅스 이후 뉴런에 탈분극을 일으켜 활동 전위를 발생시킨다.

이에 대한 설명으로 옳은 것만을 〈보기〉에서 있는 대로 고른 것은?

보기
ㄱ. A는 자극을 받아도 신경 전달 물질이 분비되지 않는다.
ㄴ. A에 더 강한 자극을 주면 C에서 활동 전위가 발생한다.
ㄷ. B에서 분비된 신경 전달 물질은 C에서 Na^+ 통로가 열리게 한다.

① ㄱ　　② ㄴ　　③ ㄷ　　④ ㄱ, ㄴ　　⑤ ㄴ, ㄷ

02 근육 수축의 원리

학습 Point　　근육의 종류 〉 골격근의 구조 〉 근육 수축의 원리 〉 근육 수축 과정에서 근육 원섬유 마디의 변화

① 근육의 종류

사람의 다양한 행동은 신경계로 입력된 정보에 따라 근육이 움직임으로써 일어난다. 근육에는 대뇌의 지배를 받아 의식적으로 조절이 가능한 골격근이 있고, 대뇌와 관계없이 무의식적으로 조절되는 심장근과 내장근이 있다.

1. 골격근

뼈에 붙어서 골격의 움직임을 일으키는 근육이다.

(1) **가로무늬근**: 골격근은 가로무늬가 있는 가로무늬근이며, 골격근을 구성하는 근육 섬유는 상대적으로 크고 길며 원통형이다. 각 근육 섬유들은 근육 전체 길이를 따라 나란히 잘 정렬되어 있어서 강한 힘으로 빠르게 수축할 수 있지만, 비교적 쉽게 피로해진다.

▲ 골격근

(2) **수의근**: 골격근은 대뇌의 지배를 받아 의식적으로 수축·이완이 조절되는 수의근이다.

2. 심장근

심장을 구성하는 근육이다.

(1) **가로무늬근**: 심장근은 가로무늬가 있는 근육 섬유로 이루어져 있지만, 골격근에 비해 가로무늬가 뚜렷하지 않다. 또, 민무늬근의 특성도 가지고 있어서 심장 박동과 같은 강한 수축을 지속적으로 할 수 있다.

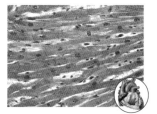
▲ 심장근

(2) **불수의근**: 심장근은 자율 신경의 지배를 받아 근육 수축이 무의식적으로 조절되는 불수의근이다.

3. 내장근

혈관이나 소화관과 같은 내장 기관을 구성하는 근육이다.

(1) **민무늬근**: 내장근은 가로무늬가 없는 민무늬근이며, 근육 섬유는 상대적으로 작고 양 끝이 뾰족한 원통형이다. 골격근에 비해 천천히 수축하고 이완하지만, 쉽게 피로해지지 않고 지속적으로 운동할 수 있다.

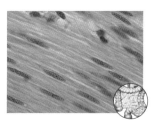
▲ 내장근

(2) **불수의근**: 내장근은 자율 신경의 지배를 받아 근육 수축이 무의식적으로 조절되는 불수의근이다.

근육의 구분

• 광학 현미경으로 관찰했을 때 밝은 띠와 어두운 띠가 교대로 나타나는 가로무늬근과 무늬가 없는 민무늬근으로 구분한다.

• 체성 신경계의 지배를 받아 의식적으로 조절할 수 있는 수의근(따를 隨, 의지 意, 근육 筋)과 자율 신경계의 지배를 받아 무의식적으로 조절되는 불수의근(아닐 不, 따를 隨, 의지 意, 근육 筋)으로 구분한다.

가로무늬근		민무늬근
골격근	심장근	내장근
수의근	불수의근	

근육 세포의 특징

근육을 구성하는 세포는 가는 실과 같이 길게 생겨서 근육 섬유라고도 한다. 골격근은 발생 과정에서 여러 개의 세포가 융합하여 하나의 세포를 형성하므로 여러 개의 핵을 가진 다핵 세포이지만, 심장근과 내장근은 하나의 세포에 1개의 핵만을 가진다.

2 골격근의 구조

골격근을 구성하는 근육 섬유(근육 세포)는 마이오신 필라멘트와 액틴 필라멘트가 규칙적으로 배열되어 있는 구조이다.

1. 골격근의 구조

(1) **골격근**: 평행하게 배열된 여러 개의 근육 섬유 다발로 이루어져 있으며, 각 근육 섬유(근육 세포)는 더 가는 여러 개의 근육 원섬유로 이루어져 있다. 근육 원섬유는 굵은 마이오신 필라멘트와 가는 액틴 필라멘트로 이루어져 있다.

(2) **근육 원섬유**: 밝고 어두운 띠가 연속적으로 반복되는 가로무늬를 나타낸다. 밝은 부분의 중앙에 수직으로 나타나는 선을 Z선이라고 하며, Z선을 기준으로 나누어지는 각각의 단위를 근육 원섬유 마디(근절)라고 한다. 근육 원섬유 마디는 근육 수축의 기본 단위이며, 마이오신으로 된 굵은 필라멘트와 액틴으로 된 가는 필라멘트가 일부분씩 겹쳐 배열된 구조이다.

① I대: 가는 액틴 필라멘트만 있어 밝게 보이는 부분으로, 명대라고도 한다.

② A대: 굵은 마이오신 필라멘트가 있어 어둡게 보이는 부분으로, 암대라고도 한다. A대의 길이는 마이오신 필라멘트의 길이에 해당한다.

③ H대: A대 중에서 액틴 필라멘트가 겹쳐 있지 않고 마이오신 필라멘트만 있는 부분으로, 조금 밝게 보인다. 마이오신 필라멘트의 가운데 부분에 해당한다.

④ M선: H대의 중앙에 수직으로 나타나는 진한 선으로, 마이오신 필라멘트와 연결되어 있어 이를 지지해 주는 역할을 한다.

⑤ Z선: I대의 중앙에 수직으로 나타나는 진한 선으로, 근육 원섬유 마디와 마디를 구분하는 경계선이다. 두 근육 원섬유 마디의 액틴 필라멘트와 연결되어 있어 근육 원섬유 마디를 지지해 주는 역할을 한다.

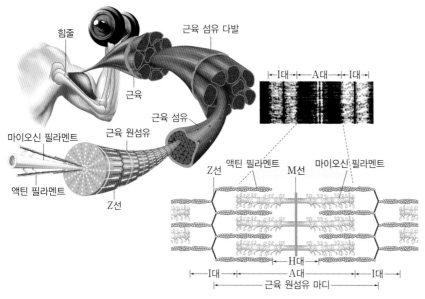

▲ **골격근의 구조**　골격근은 여러 개의 근육 섬유 다발로 이루어져 있고, 하나의 근육 섬유는 여러 개의 근육 원섬유로 이루어져 있다.

마이오신(myosin)과 액틴(actin)

마이오신 필라멘트는 마이오신 단백질, 액틴 필라멘트는 액틴 단백질로 이루어져 있는데, 마이오신의 마이오(myo~)는 '근육'을, 액틴의 액트(act~)는 '활성'을 의미한다. 마이오신에 액틴이 첨가되어야만 근육 수축이 일어나기 때문에 마이오신에 활성을 준다는 의미에서 액틴이라고 부르게 되었다.

근육 원섬유에서 각 이름의 유래

• I대(명대)는 빛이 골고루 반사된다는 의미의 Isotropic에서 유래하였다. '밝은'을 의미하는 light에서 두 번째 철자 I로 기억하면 쉽다.

• A대(암대)는 빛이 불규칙하게 반사된다는 의미의 Anisotropic에서 유래하였다. '어두운'을 의미하는 dark에서 두 번째 철자 A로 기억하면 쉽다.

• H대는 어두운 A대의 가운데 밝은 부위라 해서 '밝음'을 의미하는 독일어 helle (=bright)에서 유래하였다.

• M선은 H대의 중앙에 위치한 선이므로, middle의 의미이다.

• Z선은 어두운 좁은 영역으로, 두 근육 원섬유 마디 사이에서 양쪽의 액틴 필라멘트가 부착되는 '판의 사이'를 의미하는 독일어 zwischen scheibe(=between of disc)에서 유래하였다.

근육의 증가

성장기에 근육이 증가하는 것은 새로운 근육 원섬유 마디가 추가되어 길이가 증가하는 것이다. 그런데 성인이 되어 운동을 통해 근육이 증가하는 것은 근육 원섬유 마디의 폭과 두께가 증가하는 것이다.

힘줄

뼈와 근육 사이를 연결하는 질긴 결합 조직을 말한다. 뼈와 뼈 사이를 연결하는 결합 조직은 인대이다.

2. 골격근의 작용

골격근은 양 끝이 서로 다른 뼈에 붙어 있어서 골격근이 수축하면 뼈대를 움직일 수 있다. 골격근은 수축할 때 힘을 발휘하지만 이완할 때는 힘을 발휘하지 않으므로, 뼈대에는 두 가지 골격근이 쌍으로 부착되어 있어 서로 반대로 작용한다.

팔을 굽힐 때 — 이두박근 / 삼두박근
이두박근이 수축하고 삼두박근이 이완하여 팔을 들어 올린다.

팔을 펼 때
이두박근이 이완하고 삼두박근이 수축하여 팔을 내린다.

▲ **골격근의 운동** 위팔에서 쌍을 이루고 있는 골격근은 한쪽이 수축하면 다른 쪽은 이완하여 팔을 들어 올리거나 내린다.

③ 근육 수축의 원리

골격근의 수축 원리는 액틴 필라멘트가 마이오신 필라멘트 사이로 미끄러져 들어가 근육 원섬유 마디의 길이가 짧아지면서 근육 수축이 일어난다는 활주설로 설명한다.

1. 활주설(sliding theory)

근육 수축은 액틴 필라멘트가 마이오신 필라멘트 사이로 미끄러져 들어가 근육 원섬유 마디의 길이가 짧아지면서 일어난다고 설명하는 이론을 활주설이라고 한다. 근육이 수축할 때 액틴 필라멘트와 마이오신 필라멘트의 길이는 변하지 않고, 액틴 필라멘트가 마이오신 필라멘트 사이로 미끄러져 들어가므로 두 필라멘트가 겹치는 부분이 늘어나면서 근육 원섬유 마디의 길이가 짧아지고 근육 섬유의 길이도 짧아진다.

2. 근육 수축 과정

(1) **운동 뉴런에서 아세틸콜린 분비:** 하나의 운동 뉴런은 여러 개의 축삭 돌기 말단이 근육 섬유막과 시냅스처럼 좁은 간격을 두고 접해 있다. 흥분이 운동 뉴런을 따라 전도되어 활동 전위가 축삭 돌기 말단에 도달하면 시냅스 소포에서 신경 전달 물질인 아세틸콜린이 분비된다.

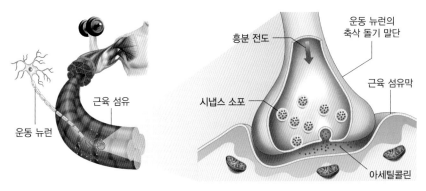

운동 뉴런 / 근육 섬유

흥분 전도 / 운동 뉴런의 축삭 돌기 말단 / 근육 섬유막 / 시냅스 소포 / 아세틸콜린

▲ **근육으로의 흥분 전달** 운동 뉴런의 축삭 돌기 말단에서 아세틸콜린이 분비되어 근육으로 흥분이 전달된다.

(2) **근육 섬유막의 탈분극:** 아세틸콜린이 확산되어 근육 섬유막의 수용체에 결합하면 탈분극이 유도되어 근육 섬유막에서 활동 전위가 발생한다.

(3) **근소포체에서 Ca^{2+} 방출:** 활동 전위가 근육 섬유의 근소포체에 도달하면 Ca^{2+} 통로가 열리고 근소포체에 저장되어 있던 Ca^{2+}이 세포질로 방출된다.

(4) **Ca^{2+}이 액틴 필라멘트에 결합:** Ca^{2+}이 액틴 필라멘트에 결합하면 마이오신 필라멘트와 결합할 수 있는 부위가 드러난다.

(5) **마이오신 필라멘트가 액틴 필라멘트와 결합하여 끌어당김(활주):** 마이오신 필라멘트가 액틴 필라멘트와 결합하여 ATP를 소모하면서 액틴 필라멘트를 끌어당기고, 액틴 필라멘트가 마이오신 필라멘트 사이로 미끄러져 들어가 근육 원섬유 마디의 길이가 짧아지면서 근육 원섬유가 수축한다.

➡ 근육 수축이 일어나면 근육 원섬유 마디, I대, H대의 길이는 모두 짧아지지만, A대의 길이는 변화 없다.

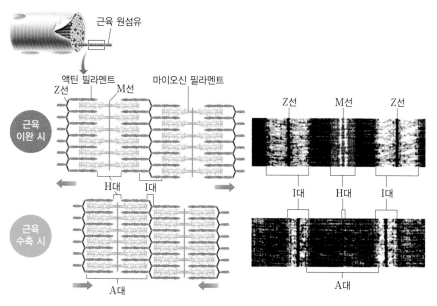

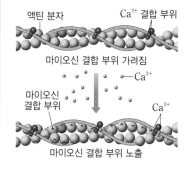

구분		액틴 필라멘트	마이오신 필라멘트	A대	근육 원섬유 마디	I대	H대
길이 변화	근육 이완	변화 없다.			길어진다.		
	근육 수축	변화 없다.			짧아진다.		

▲ **근육 수축의 원리** 근육이 수축할 때는 액틴 필라멘트가 마이오신 필라멘트 사이로 미끄러져 들어가 근육 원섬유 마디의 길이가 짧아진다. 이때 ATP가 소모된다.

3. 근육 이완 과정

(1) **근소포체에 의한 Ca^{2+}의 재흡수:** 활동 전위가 사라지면 세포질 내의 Ca^{2+}은 능동 수송에 의해 근소포체로 흡수된다.

(2) **근육의 이완:** 액틴 필라멘트에 결합했던 Ca^{2+}이 사라지면 마이오신 필라멘트 결합 부위가 다시 가려지고, 그에 따라 근육 수축은 종료되고 액틴 필라멘트는 원래의 위치로 되돌아가 근육이 이완한다.

근소포체
근육 섬유에 있는 소포체로, Ca^{2+}을 저장하고 있다. 근육 섬유막에 연결된 관을 끼고 발달되어 있어서 근육 섬유막의 탈분극으로 생긴 활동 전위가 근소포체로 잘 전달된다.

액틴 필라멘트와 Ca^{2+}
근육이 휴식 상태에 있을 때는 액틴 필라멘트에서 마이오신 필라멘트와 결합하는 부위가 가려져 있지만, Ca^{2+}이 액틴 필라멘트에 결합하면 마이오신 필라멘트와의 결합 부위가 노출된다.

근육 수축이 일어날 때 A대의 길이가 변하지 않는 까닭
근육 수축은 가는 액틴 필라멘트가 굵은 마이오신 필라멘트 사이로 미끄러져 들어가 두 필라멘트가 겹치는 부분이 늘어나면서 일어난다. 따라서 마이오신 필라멘트와 액틴 필라멘트의 길이는 변하지 않으므로, 근육 수축이 일어나더라도 마이오신 필라멘트가 있어서 어둡게 보이는 A대의 길이는 변하지 않는다.

근육 수축 과정과 에너지 공급

근육이 수축할 때 근육 원섬유 마디의 중심을 향해 액틴 필라멘트가 마이오신 필라멘트 사이로 미끄러져 들어간다. 이 과정은 마이오신 필라멘트가 액틴 필라멘트를 끌어당겨 일어나는데, ATP를 에너지원으로 이용한다. 마이오신 필라멘트가 액틴 필라멘트를 끌어당기는 원리와 근육 수축에 필요한 에너지가 어떤 방법으로 공급되는지 알아보자.

❶ 근육 수축에서 마이오신 필라멘트와 액틴 필라멘트의 상호 작용

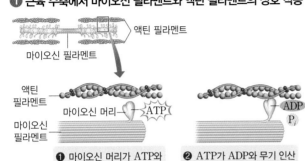

액틴 필라멘트

마이오신 필라멘트

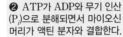

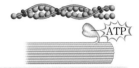

액틴 필라멘트

마이오신 머리 ATP

마이오신 필라멘트

❶ 마이오신 머리가 ATP와 결합한다.

❷ ATP가 ADP와 무기 인산(P_i)으로 분해되면서 마이오신 머리가 액틴 분자와 결합한다.

❸ 마이오신 머리가 굽어져 액틴 필라멘트를 중심 방향으로 끌어당긴다.

❹ 마이오신 머리가 새로운 ATP와 결합하면 액틴 필라멘트에서 떨어지고 새로운 근육 수축 과정이 시작된다.

근소포체에서 Ca^{2+}이 방출되어 액틴 필라멘트에 결합하면 마이오신 필라멘트가 액틴 필라멘트와 결합하는데, 이때 마이오신 머리가 근육 수축에 원동력을 제공하는 에너지 반응의 중심이 된다. 즉, 마이오신 머리가 ATP와 결합한 후 ATP가 가수 분해되면 마이오신 머리가 액틴 필라멘트와 결합하여 액틴 필라멘트를 근육 원섬유 마디의 중심 쪽으로 끌어당긴다. 그 후 마이오신 머리가 새로운 ATP와 결합하면 액틴 필라멘트에서 분리되며, 이러한 순환을 반복하면서 근육 수축이 일어난다.

❷ 근육 수축에 필요한 ATP의 공급

근육 수축에 직접 이용되는 에너지원은 ATP이다. 각 근육 섬유에는 3초 정도 수축을 지속할 수 있는 ATP만 저장되어 있으므로, 근육 운동이 지속적으로 일어나기 위해서는 ATP를 근육 섬유에 계속 공급해야 한다. 근육 섬유에는 이를 위한 몇 가지 방법이 있다.

(1) **크레아틴 인산의 이용**: 근육 섬유에 저장된 ATP가 고갈되면 근육에 저장되어 있던 크레아틴 인산이 크레아틴과 인산으로 분해되면서 ADP에 인산기를 공급하여 신속하게 ATP를 합성한다.

(2) **포도당의 산화**: 크레아틴 인산의 양이 감소하면 포도당을 산화시켜 ATP를 합성하는데, 이때 근육에 산소가 충분히 공급되면 산소 호흡으로, 산소가 부족하면 무산소 호흡으로 ATP를 합성한다.

① **산소 호흡**: 산소를 이용하여 포도당이 산화되면 포도당이 물과 이산화 탄소로 분해되는데, 이때 다량의 ATP가 합성된다.

② **무산소 호흡(젖산 발효)**: 산소 없이 포도당이 분해되면 부산물로 젖산이 생성되는데, 이때 소량의 ATP가 합성된다.

근육 수축에 필요한 에너지 공급
산소 없이 근육 수축에 필요한 ATP를 공급하는 과정은 그림과 같이 나타낼 수 있다. 그러나 무산소 호흡에 의한 ATP 공급으로는 운동을 오래 지속할 수 없으므로, 산소 호흡에 의해 ATP를 공급받아야 한다.

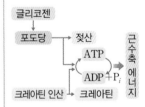

근육의 피로와 회복
운동 후 피로를 느끼는 것은 근육에 많은 양의 젖산이 축적되었기 때문이다. 휴식을 취하면서 산소가 충분히 공급되면 젖산이 산소 호흡으로 분해되거나 글리코젠으로 재합성되면서 제거되어 피로가 풀린다.

02 근육 수축의 원리

1. 항상성과 몸의 기능 조절

① 근육의 종류

1. **골격근** 가로무늬근이며, 대뇌의 지배를 받아 의식적으로 조절할 수 있는 (**①**   )으로, 다핵 세포로 되어 있다.

2. **심장근** 가로무늬근이며, 자율 신경의 지배를 받아 무의식적으로 조절되는 불수의근이다.

3. **내장근** 가로무늬가 없는 (**②**   )이며, 자율 신경의 지배를 받아 무의식적으로 조절되는 불수의근이다.

② 골격근의 구조

1. **골격근의 구조**

• 골격근은 평행하게 배열된 여러 개의 근육 섬유 다발로 이루어져 있고, 각 근육 섬유는 여러 개의 근육 원섬유로 이루어져 있다.

• 근육 원섬유는 굵은 (**③**   ) 필라멘트와 가는 (**④**   ) 필라멘트로 이루어져 있다.

2. **근육 원섬유 마디** 근육 수축의 기본 단위로, 근육 원섬유 마디가 반복되어 근육 원섬유를 이룬다.

• (**⑤**   )(명대): 가는 액틴 필라멘트만 있어 밝게 보이는 부분이다.

• (**⑥**   )(암대): 굵은 마이오신 필라멘트가 있어 어둡게 보이는 부분이다.

• H대: A대 중에서 마이오신 필라멘트만 있는 부분이다.

③ 근육 수축의 원리

1. **근육 수축의 원리**

• (**⑦**   ): 액틴 필라멘트가 마이오신 필라멘트 사이로 미끄러져 들어가 근육 원섬유 마디의 길이가 짧아지면서 근육 수축이 일어난다는 이론이다.

• 근육 수축 과정: 운동 뉴런의 축삭 돌기 말단에서 아세틸콜린 분비 → 근육 섬유막이 탈분극되어 활동 전위 발생 → 근소포체에서 Ca^{2+} 방출 → Ca^{2+}이 액틴 필라멘트에 결합 → 마이오신 필라멘트가 ATP를 소모하면서 액틴 필라멘트를 끌어당김 → 근육 원섬유 마디의 길이가 짧아지면서 근육 원섬유가 수축

2. **근육 수축과 이완에 따른 근육 원섬유 마디의 변화**

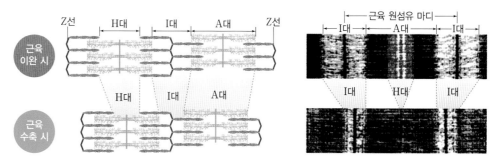

구분	길이 변화	
	근육 이완	근육 수축
액틴 필라멘트, 마이오신 필라멘트, A대	변화 없다.	(**⑧**)
근육 원섬유 마디, I대, H대	길어진다.	(**⑨**)

01 그림은 세 종류의 근육 (가)~(다)를 나타낸 것이다.

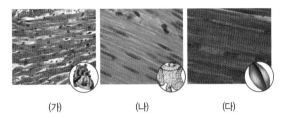

(가)　　　　　(나)　　　　　(다)

다음 설명에 해당하는 것을 위 그림에서 있는 대로 골라 쓰시오.

(1) 가로무늬근이면서 수의근이다.

(2) 민무늬근이면서 불수의근이다.

(3) 자율 신경의 조절을 받아 수축이 일어난다.

(4) 근육 섬유는 여러 개의 핵을 가진 다핵 세포이다.

02 그림은 골격근을 구성하는 근육 원섬유의 구조를 나타낸 것이다.

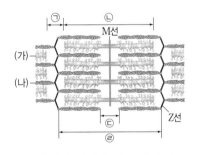

(1) 근육 수축의 기본 단위가 되는 것의 기호와 이름을 쓰시오.

(2) 필라멘트 (가)와 (나)는 각각 무엇인지 쓰시오.

(3) A대, I대, H대에 해당하는 부분의 기호를 각각 쓰시오.

(4) 근육 섬유에 활동 전위가 발생하였을 때, ㉠과 ㉡의 길이는 각각 어떻게 변하는지 쓰시오.

03 그림은 골격근이 수축 또는 이완할 때 근육 원섬유 마디의 변화를 나타낸 것이다.

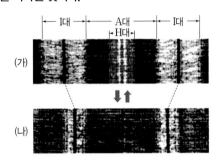

(1) 운동 뉴런의 축삭 돌기 말단에서 아세틸콜린이 분비되면 ㉠(　　　　)에서 ㉡(　　　　)로 변한다.

(2) (가)에서 (나)로 될 때 I대와 H대의 길이는 각각 어떻게 변하는지 쓰시오.

04 그림은 팔을 구부렸을 때 골격근을 구성하는 근육 섬유와 근육 원섬유의 구조를 나타낸 것이다.

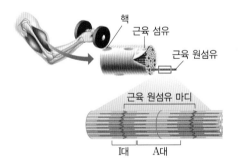

이에 대한 설명으로 옳은 것만을 〈보기〉에서 있는 대로 고르시오.

보기
ㄱ. I대와 A대에 모두 액틴 필라멘트가 존재한다.
ㄴ. 골격근의 근육 섬유는 여러 개의 핵을 가진 세포이다.
ㄷ. 근육 원섬유 마디의 길이는 $\dfrac{\text{I대의 길이}+\text{A대의 길이}}{2}$ 이다.

05 그림은 근육 원섬유 마디 X의 구조와 X의 A~C 지점을 화살표(→) 방향으로 자른 단면을 나타낸 것이다. ㉠~㉢은 각각 A~C의 단면 중 하나에 해당한다.

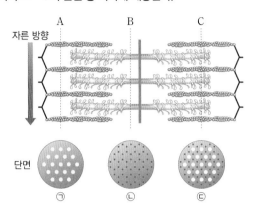

A~C의 단면에 해당하는 것을 각각 쓰시오.

06 그림은 사람의 팔에 있는 근육을 나타낸 것이다.
이에 대한 설명으로 옳은 것만을 〈보기〉에서 있는 대로 고르시오.

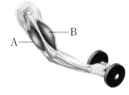

보기
ㄱ. A는 가로무늬근이다.
ㄴ. B는 대뇌의 조절을 받아 수축·이완한다.
ㄷ. 팔을 굽힐 때 A는 수축하고 B는 이완한다.

07 다음은 근육의 수축 과정을 순서 없이 나열한 것이다.

(가) 근육 섬유막이 탈분극되어 활동 전위가 발생한다.
(나) 마이오신 필라멘트가 액틴 필라멘트를 끌어당긴다.
(다) 운동 뉴런의 축삭 돌기 말단에서 아세틸콜린이 분비된다.
(라) 근소포체에서 Ca^{2+}이 방출되어 액틴 필라멘트에 결합한다.
(마) 근육 원섬유 마디의 길이가 짧아지면서 근육 원섬유가 수축한다.

(가)~(마)를 순서대로 옳게 나열하시오.

08 다음은 어떤 근육에 대한 자료이다.

- 표는 골격근의 근육 원섬유 마디 X가 수축하는 과정에서 두 시점 (가)와 (나)일 때 H대와 A대의 길이를 나타낸 것이다.

시점	H대의 길이	A대의 길이
(가)	$0.7 \, \mu m$	$1.3 \, \mu m$
(나)	㉠	㉡

- (나)에서 근육 원섬유를 전자 현미경으로 관찰했을 때, X에서 액틴 필라멘트와 마이오신 필라멘트가 겹치는 부분의 총 길이는 $0.8 \, \mu m$였다.

(1) (가)와 (나) 중 근육이 더 수축한 상태를 쓰시오.

(2) (가)와 (나) 중 I대의 길이가 더 짧은 것을 쓰시오.

(3) ㉠과 ㉡을 합한 값은 얼마인지 쓰시오.

09 그림은 사람의 팔에 있는 근육과 근육에 분포한 뉴런을 나타낸 것이다.

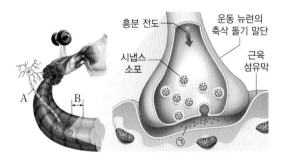

이에 대한 설명으로 옳은 것만을 〈보기〉에서 있는 대로 고르시오.

보기
ㄱ. A는 구심성 뉴런이다.
ㄴ. A의 말단에서 분비되는 물질 ㉠은 아세틸콜린이다.
ㄷ. ㉠에 의해 근육 섬유막이 탈분극되면 B의 길이는 짧아진다.

01 ❯ 근육의 종류와 특징

그림은 사람의 몸에 있는 어떤 근육을 현미경으로 관찰한 모습을 나타낸 것이다.

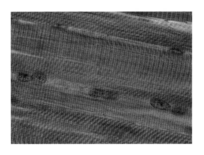

이에 대한 설명으로 옳지 <u>않은</u> 것은?

① 가로무늬가 반복적으로 관찰된다.

② 세포마다 여러 개의 핵이 들어 있다.

③ 뼈에 붙어서 골격의 움직임에 관여한다.

④ 내장근에 비해 지속적인 운동이 가능하다.

⑤ 일반적으로 대뇌의 조절을 받아 수축 · 이완이 일어난다.

> 근육에는 골격근, 심장근, 내장근의 세 종류가 있다.

02 ❯ 근육 원섬유 마디의 단면

그림은 근육 원섬유 마디의 서로 다른 세 지점에서의 단면 구조를 나타낸 것이다. ㉠과 ㉡은 각각 액틴 필라멘트와 마이오신 필라멘트 중 하나이다.

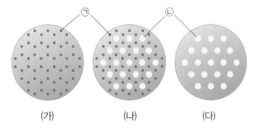

(가)   (나)   (다)

이에 대한 설명으로 옳은 것만을 〈보기〉에서 있는 대로 고른 것은?

보기
ㄱ. ㉠은 액틴 필라멘트이고, ㉡은 마이오신 필라멘트이다.
ㄴ. (가)는 Ⅰ대의 단면이다.
ㄷ. 근육이 수축하면 단면이 (다)인 부위의 길이가 짧아진다.

① ㄱ   ② ㄴ   ③ ㄱ, ㄴ   ④ ㄴ, ㄷ   ⑤ ㄱ, ㄴ, ㄷ

> 액틴 필라멘트는 굵기가 가늘어 밝게 보이고, 마이오신 필라멘트는 굵기가 굵어 어둡게 보인다.

03 > 골격근의 수축과 이완

그림은 골격근의 수축, 이완 과정에서 일어나는 근육 원섬유 마디의 변화를 나타낸 것이다.

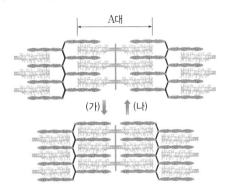

이에 대한 설명으로 옳은 것만을 〈보기〉에서 있는 대로 고른 것은?

> 보기
> ㄱ. (가)는 근육 수축, (나)는 근육 이완이다.
> ㄴ. (나)가 일어날 때 마이오신 필라멘트에서 ATP가 소모된다.
> ㄷ. (나)가 일어나면 근육 원섬유 마디에서 $\dfrac{\text{H대의 길이}}{\text{A대의 길이}}$가 작아진다.

① ㄱ   ② ㄴ   ③ ㄱ, ㄷ   ④ ㄴ, ㄷ   ⑤ ㄱ, ㄴ, ㄷ

· 근육이 수축하면 근육 원섬유 마디의 길이가 짧아지고, 근육이 이완하면 근육 원섬유 마디의 길이가 다시 원래대로 길어진다.

04 > 골격근의 수축과 근육 원섬유 마디의 변화

그림 (가)는 구부렸던 팔을 펴는 것을, 그림 (나)는 근육 ⓐ의 근육 원섬유를 나타낸 것이다. ⊙~©은 각각 근육 원섬유에서 A대, I대, H대 중 하나이다.

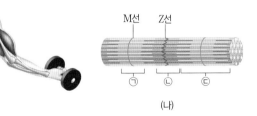

(가)   (나)

이에 대한 설명으로 옳은 것만을 〈보기〉에서 있는 대로 고른 것은?

> 보기
> ㄱ. ⊙은 I대이고, ©은 H대이다.
> ㄴ. 팔을 펴는 동안 ⓐ의 근육 원섬유 마디의 길이는 길어진다.
> ㄷ. 팔을 펴는 동안 ©의 길이는 변하지 않는다.

① ㄱ   ② ㄷ   ③ ㄱ, ㄴ   ④ ㄴ, ㄷ   ⑤ ㄱ, ㄴ, ㄷ

· 근육 ⓐ는 이두박근이며, 팔을 펼 때 이 근육은 이완한다.

05 ▶ 근육 원섬유 마디

그림 (가)는 골격근의 근육 원섬유 마디를, 그림 (나)의 A~C는 (가)의 서로 다른 세 지점에서 화살표(→) 방향으로 자른 단면을 나타낸 것이다.

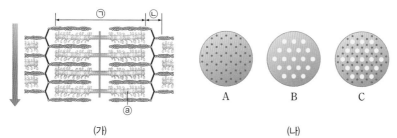

(가) (나)

> 근육 원섬유에서 굵은 마이오신 필라멘트가 있는 부분은 A대이고, 가는 액틴 필라멘트만으로 되어 있는 부분은 I대이다. H대는 A대 중에서 액틴 필라멘트가 겹쳐 있지 않고 마이오신 필라멘트만 있는 가운데 부분이다.

이에 대한 설명으로 옳지 <u>않은</u> 것은?

① ⓐ는 마이오신 필라멘트이다.

② 근육 원섬유 마디의 길이는 ㉠+㉡의 길이와 같다.

③ A는 ㉠ 부위의 단면에 해당한다.

④ 골격근이 이완하면 ㉡의 길이가 길어진다.

⑤ 골격근이 수축하면 $\dfrac{㉠의\ 길이}{㉡의\ 길이}$ 는 커진다.

06 ▶ 근육 운동과 근육 원섬유 마디의 변화

그림은 무릎을 고무망치로 가볍게 쳤을 때 일어나는 반응을, 표는 무릎을 고무망치로 치기 전과 친 후에 근육 X와 Y 중 하나를 구성하는 근육 원섬유에서 ㉠과 ㉡의 길이를 나타낸 것이다. ㉠과 ㉡은 각각 A대와 I대 중 하나이다.

> 무릎을 고무망치로 치면 근육 X는 수축하고 근육 Y는 이완하여 다리가 위로 올라간다.

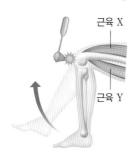

근육 X
근육 Y

구분	길이(μm)	
	㉠	㉡
고무망치로 치기 전	0.5	1.5
고무망치로 친 후	1.1	1.5

이에 대한 설명으로 옳은 것만을 〈보기〉에서 있는 대로 고른 것은?

보기
ㄱ. 표는 X의 근육 원섬유에 대한 자료이다.
ㄴ. ㉠에는 액틴 필라멘트만 존재한다.
ㄷ. ㉡은 A대이다.

① ㄱ   ② ㄷ   ③ ㄱ, ㄴ   ④ ㄴ, ㄷ   ⑤ ㄱ, ㄴ, ㄷ

07

다음은 골격근의 구성과 수축에 대한 자료이다.

- 골격근은 여러 개의 근육 섬유 다발로 이루어져 있고, 하나의 근육 섬유는 여러 개의 근육 원섬유로 이루어져 있다.
- 표는 골격근 수축 과정의 두 시점 ⓐ와 ⓑ에서 근육 원섬유 마디 X의 길이를, 그림은 ⓐ일 때 근육 원섬유 마디 X의 구조를 나타낸 것이다. 근육 원섬유 마디 X는 좌우 대칭이다.

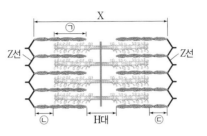

시점	X의 길이(μm)
ⓐ	2.6
ⓑ	2.4

- ⓐ일 때 ⓛ과 ⓒ의 길이의 합은 0.6 μm이고, H대의 길이는 0.2 μm이다.

이에 대한 설명으로 옳은 것만을 〈보기〉에서 있는 대로 고른 것은?

보기
ㄱ. ⓐ에서 ⓑ로 될 때 ATP가 소모된다.
ㄴ. ⓑ일 때 'ⓛ의 길이+ⓒ의 길이'는 0.4 μm이다.
ㄷ. 'ⓣ의 길이+ⓛ의 길이'는 ⓐ일 때와 ⓑ일 때가 같다.

① ㄱ
② ㄷ
③ ㄱ, ㄴ
④ ㄴ, ㄷ
⑤ ㄱ, ㄴ, ㄷ

• 근육 원섬유 마디 X의 길이는 ⓐ일 때보다 ⓑ일 때 더 짧으므로, ⓐ일 때보다 ⓑ일 때 근육이 더 수축한 상태이다.

08 ▷ 근육 수축의 에너지원

그림은 근육 수축에 필요한 에너지를 공급하는 과정을 나타낸 것이다.

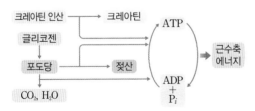

이에 대한 설명으로 옳은 것만을 〈보기〉에서 있는 대로 고른 것은?

보기
ㄱ. 운동할 때 근육 섬유에 크레아틴 인산이 축적된다.
ㄴ. 근육 수축에 필요한 에너지는 ATP로부터 공급된다.
ㄷ. 산소 공급이 부족할 때 글리코젠은 젖산으로 분해되어 ATP를 합성한다.

① ㄱ
② ㄴ
③ ㄷ
④ ㄱ, ㄴ
⑤ ㄴ, ㄷ

• 운동을 할 때는 크레아틴 인산과 글리코젠이 분해되어 근육 수축에 필요한 에너지를 공급한다.

03 신경계

학습 Point　신경계의 구성 〉 중추 신경계의 구조와 기능 〉 의식적인 반응과 무조건 반사 〉 체성 신경계와 자율 신경계의 비교 〉 교감 신경과 부교감 신경의 구조와 기능

1 신경계의 구성

사람의 신경계는 수많은 뉴런이 머리와 몸 중앙에 집중되어 중추 신경계인 뇌와 척수를 이루고, 뇌와 척수에서 온몸으로 신경 다발이 나와 복잡한 신경망을 형성한다.

1. 신경계

신경계는 감각 기관이나 내장 기관에서 보내는 정보를 받아들이고, 전달된 정보를 분석하여 적절한 명령을 내리며, 이 명령을 반응기에 전달하는 기관계이다. 또, 체내외의 환경 변화에 대해 체내 상태를 일정하게 유지하는 데 관여하는 기관계이다. 사람의 신경계는 중추 신경계와 말초 신경계로 구분한다.

(1) **중추 신경계**: 뇌와 척수로 구성되며, 감각 기관에서 받아들인 자극을 종합하여 분석하고 그에 따른 행동을 조절함으로써 적절한 반응을 나타내도록 한다.

(2) **말초 신경계**: 온몸에 퍼져 있으며, 감각 기관에서 받아들인 자극을 중추 신경계로 전달하고 중추 신경계의 명령을 근육이나 분비샘과 같은 반응기로 전달한다. 뇌에 연결된 12쌍의 뇌 신경과 척수에 연결된 31쌍의 척수 신경으로 이루어져 있다.

신경계의 구성
중추 신경계는 주로 연합 뉴런으로 이루어져 있고, 말초 신경계는 구심성 뉴런(감각 뉴런)과 원심성 뉴런(운동 뉴런)으로 이루어져 있다.

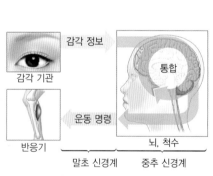

▲ 신경계에 의한 정보 전달

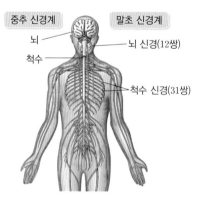

▲ 사람의 신경계

2 중추 신경계

중추 신경계는 수많은 뉴런이 밀집되어 있어 정보 전달의 중심이 되는 곳으로, 수용한 자극을 통합하여 온몸의 작용을 조절한다. 중추 신경계는 두개골로 둘러싸인 뇌와 척추로 둘러싸인 척수로 구성되어 있다.

1. 뇌

사람의 뇌는 두개골로 둘러싸여 있으며, 무게가 몸무게의 2 % 정도밖에 안 되지만 평상시 몸 전체 산소 소비량의 20 %를 소비하고 심장에서 나오는 혈액의 20 %가 흐른다. 뇌는 대뇌, 소뇌, 간뇌, 중간뇌, 뇌교, 연수 등으로 구성되는데, 중간뇌, 뇌교, 연수를 합쳐 뇌줄기(뇌간)라고 한다. 뇌줄기는 생명 유지에 중요한 역할을 하므로, 이 부위를 다치면 생명을 잃을 수 있다.

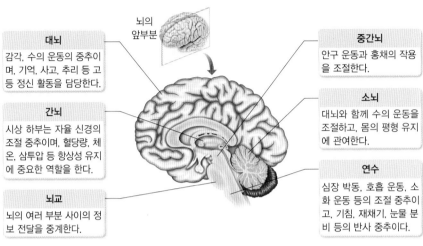

대뇌
감각, 수의 운동의 중추이며, 기억, 사고, 추리 등 고등 정신 활동을 담당한다.

간뇌
시상 하부는 자율 신경의 조절 중추이며, 혈당량, 체온, 삼투압 등 항상성 유지에 중요한 역할을 한다.

뇌교
뇌의 여러 부분 사이의 정보 전달을 중계한다.

중간뇌
안구 운동과 홍채의 작용을 조절한다.

소뇌
대뇌와 함께 수의 운동을 조절하고, 몸의 평형 유지에 관여한다.

연수
심장 박동, 호흡 운동, 소화 운동 등의 조절 중추이고, 기침, 재채기, 눈물 분비 등의 반사 중추이다.

▲ **뇌의 구조와 기능**

(1) **대뇌:** 사람 뇌의 대부분을 차지하며, 표면에는 주름이 많아 표면적이 매우 넓다. 대뇌는 겉질과 속질로 구분한다. 겉질은 주로 뉴런의 신경 세포체가 모여 있어 회색을 띠는 부분으로 회색질이라고 하며, 뉴런 사이에 시냅스가 밀집해 있어 시냅스를 통한 자극의 통합이 활발하게 이루어진다. 속질은 주로 축삭 돌기가 모여 있어 흰색을 띠는 부분으로 백색질이라고 한다.

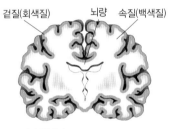

겉질(회색질)   뇌량   속질(백색질)

▲ **대뇌의 횡단면**

① 대뇌는 감각과 수의 운동의 중추이고, 기억, 사고, 감정, 추리, 언어 등 고등 정신 활동의 중추이며, 이러한 기능은 대부분 겉질에서 일어난다. 겉질은 위치에 따라 전두엽, 두정엽, 측두엽, 후두엽으로 구분하고, 기능에 따라 감각령, 연합령, 운동령으로 구분한다.
• 감각령: 감각 기관에서 오는 정보를 받아들여 시각, 청각, 후각, 미각 등의 감각을 일으킨다.
• 연합령: 감각령에 들어온 정보를 통합·분석하고 판단하여 필요한 명령을 운동령에 전달하며, 기억, 사고, 추리 등 고등 정신 활동을 담당한다.
• 운동령: 연합령의 명령을 받아 골격근의 수축으로 일어나는 수의 운동을 조절한다.
② 대뇌는 좌우 2개의 반구로 나누어져 있다. 좌반구는 몸의 오른쪽에서 오는 정보를 받아들이고 몸의 오른쪽 움직임을 담당하며, 우반구는 몸의 왼쪽에서 오는 정보를 받아들이고 몸의 왼쪽 움직임을 담당한다.

뇌와 시냅스
사람의 뇌는 10^9개~10^{11}개의 뉴런으로 구성되어 있다. 대부분의 뉴런은 보통 1000개 또는 그 이상의 시냅스로부터 정보를 전달받으므로, 우리 뇌에는 10^{14}개에 이르는 시냅스가 존재한다. 이러한 막대한 뉴런의 네트워크에 의해 우리 뇌는 수많은 정보를 처리할 수 있다.

겉질과 속질
• 겉질: 기관의 겉 부분을 의미한다. 대뇌의 겉질은 회색질이고, 척수의 겉질은 백색질이다.
• 속질: 겉질과는 반대로 기관의 속 부분을 의미한다. 대뇌의 속질은 백색질이고, 척수의 속질은 회색질이다.

대뇌 겉질의 주름
사람은 태아 시기에 대뇌 겉질이 급격히 확장되면서 한정된 공간에 자리 잡기 위해 주름이 많아진다. 그 결과 대뇌 겉질의 두께는 5 mm 미만이지만 표면적은 약 1000 cm² 에 이를 정도로 매우 넓다.

수의 운동
팔다리 등을 움직이는 골격근의 움직임과 같이 사람의 의지에 따라 이루어지는 운동이다. 대뇌에서 조절한다.

대뇌 좌우 반구 사이의 정보 교환
대뇌는 좌우 반구로 나누어져 있으며, 그 사이에는 축삭 돌기의 집합체인 뇌량이 존재한다. 좌우 반구는 뇌량을 통해 정보를 서로 교환하여 조화롭게 기능을 수행한다.

사선 집중 ★ 대뇌 겉질의 기능

그림 (가)는 대뇌 겉질의 부위별 기능을, 그림 (나)는 사람이 여러 가지 활동을 할 때 대뇌 겉질에서 활성화되는 부위를 나타낸 것이다. 붉은색이 가장 활발하게 반응하는 부위이며, 보라색으로 갈수록 반응이 약한 부위이다.

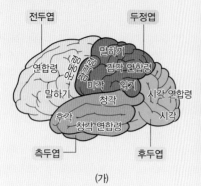

(가)

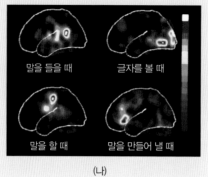

(나)

❶ 말을 들을 때는 측두엽의 청각 중추, 글자를 볼 때는 후두엽의 시각 중추, 말을 할 때와 말을 만들어 낼 때는 언어(말하기) 중추가 활발하게 반응한다.

❷ 말하기와 같은 언어 중추는 한 부분에만 있지 않고 전두엽과 두정엽에 있으며, 말하기 중추와 읽기 중추는 구분되어 있다.

❸ 대뇌 겉질은 부위에 따라 서로 다른 기능을 하도록 분업화되어 있으므로, 사람의 활동에 따라 활발하게 반응하는 부위가 다르다.

---

(2) **소뇌:** 대뇌의 뒤쪽 아래에 있으며, 대뇌 다음으로 크고, 대뇌와 마찬가지로 좌우 2개의 반구로 이루어져 있다. 소뇌는 직접 수의 운동을 일으키지는 못하지만, 대뇌와 함께 수의 운동이 정확하고 원활하게 일어날 수 있도록 조절하는 역할을 한다. 또, 내이의 평형 감각 기관에서 오는 감각 정보를 받아 몸의 자세를 바로잡고 평형을 유지하는 역할을 한다.

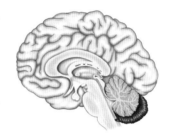

▲ 소뇌의 위치

(3) **간뇌:** 대뇌의 아래쪽과 중간뇌 사이에 있으며, 시상과 시상 하부로 구분한다.

① **시상:** 후각 자극을 제외한 모든 감각 기관에서 오는 자극을 대뇌 겉질의 각 부분으로 선별하여 보내는 중계소 역할을 한다.

② **시상 하부:** 자율 신경계와 내분비계의 조절 중추로, 혈당량 조절, 체온 조절, 삼투압 조절 등 체내의 항상성 유지에 중요한 역할을 한다. 시상 하부는 뇌하수체 후엽 호르몬을 생성하여 분비하며, 뇌하수체 전엽에 작용하여 뇌하수체 전엽의 호르몬 분비를 촉진하는 호르몬을 분비한다. 한편, 시상 하부의 끝에는 여러 가지 호르몬을 분비하여 다른 내분비샘의 기능을 조절하는 뇌하수체가 달려 있다.

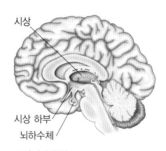

▲ 간뇌의 위치

회색질과 백색질

중추 신경에서 회색질은 신경 세포체, 가지 돌기, 말이집이 없는 축삭 돌기 등이 모여 있어 회색으로 보이는 부분이고, 백색질은 말이집으로 둘러싸인 축삭 돌기가 모여 있어 흰색으로 보이는 부분이다. 대뇌는 겉질이 회색질, 속질은 백색질이며, 척수는 반대로 겉질이 백색질, 속질은 회색질이다.

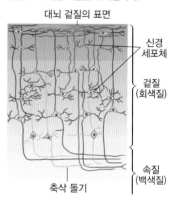

소뇌와 몸의 평형 유지

소뇌는 귀의 가장 안쪽에 있는 내이의 평형 감각 기관인 전정 기관(위치 감각)과 반고리관(회전 감각)에서 오는 감각 정보를 받아 몸의 자세를 조절하여 평형을 유지한다.

뇌하수체

간뇌의 시상 하부 아래에 있는 지름 1 cm 크기의 작은 내분비샘으로, 시상 하부의 조절을 받아 다른 내분비샘의 기능을 조절한다.

(4) **중간뇌:** 간뇌의 아래쪽, 소뇌의 앞쪽에 있는 가장 작은 뇌로, 다양한 형태의 감각 정보를 전달하는 통로 역할을 한다. 안구 운동과 빛의 밝기에 따른 홍채의 작용(동공 반사)을 조절하고, 소뇌와 함께 몸의 평형을 유지한다.

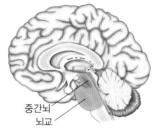

중간뇌
뇌교
▲ **중간뇌와 뇌교의 위치**

(5) **뇌교:** 중간뇌와 연수 사이에 앞쪽으로 볼록하게 돌출되어 있는 부위이다. 뇌의 여러 부분과 연결되어 있어서 뇌의 여러 부분 사이의 정보 전달을 중계하는 역할을 하며, 연수와 함께 호흡 운동을 조절한다.

(6) **연수:** 뇌교와 척수 사이에 있으며, 뇌와 척수를 연결하는 신경 다발이 통과하는 곳이다. 대뇌와 연결되는 대부분의 신경이 연수를 지나면서 좌우 교차가 일어나므로, 대뇌의 좌반구는 몸의 오른쪽을, 우반구는 몸의 왼쪽을 지배한다. 또, 연수는 심장 박동, 호흡 운동, 소화 운동, 소화액 분비 등이 자율적으로 일어나도록 조절하는 중추이며, 기침, 재채기, 하품, 침 분비, 눈물 분비 등의 반사 중추이다.

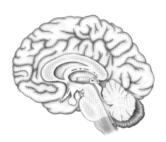

▲ **연수의 위치**

시야 확장 ➕ 식물인간과 뇌사

❶ 식물인간은 대뇌 겉질이 손상되어 의식이 없고 운동 기능은 정지되었지만, 뇌줄기(중간뇌, 뇌교, 연수)가 담당하는 동공 반사, 심장 박동, 호흡 운동, 소화 운동 등은 일어나는 상태이다. 따라서 식물인간은 인공호흡기가 필요 없고 코를 통한 강제적인 영양 공급에 의해 생명을 유지할 수 있으며, 대뇌의 손상 정도에 따라 의식이 회복되기도 한다.

❷ 뇌사는 정신 활동의 중추인 대뇌 겉질의 기능과 생명 유지의 중추인 뇌줄기의 기능이 함께 상실된 상태를 말한다. 의식 없이 혼수상태에 빠져 있다는 점에서는 식물인간과 유사하지만, 대뇌뿐만 아니라 뇌줄기까지 기능을 상실한 상태여서 스스로는 소화 운동은 물론 심장 박동과 호흡 운동까지 불가능하다. 따라서 뇌사 판정을 받은 사람은 인공호흡기와 같은 생명 유지 장치의 도움을 받아 생명을 유지할 수 있지만, 일반적으로 2주 이내에 심장과 폐의 기능이 정지되어 사망에 이르게 되며, 생명 유지 장치를 제거할 경우에는 수 분 내에 사망하게 된다. 뇌사 판정을 받은 사람 중 뇌를 제외한 다른 장기의 기능이 정상인 경우 장기를 필요로 하는 다른 환자에게 장기를 기증할 수 있다.

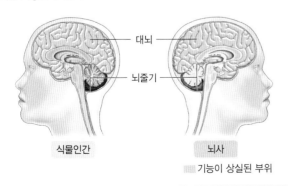

대뇌

뇌줄기

식물인간　　　　　뇌사

▨ 기능이 상실된 부위

2. 척수

(1) 구조: 척수는 연수에 이어져 몸의 등 쪽을 따라 아래로 뻗어 있는 중추 신경으로, 척추에 싸여 보호된다. 대뇌와 반대로 겉질은 주로 축삭 돌기가 모여 있는 백색질이고, 속질은 주로 신경 세포체가 모여 있는 회색질이다.

척수에서는 척추 마디마다 좌우로 한 쌍씩 총 31쌍의 신경 다발이 나와 온몸의 말단부까지 분포한다. 척수의 배 쪽으로는 운동 신경 다발이 좌우로 1개씩 나와 전근을 이루고, 등 쪽으로는 감각 신경 다발이 좌우로 1개씩 나와 후근을 이룬다. 전근과 후근은 서로 만나 한 다발이 되었다가 온몸으로 퍼져 나간다.

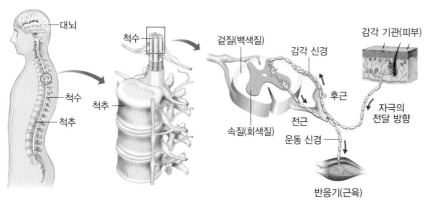

▲ **척수의 구조와 신경 연결** 전근은 척수의 배 쪽에 배열된 운동 신경 다발이고, 후근은 척수의 등 쪽에 배열된 감각 신경 다발이다. 일반적으로 감각 기관에서 받아들인 자극은 척수를 거쳐 대뇌로 전달되고, 대뇌에서 내린 명령은 척수를 거쳐 반응기로 전달된다.

(2) 기능

① 척수는 뇌와 말초 신경 사이에서 정보를 전달하는 통로로, 감각 기관에서 받아들인 정보를 뇌로 전달하고 뇌에서 내린 명령을 반응기로 전달하는 역할을 한다.

② 척수는 여러 가지 반사 행동의 중추로, 회피 반사, 무릎 반사, 젖분비, 땀 분비, 배변·배뇨 반사의 중추이다.

3. 의식적인 반응과 무조건 반사   집중 분석 1권 154쪽

중추 신경계의 조절에 의해 이루어지는 자극에 대한 반응은 대뇌가 관여하는지의 여부에 따라 의식적인 반응과 무조건 반사로 구분할 수 있다.

(1) 의식적인 반응: 대뇌의 판단과 명령에 따라 일어나는 의식적인 행동이다.

> 자극 → 감각 기관 → 감각 신경 → 중추 신경(대뇌) → 운동 신경 → 반응기 → 반응

(2) 무조건 반사: 대뇌와 관계없이 일어나는 무의식적인 반응으로, 반응의 중추는 척수, 연수, 중간뇌이다. 흥분 전달 경로가 짧아서 반응이 빠르게 일어나므로, 갑작스러운 위험으로부터 우리 몸을 보호할 수 있다. **예** 회피 반사, 무릎 반사, 재채기

> 자극 → 감각 기관 → 감각 신경 → 중추 신경(척수, 연수, 중간뇌)
> → 운동 신경 → 반응기 → 반응

척수와 신경의 손상
- 전근의 손상: 신체 특정 부분의 운동 기능에 이상이 생긴다.
- 후근의 손상: 신체 특정 부분의 감각 기능에 이상이 생긴다.
- 척수의 손상: 뇌와의 흥분 전달이 이루어지지 않아 손상을 입은 부위 아래의 감각과 운동이 마비된다.

척수의 흥분 전달 경로
몸의 오른쪽에 있는 감각 기관이 자극을 받으면 자극은 감각 신경(후근) → 척수 → 연수에서 좌우 교차 → 대뇌의 좌반구 → 연수에서 좌우 교차 → 척수 → 운동 신경(전근)을 거쳐 오른쪽에 있는 반응기에서 반응이 일어난다.

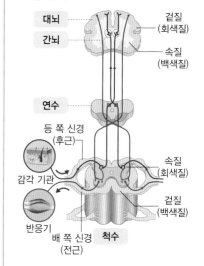

회피 반사
팔과 다리의 피부가 강한 자극을 받았을 때 팔다리가 몸통을 향해 오므라드는 현상으로, 방어 반사라고도 한다. 예를 들어 갑자기 손에 뜨거운 것이 닿거나 날카로운 것에 찔렸을 때 무의식적으로 손을 떼는 것 등이 있다.

무릎 반사
다리에 힘을 뺀 상태에서 고무망치로 무릎뼈 바로 아래를 가볍게 치면 다리가 저절로 올라가는 현상으로, 척수가 반응의 중추이다.

③ 말초 신경계

말초 신경계는 중추 신경계인 뇌와 척수에서 뻗어 나와 온몸의 조직이나 기관을 연결한다.

1. 말초 신경계의 구성

⑴ 해부학적 구조에 따른 구분: 뇌에서 뻗어 나온 뇌 신경과 척수에서 뻗어 나온 척수 신경으로 구분한다. 뇌 신경은 12쌍, 척수 신경은 31쌍이 있다.

⑵ 기능에 따른 구분: 감각 기관에서 중추 신경계로 흥분을 전달하는 구심성 뉴런과 중추 신경계의 명령을 근육이나 분비샘과 같은 반응기로 전달하는 원심성 뉴런으로 구분한다. 원심성 뉴런은 골격근의 운동을 담당하는 체성 신경계와 내장 기관의 조절에 관여하는 자율 신경계를 구성한다.

2. 체성 신경계

운동 신경으로 구성되며, 중추 신경계의 명령을 골격근으로 전달하는 역할을 한다. 주로 대뇌의 지배를 받으며, 중추 신경계에서 반응기까지 시냅스 없이 하나의 뉴런으로 연결되어 있다.

3. 자율 신경계

대뇌의 직접적인 지배를 받지 않고 우리 몸의 기능을 자율적으로 조절하는 신경계로, 간뇌, 중간뇌, 연수 등의 조절을 받는다. 자율 신경 말단은 각종 내장 기관, 혈관, 내분비샘에 분포하고 있으며, 심장 박동, 호흡 운동, 소화 운동, 호르몬 분비 등 생명 유지에 필수적인 기능을 자율적으로 조절한다. 자율 신경계는 교감 신경과 부교감 신경으로 구성된다.

⑴ 교감 신경과 부교감 신경의 구조: 중추 신경계에서 특정 내장 기관(반응기)까지 2개의 뉴런으로 연결되고, 2개의 뉴런은 신경절에서 시냅스를 이룬다.

① **교감 신경:** 신경절 이전 뉴런이 짧고 신경절 이후 뉴런이 길다. 신경절 이전 뉴런의 말단에서는 아세틸콜린이 분비되고, 신경절 이후 뉴런의 말단에서는 노르에피네프린이 분비된다.

② **부교감 신경:** 신경절 이전 뉴런이 길고 신경절 이후 뉴런이 짧다. 신경절 이전 뉴런과 신경절 이후 뉴런의 말단에서 모두 아세틸콜린이 분비된다.

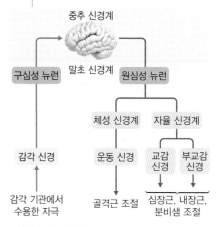

▲ 말초 신경계의 구성

교감 신경
교감 신경이 자극을 받으면 심장 박동이 빨라지고 소화액 분비가 억제되는 등 몸의 여러 기관에서 동시에 반응이 나타난다. 이것이 마치 우리 몸의 여러 기관이 감정을 교류하는 것처럼 보인다고 하여 교감 신경이라고 이름 붙였다.

신경절
말초 신경계에서 신경 세포체가 모여 있는 곳이다. 신경을 통하는 정보는 신경절에서 통합된다.

자율 신경의 말이집 유무
자율 신경의 신경절 이전 뉴런은 말이집 신경이고, 신경절 이후 뉴런은 민말이집 신경이다.

아세틸콜린
아세트산과 콜린이 결합한 신경 전달 물질이다. 운동 신경 말단, 교감 신경과 부교감 신경의 신경절 이전 뉴런의 말단, 부교감 신경의 신경절 이후 뉴런의 말단에서 분비된다.

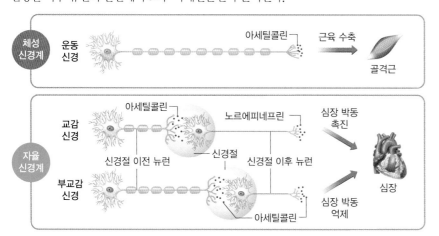

▲ 체성 신경계와 자율 신경계의 비교

(2) **교감 신경과 부교감 신경의 분포:** 교감 신경은 척수의 중간 부분에서 나와 각 내장 기관에 분포하고, 부교감 신경은 중간뇌, 연수, 척수의 꼬리 부분에서 나와 각 내장 기관에 분포한다.

① **교감 신경:** 척수에서 나온 짧은 개개의 신경절 이전 뉴런이 교감 신경절에서 한꺼번에 여러 개의 신경절 이후 뉴런과 시냅스를 이룬 후 각 내장 기관으로 뻗어 분포한다. 따라서 교감 신경이 자극을 받으면 여러 기관에서 동시에 반응이 나타난다.

② **부교감 신경:** 신경절 이전 뉴런이 1개의 신경절 이후 뉴런하고만 시냅스를 이루어 하나의 내장 기관에 분포한다. 따라서 부교감 신경이 자극을 받으면 해당 기관에서만 반응이 나타난다.

(3) **교감 신경과 부교감 신경의 기능:** 교감 신경과 부교감 신경은 같은 내장 기관에 분포하고, 말단에서 분비되는 신경 전달 물질이 다르다. 따라서 한쪽이 작용을 촉진하면 다른 쪽은 작용을 억제하는 길항 작용을 하여 내장 기관의 작용을 조절한다.

① **교감 신경:** 우리 몸을 긴장 상태로 만들어 갑작스러운 환경 변화에 대응하도록 조절한다.

② **부교감 신경:** 긴장 상태에 있던 몸을 평상시의 상태로 되돌리고, 지속적이면서 완만한 환경 변화에 대응하도록 조절한다.

길항 작용
한 대상에 대해 서로 반대되는 작용을 하여 서로의 효과를 줄이는 조절 작용이다. 예를 들어 교감 신경은 심장 박동을 촉진하고 부교감 신경은 심장 박동을 억제한다.

구분	동공	기관지	심장 박동	호흡 운동	소화관 운동	혈당량	방광
교감 신경	확대	확장	촉진	촉진	억제	증가	확장
부교감 신경	축소	수축	억제	억제	촉진	감소	수축

교감 신경과 부교감 신경의 흥분
• 교감 신경이 흥분하는 경우의 예: 산에서 멧돼지를 만나 도망갈 때, 달리기를 할 때, 번지 점프대에 서서 떨릴 때
• 부교감 신경이 흥분하는 경우의 예: 맛있는 음식을 보고 침이 고일 때, 밥을 먹고 나서 졸릴 때, 편안한 음악을 들으며 휴식을 취할 때

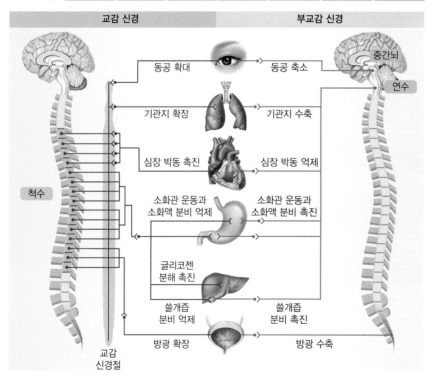

▲ **교감 신경과 부교감 신경의 분포와 기능** 교감 신경은 교감 신경절에서 시냅스를 이루므로 여러 기관에서 동시에 반응이 나타난다. 교감 신경과 부교감 신경은 같은 내장 기관에 분포하여 서로 반대 효과를 나타내는 길항 작용을 함으로써 몸의 내부 환경이 일정하게 유지되도록 조절한다.

4 신경계 질환

신경계에 이상이 생기면 우리 몸에 심각한 질환이 발생할 수 있는데, 주요 신경계 질환으로는 알츠하이머병, 파킨슨병, 우울증, 근위축성 측삭 경화증, 길랭·바레 증후군 등이 있다.

1. 중추 신경계 질환

(1) 알츠하이머병: 뇌의 뉴런이 파괴되어 뇌 조직이 수축하면서 인지 장애, 기억 상실 등의 다양한 치매 증상이 나타나는 질환으로, 나이가 들수록 발병률이 증가하는 퇴행성 뇌 질환이다. 이 질환은 초기에는 건망증 정도의 증상을 나타내지만, 점진적으

▲ 정상 노인의 뇌 단면

▲ 알츠하이머병 환자의 뇌 단면

로 진행되어 결국에는 일상생활이 어려워져 타인의 보살핌을 받아야 한다. 또, 성격도 변하여 가족에게조차 의심과 적대감을 보이기도 한다. 아직까지 근본적인 치료법은 없지만, 최근 들어 증상을 완화하고 병의 진행을 늦추는 약물과 방법이 많이 개발되고 있다.

(2) 파킨슨병: 중간뇌에서 도파민을 분비하는 뉴런이 파괴되어 나타나는 질환으로, 알츠하이머병처럼 나이가 들수록 발병률이 증가하는 퇴행성 뇌 질환이다. 행동의 시작이 힘들어지고 동작이 느려지며, 몸의 균형을 잡지 못하는 증상이 나타난다. 또, 얼굴 표정이 굳어지고 가만히 있을 때에도 손발이 떨리며, 발을 끌며 걷는다. 아직까지 근본적인 치료법은 없지만, 도파민의 공급이나 수술을 통해 증상의 완화를 기대할 수 있다.

(3) 우울증: 감정을 조절하는 뇌의 기능에 변화가 생겨 생각, 의욕, 수면, 신체 활동 등 전반적인 정신 기능이 저하된 상태를 말한다. 우울증은 생화학적, 유전적, 환경적 요인 등 다양한 원인에 의해 발생하며, 특히 정상인에 비해 뇌에서 신경 전달 물질인 세로토닌이 적게 분비되는 것으로 밝혀졌다. 따라서 현재 사용되는 우울증 치료제는 세로토닌이 재흡수되는 것을 막아서 뇌 속에 오랫동안 머물도록 하는 것들이 많다. 전문가의 적절한 치료를 받는다면 상당한 호전을 기대할 수 있고 정상적인 생활로 돌아가는 것이 가능하다.

2. 말초 신경계 질환

(1) 근위축성 측삭 경화증(루게릭병): 운동 신경만 선택적으로 파괴되면서 나타나는 질환이다. 운동 신경의 자극을 받지 못해 근육이 쇠약해지고 자발적인 운동 조절 능력을 잃게 되며, 갈비뼈 근육과 횡격막을 조절하지 못해 결국 호흡 부전이 발생한다. 그러나 감각 신경과 자율 신경의 손상은 없어 감각 이상이나 자율 신경 장애는 거의 나타나지 않는다. 1939년 미국의 유명한 야구 선수인 루게릭이 이 질환을 앓게 되면서 루게릭병으로 불리게 되었다.

(2) 길랭·바레 증후군: 몸의 면역계가 말초 신경계를 잘못 공격하여 뉴런의 축삭을 둘러싸고 있는 말이집을 손상시킴으로써 발생하는 질환이다. 팔다리의 근육이 약해지면서 마비가 진행되며, 호흡 근육이 약해져 호흡 곤란이 나타난다. 또, 자율 신경계의 지배를 받는 기관이 영향을 받아 제 기능을 하지 못하게 된다.

알츠하이머병

1907년 독일의 의사인 알츠하이머(Alzheimer, A.)에 의해 최초로 보고되었다. 정확한 원인은 알려지지 않았지만, 뇌에 β-아밀로이드 단백질이 축적됨에 따라 특정 뉴런이 사멸하고 뇌가 수축하면서 증상이 나타난다.

파킨슨병

1817년 영국의 의사인 파킨슨(Parkinson, J.)에 의해 최초로 보고되었다. 정확한 원인은 알려지지 않았지만, 젊은 성인의 경우 유전적 요인과 관련이 있으며, 도파민을 분비하는 중간뇌의 뉴런이 파괴되면서 증상이 나타난다.

신경계 질환의 발병률

- 알츠하이머병: 65세에서는 인구의 10 % 정도, 85세에서는 35 % 정도가 발병한다.
- 파킨슨병: 60세 이상에서 인구의 1 % 정도가 발병한다.
- 우울증: 전 생애에 걸쳐 인구의 7명 중 1명 정도가 경험하며, 여성이 남성보다 발병률이 높다.
- 근위축성 측삭 경화증: 1년에 10만 명당 약 1명~2명에게서 발병하는 것으로 알려져 있다. 50대 후반부터 발병률이 증가하며, 남성이 여성보다 발병률이 높다.

의식적인 반응과 무조건 반사

일상생활에서 대부분의 자극은 대뇌 겉질의 감각령으로 전달되어 느끼고, 연합령에서 생각하며, 운동령에서 적절한 운동 명령을 내리는 의식적인 반응 경로를 거치게 된다. 그러나 갑작스러운 위험으로부터 신체를 보호하기 위해서는 좀 더 빠른 반응이 필요한데, 이를 위해 대뇌 이외의 중추 신경에서 직접 운동 명령을 내리는 반사 경로가 존재한다. 대뇌가 중추인 의식적인 반응의 경로와 척수가 중추인 반사 경로를 비교하여 그 차이를 알아보자.

① 신경계의 구성

얼굴에 분포한 감각 기관(눈, 귀, 코, 혀)과 반응기(얼굴의 근육)는 뇌 신경을 통해 대뇌와 직접 연결되지만, 팔다리에 분포한 감각 기관(팔다리의 피부)과 반응기(팔다리의 근육)는 반드시 척수 신경과 척수를 거쳐 대뇌와 연결된다.

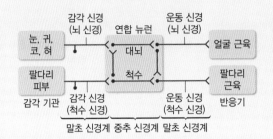

얼굴에 분포한 신경
대부분의 신경은 구심성 뉴런과 원심성 뉴런이 짝을 이루지만, 코의 후각 정보를 전달하는 신경은 구심성 뉴런으로만 되어 있다.

② 의식적인 반응

(1) **의식적인 반응**: 대뇌의 판단과 명령에 따라 일어나는 의식적인 행동이다.

> 자극 → 감각 기관 → 감각 신경 → 중추 신경(대뇌) → 운동 신경 → 반응기 → 반응

(2) **의식적인 반응의 다양한 경로**

• 귀여운 아기를 보자 표정이 밝아졌다.

감각 기관 → 감각 신경(뇌 신경) → 대뇌 → 운동 신경(뇌 신경) → 반응기

• 압정을 보고 손을 뻗어 잡았다.

감각 기관 → 감각 신경(뇌 신경) → 대뇌 → 척수 → 운동 신경(척수 신경) → 반응기

• 등이 가려워 등 뒤로 손을 뻗어 긁었다.

감각 기관 → 감각 신경(척수 신경) → 척수 → 대뇌 → 척수 → 운동 신경(척수 신경) → 반응기

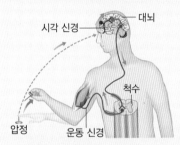

▲ **의식적인 반응의 경로** 압정을 보고 집어드는 반응은 눈에서 받아들인 정보를 대뇌가 판단하여 반응기에 적절한 명령을 내리는 과정을 거쳐 일어난다.

무조건 반사와 대뇌의 감각
무조건 반사에는 대뇌가 관여하지 않으므로, 대뇌는 그 감각을 느끼지 못한다고 생각할 수 있다. 하지만 척수와 연결된 감각 신경은 대뇌와 연결되는 신경과도 시냅스를 이루고 있으므로, 자극이 대뇌로 전달되어 감각을 느끼게 된다. 예를 들어 손을 압정에 찔리면 척수 반사를 통해 무의식적으로 손을 떼게 되고, 그동안 통증 자극이 대뇌로 전달되어 통증을 느끼게 된다. 즉, 손을 떼는 반응이 일어난 후에 대뇌에 의해 감각을 느끼게 되는 것이다.

③ 무조건 반사

(1) **무조건 반사**: 대뇌와 관계없이 일어나는 무의식적인 반응으로, 반응의 중추는 척수, 연수, 중간뇌이다. 흥분 전달 경로가 짧아서 반응이 빠르게 일어나므로, 갑작스러운 위험으로부터 우리 몸을 보호할 수 있다. 회피 반사와 무릎 반사는 척수가 중추이고, 재채기와 침 분비는 연수가 중추이며, 동공 반사는 중간뇌가 중추이다.

> 자극 → 감각 기관 → 감각 신경 → 중추 신경(척수, 연수, 중간뇌)
> → 운동 신경 → 반응기 → 반응

무조건 반사의 중추
• 척수 반사: 회피 반사, 무릎 반사, 젖분비, 땀 분비, 배변 · 배뇨 반사
• 연수 반사: 기침, 재채기, 하품, 침 분비, 눈물 분비
• 중간뇌 반사: 동공 반사

(2) 척수가 중추인 무조건 반사의 경로:

감각 기관 →[감각 신경(후근)(척수 신경)]→ 척수 →[운동 신경(전근)(척수 신경)]→ 반응기

회피 반사: 자극을 피하기 위해 일어나는 반사로, 손가락이 압정에 찔렸을 때 자신도 모르게 손을 떼는 현상 등이 있다. 척수가 반응의 중추이다.

> 자극(압정) → 감각 기관(피부) → 감각 신경(후근) → 중추 신경(척수) → 운동 신경(전근) → 반응기(손의 근육) → 반응(손을 뗌)

무릎 반사: 무릎뼈 바로 아래를 고무망치로 가볍게 치면 자신도 모르게 다리가 올라가는 현상으로, 척수가 반응의 중추이다.

> 자극(고무망치로 침) → 감각 기관 → 감각 신경(후근) → 중추 신경(척수) → 운동 신경(전근) → 반응기(다리의 근육) → 반응(다리가 올라감)

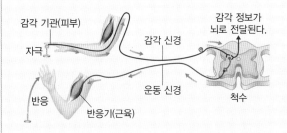

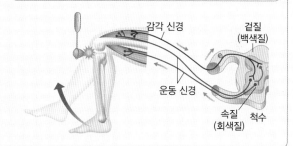

예제

❶ 그림은 감각 기관과 반응기 사이의 흥분 전달 경로를 나타낸 것이다.

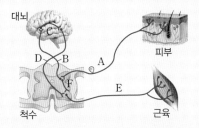

(1) F는 척수의 백색질과 회색질 중 어디에 있는지 쓰시오.

(2) 뜨거운 냄비에 손이 닿아 무의식적으로 손을 뗄 때의 흥분 전달 경로를 나열하시오.

정답 (1) 회색질 (2) A → F → E
해설 (1) F는 척수의 연합 신경이며, 척수의 속질인 회색질에 존재한다.
　　　 (2) 회피 반사의 중추는 척수이며, '피부 → 감각 신경(A) → 척수의 연합 신경(F) → 운동 신경(E) → 손의 근육'의 경로로 반응이 일어난다.

❷ 그림은 세 가지 흥분 전달 경로를 나타낸 것이다.

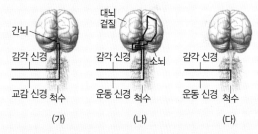

(가)　　　　(나)　　　　(다)

(1) 추울 때 피부에 소름이 돋는 경우의 경로를 쓰시오.

(2) 주머니에 손을 넣어 500원짜리 동전을 골라낼 때의 경로를 쓰시오.

정답 (1) (가) (2) (나)
해설 (1) 교감 신경을 통한 조절이므로 (가)에 해당한다.
　　　 (2) 의식적인 반응이므로 대뇌가 관여하는 (나)에 해당한다.

> 정답과 해설 **29**쪽

유제

그림은 무릎 반사가 일어날 때 흥분이 이동하는 경로를 나타낸 것이다. 이에 대한 설명으로 옳은 것만을 〈보기〉에서 있는 대로 고르시오.

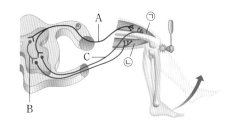

보기
ㄱ. A와 C는 모두 말이집 신경이다.
ㄴ. A가 흥분한 결과 ㉠은 수축하고 ㉡은 이완한다.
ㄷ. B는 척수의 백색질에 분포한다.

대뇌 반구의 비대칭성과 언어 기능

대뇌의 좌반구와 우반구는 약 2억 개의 축삭 돌기로 이루어진 뇌량으로 연결되어 있으며, 외관상 같아 보이지만 기능적으로 정확히 대칭인 것은 아니다. 좌반구는 오른쪽 신체 부분의 감각과 운동을, 우반구는 왼쪽 신체 부분의 감각과 운동을 담당하지만, 언어 기능은 좌반구에, 공간 관련 기능은 우반구에 집중되어 있다. 언어 기능을 중심으로 대뇌 반구의 비대칭성에 대해 알아보자.

❶ 대뇌 반구의 기능적 영역 분포

대뇌 겉질은 감각 정보에 대한 통합 중추로, 적절한 결정을 통해 여러 가지 반응 명령을 내린다. 대뇌 겉질은 위치에 따라 전두엽, 두정엽, 측두엽, 후두엽으로 구분하며, 기능에 따라 감각령, 연합령, 운동령으로 구분한다. 그러나 이러한 기능적 구분에서 대뇌의 좌반구와 우반구의 영역 분포가 서로 정확히 대칭적이지는 않다. 어떤 기능은 좌반구가, 또 다른 기능은 우반구가 주도적인 역할을 하는데, 이러한 특징을 대뇌 우세성(cerebral dominance)이라고 한다. 언어·논리와 관련된 기능은 좌반구에 집중되어 있고, 직관·공간과 관련된 기능은 우반구에 집중되어 있다.

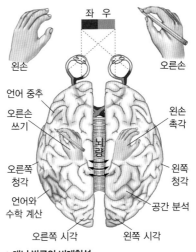

▲ **대뇌 반구의 비대칭성**

❷ 대뇌 좌반구의 언어 기능

1940년대에 심한 뇌전증 환자를 치료하기 위해 대뇌 좌반구와 우반구를 연결하는 뇌량을 절제하는 수술이 시행되었다. 이 수술을 받은 환자는 인성이나 지능, 일반 행동에서 전혀 변화가 없었다. 그러나 대뇌의 좌반구와 우반구에서 처리하는 각각의 정보를 공유할 수 없어서 왼쪽 손에 들고 있는 사물이 무엇인지 말할 수 없는 사례가 발생하였다. 환자가 앞을 보지 못하도록 눈을 가

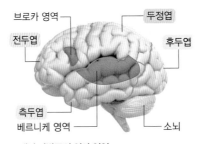

▲ **대뇌 좌반구의 언어 영역**

린 후 오른손에 공을 쥐어 주었을 때는 공이라고 제대로 말했지만, 왼손에 공을 쥐어 주었을 때는 알아맞히지 못했다. 이 실험 결과는 신체 왼쪽의 감각 정보를 처리하는 대뇌 우반구에는 언어 기능이 없고 좌반구에만 언어 기능이 있다는 사실뿐만 아니라, 우반구로 들어온 정보가 뇌량을 통해 좌반구로 전달되어야 언어로 표현될 수 있다는 사실을 명확히 보여 주었다. 좌반구의 겉질에서 언어 기능은 측두엽에 위치한 베르니케 영역과 전두엽에 위치한 브로카 영역에서 주로 담당한다.

대뇌 겉질의 기능 연구

대뇌 겉질의 기능 영역에 대한 연구는 대부분 유전적인 신경 장애나 사고로 신경 손상을 입은 환자를 대상으로 이루어져 왔으며, 뇌전증과 같은 뇌 질환을 수술로 치료하는 과정에서 특정 영역의 기능이 밝혀지기도 하였다. 최근에는 양전자단층촬영(PET)이나 자기공명영상(MRI) 기술을 이용하여 수술을 하지 않고도 활동하는 뇌를 보면서 연구할 수 있게 되었다.

뇌전증

대뇌 겉질의 뉴런들이 갑작스럽고 무질서하게 과흥분하는 발작이 반복적으로 나타나는 질환이다. 약물 또는 수술로 치료하며, 과거 간질로 불리었지만, 사회적 편견이 심하다고 하여 뇌전증으로 용어가 변경되었다.

언어 영역

베르니케 영역은 눈으로 들어온 글과 귀로 들어온 말을 이해하는 역할을 하고, 브로카 영역은 하고자 하는 말의 표현과 명확한 발음을 담당한다. 따라서 베르니케 영역이 손상되면 독해력과 관련된 언어 장애가 발생하고, 브로카 영역이 손상되면 표현과 관련된 언어 장애가 발생한다.

03 신경계

① 신경계의 구성

1. **신경계** 뇌와 척수로 구성된 (**❶**   )와 온몸에 퍼져 있는 (**❷**   )로 구분한다.
- **중추 신경계:** 감각 기관에서 받아들인 자극을 분석하여 적절한 반응을 나타내도록 한다.
- **말초 신경계:** 감각 기관에서 받아들인 자극을 중추 신경계로 전달하고, 중추 신경계의 명령을 반응기로 전달한다.

② 중추 신경계

1. **중추 신경계의 구조와 기능**

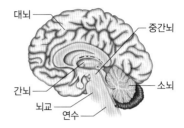

▲ **뇌의 구조**

- **대뇌:** 기억, 사고, 감정, 추리, 언어 등의 고등 정신 활동을 담당하고, 감각과 수의 운동의 중추이다. 주로 신경 세포체가 분포하는 겉질은 (**❸**   )이고, 주로 축삭 돌기가 분포하는 속질은 백색질이다.
- **소뇌:** 대뇌와 함께 수의 운동을 조절하고, 몸의 자세를 바로잡고 평형을 유지하는 역할을 한다.
- **간뇌:** 시상과 (**❹**   )로 구분한다. (**❹**   )는 자율 신경계와 내분비계의 조절 중추로, 혈당량·체온·삼투압 조절 등 항상성 유지에 관여한다.
- **중간뇌:** 안구 운동과 홍채의 작용(동공 반사)을 조절한다.
- **(❺**   **):** 심장 박동, 호흡 운동, 소화 운동을 조절한다.
- **척수:** 뇌와 말초 신경 사이의 흥분 전달 통로이고, 척수 반사(회피 반사, 무릎 반사 등)의 중추이다.

2. **의식적인 반응과 무조건 반사**
- **의식적인 반응:** (**❻**   )의 판단과 명령에 따라 일어나는 의식적인 행동이다.
- **무조건 반사:** 대뇌와 관계없이 일어나는 무의식적인 반응으로, 반응의 중추는 (**❼**   ), 연수, 중간뇌이며, 흥분 전달 경로가 짧아서 반응이 빠르게 일어난다.

③ 말초 신경계

1. **말초 신경계** 구심성 뉴런과 원심성 뉴런으로 구분하며, 원심성 뉴런은 (**❽**   ) 신경계와 자율 신경계를 구성한다.

2. **자율 신경계** 대뇌의 직접적인 지배를 받지 않으며, 교감 신경과 부교감 신경으로 구성된다.
- **교감 신경:** 우리 몸을 긴장 상태로 만들어 갑작스러운 환경 변화에 대응할 수 있도록 조절한다. 신경절 이전 뉴런의 말단에서는 아세틸콜린이, 신경절 이후 뉴런의 말단에서는 (**❾**   )이 분비된다.
- **부교감 신경:** 긴장 상태에 있던 몸을 평상시의 상태로 되돌려 안정 상태를 유지하도록 조절한다. 신경절 이전 뉴런의 말단과 신경절 이후 뉴런의 말단에서 모두 (**❿**   )이 분비된다.

구분	동공	기관지	심장 박동	호흡 운동	소화관 운동	혈당량	방광
교감 신경	확대	확장	(**⓫**)	촉진	억제	증가	확장
부교감 신경	축소	수축	(**⓬**)	억제	촉진	감소	수축

④ 신경계 질환

1. **중추 신경계 질환** 알츠하이머병, 파킨슨병, 우울증 등이 있다.
2. **말초 신경계 질환** 근위축성 측삭 경화증, 길랭·바레 증후군 등이 있다.

[01~02] 그림은 사람 뇌의 구조를 나타낸 것이다.

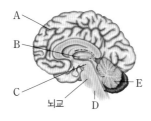

01 다음 설명에 해당하는 부위의 기호와 이름을 쓰시오.

(1) 몸의 자세와 평형을 유지하는 중추이다.

(2) 겉질에 주로 신경 세포체가 존재하며, 고등 정신 활동의 중추이다.

(3) 시상과 시상 하부로 구분하며, 항상성 유지에 중요한 역할을 한다.

(4) 심장 박동, 호흡 운동을 조절하며, 대뇌와 연결되는 대부분 신경의 좌우 교차가 일어난다.

02 사고로 뇌를 다친 환자에게서 다음과 같은 증상이 나타났다.

> (가) 안구 운동에 심각한 장애가 나타났다.
> (나) 기억이 일부 상실되었고, 성격이 매우 폭력적으로 변하였다.

(가)와 (나)는 각각 뇌의 어느 부위가 손상되어 나타난 증상인지 기호와 이름을 쓰시오.

03 그림은 척수의 단면을 나타낸 것이다.

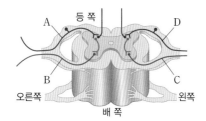

A~D 중에서 한 부분을 마비시켰더니 핀으로 왼팔을 찔러도 아픔을 느끼지 못했다. 어느 부분이 마비되었는지 기호를 쓰시오.

04 그림은 어떤 자극에 의해 반사가 일어날 때 감각 기관과 반응기 사이의 흥분 전달 경로를 나타낸 것이다.

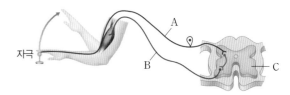

이에 대한 설명으로 옳은 것만을 〈보기〉에서 있는 대로 고르시오.

> 보기
> ㄱ. A는 척수의 후근을 형성한다.
> ㄴ. B는 자율 신경이다.
> ㄷ. C는 척수의 속질이다.

05 그림은 중추 신경계에 연결된 신경 A~C를 통한 흥분 전달 경로를 나타낸 것이다.

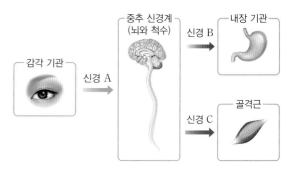

A~C 중 다음 설명에 해당하는 것을 있는 대로 쓰시오.

(1) 원심성 뉴런이다.

(2) 말초 신경계에 속한다.

(3) 자율 신경계에 속한다.

06 다음은 어떤 사람이 뜨거운 냄비에 손이 닿았을 때 일어나는 반응을 나타낸 것이다.

> (가) 자기도 모르게 손을 급히 뗀 다음에 (나) 뜨거움을 느끼기 시작하였다. 그리고 (다) 다른 손으로 데인 손을 움켜쥐었다.

(가)~(다) 중 대뇌가 중추가 되어 일어나는 반응의 기호를 있는 대로 쓰시오.

07 그림은 세 가지 신경을 구분하는 과정을 나타낸 것이다.

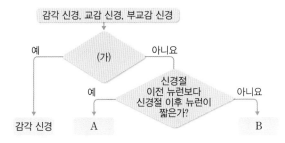

(1) (가)에 알맞은 구분 기준을 쓰시오.

(2) A, B는 각각 무엇에 해당하는지 쓰시오.

08 그림은 척수와 반응기 사이의 흥분 전달 경로를 나타낸 것으로, A~D는 말초 신경이다.

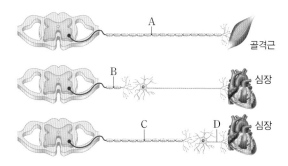

A~D 중 다음 설명에 해당하는 것을 있는 대로 쓰시오.

(1) 교감 신경을 구성한다.

(2) 말단에서 신경 전달 물질로 아세틸콜린이 분비된다.

(3) 흥분하면 심장 박동이 빨라진다.

09 그림은 위에 분포한 자율 신경을 나타낸 것이다. 신경 A는 연수에서, B는 척수에서 뻗어 나온 것이다.

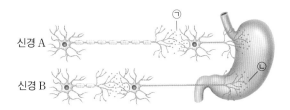

이에 대한 설명으로 옳은 것만을 〈보기〉에서 있는 대로 고르시오.

> 보기
> ㄱ. ㉠과 ㉡은 같은 물질이다.
> ㄴ. 긴장하면 ㉡의 분비가 촉진된다.
> ㄷ. A는 위의 소화 운동을 촉진한다.

10 표는 갑자기 도로로 뛰어들어 달려오는 멧돼지를 보고 놀란 사람의 체내에서 일어나는 변화를 나타낸 것이다. 빈칸에 알맞은 말을 쓰시오.

동공	심장 박동	호흡 운동	소화관 운동	혈압	혈당량
㉠	촉진	㉡	억제	상승	㉢

11 중추 신경계 이상으로 발생하는 신경계 질환만을 〈보기〉에서 있는 대로 고르시오.

> 보기
> ㄱ. 파킨슨병　　　　　　ㄴ. 알츠하이머병
> ㄷ. 길랑·바레 증후군　　ㄹ. 근위축성 측삭 경화증

01 ▶뇌의 기능

그림 (가)는 교통사고로 의식을 잃은 어떤 환자의 뇌 구조이고, (나)는 이 환자를 진찰한 결과이다. A~C는 각각 중간뇌, 간뇌, 연수 중 하나이다.

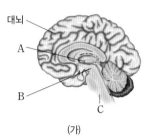

대뇌
A
B
C

(가)

┌─────────────────────────────────────┐
│ ㉠ 손전등을 눈에 비추자 동공이 작아졌다. │
│ ㉡ 심장 박동과 호흡 운동이 스스로 일어났다. │
│ ㉢ 추운지 피부에 소름이 돋았고, 몸을 자주 떨었다. │
└─────────────────────────────────────┘

(나)

이에 대한 설명으로 옳은 것만을 〈보기〉에서 있는 대로 고른 것은?

보기
ㄱ. ㉠으로 보아 A의 기능은 정상이다.
ㄴ. ㉡과 ㉢을 조절하는 중추는 C이다.
ㄷ. B와 C는 뇌줄기에 속한다.

① ㄱ   ② ㄷ   ③ ㄱ, ㄷ   ④ ㄴ, ㄷ   ⑤ ㄱ, ㄴ, ㄷ

• 중간뇌는 홍채의 작용을 조절하고, 간뇌는 항상성 유지에 중요한 역할을 하며, 연수는 심장 박동, 호흡 운동 등의 조절 중추이다.

02 ▶대뇌의 기능

그림 (가)는 들은 단어를 발음할 때, 그림 (나)는 읽은 단어를 발음할 때 대뇌 겉질에서 활동하는 부위를 순서대로 나타낸 것이다.

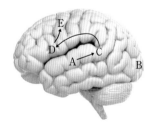
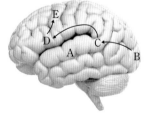

E
D
A
C
B

(가) 들은 단어를 발음할 때   (나) 읽은 단어를 발음할 때

이에 대한 설명으로 옳은 것만을 〈보기〉에서 있는 대로 고른 것은?

보기
ㄱ. A는 청각 중추, B는 시각 중추이다.
ㄴ. C와 D는 단어의 의미를 파악하고 적절한 단어를 만들어 내는 데 관여한다.
ㄷ. E가 손상될 경우 단어를 들을 수는 없지만 발음할 수 있다.

① ㄱ   ② ㄴ   ③ ㄱ, ㄴ   ④ ㄴ, ㄷ   ⑤ ㄱ, ㄴ, ㄷ

• A와 B는 감각령, C와 D는 연합령, E는 운동령에 해당한다.

03

❯ 척수의 구조

그림은 뜨거운 물체에 손이 닿았을 때 재빨리 손을 떼는 반응에 관여하는 신경 A와 B를, 표는 A와 B를 각각 자극했을 때 A와 B에서 활동 전위 발생 여부를 나타낸 것이다.

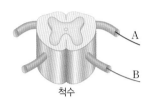

척수

구분	활동 전위 발생 여부	
	A	**B**
A를 자극했을 때	○	○
B를 자극했을 때	×	○

(○: 발생함, ×: 발생 안 함)

A를 자극했을 때는 A와 B에서 모두 활동 전위가 발생하였지만, B를 자극했을 때는 B에서만 활동 전위가 발생하였다.

이에 대한 설명으로 옳은 것만을 〈보기〉에서 있는 대로 고른 것은?

보기
ㄱ. A의 흥분은 대뇌로 전달된다.
ㄴ. B가 흥분하면 손을 떼는 반응이 일어난다.
ㄷ. A는 전근, B는 후근을 통해 척수와 연결된다.

① ㄱ   ② ㄴ   ③ ㄱ, ㄴ   ④ ㄴ, ㄷ   ⑤ ㄱ, ㄴ, ㄷ

04

❯ 흥분 전달 경로

그림은 무릎 반사가 일어나는 과정에서 흥분 전달 경로를 나타낸 것이다.

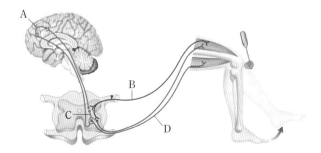

감각 신경이 마비되면 고무망치에 의한 자극이 척수로 전달되지 못해 무릎 반사와 대뇌에서의 감각이 일어나지 않는다.

이에 대한 설명으로 옳은 것만을 〈보기〉에서 있는 대로 고른 것은?

보기
ㄱ. 고무망치에 의한 자극은 A로 전달되지 않는다.
ㄴ. B가 마비되더라도 A의 명령에 의해 다리를 움직일 수 있다.
ㄷ. 무릎 반사가 일어날 때 B → C → D의 경로로 흥분이 전달된다.

① ㄱ   ② ㄷ   ③ ㄱ, ㄴ   ④ ㄴ, ㄷ   ⑤ ㄱ, ㄴ, ㄷ

05 ▶대뇌와 척수의 기능

그림 (가)는 어떤 사람의 대뇌 좌반구 운동령의 단면과 여기에 연결된 신체 부분을 대뇌 겉질 표면에 나타낸 것으로, ㉠은 무릎과 연결된 대뇌 겉질 부위이다. 그림 (나)는 왼쪽 다리에서 무릎 반사가 일어날 때 흥분 전달 경로를 나타낸 것으로, ⓐ와 ⓑ는 근육이다.

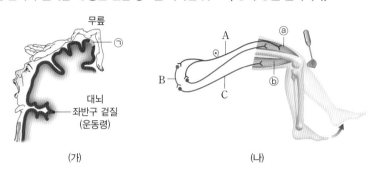

(가)　　　　　　　　　　(나)

> 무릎 반사는 척수가 중추이며, 감각 신경은 구심성 뉴런, 운동 신경은 원심성 뉴런이다.

이에 대한 설명으로 옳지 <u>않은</u> 것은?

① A는 구심성 뉴런이다.

② A와 C는 말초 신경계에 속한다.

③ B는 척수에 존재한다.

④ 고무망치로 무릎뼈 아래를 치면 ⓐ는 수축, ⓑ는 이완한다.

⑤ ㉠이 손상되면 오른쪽 다리에서 무릎 반사가 일어나지 못한다.

06 ▶체성 신경계와 자율 신경계의 작용

그림은 중추 신경계에서 나온 말초 신경이 심장과 다리 골격근에 연결된 경로를 나타낸 것이다.

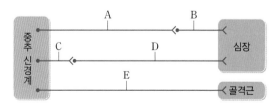

> 교감 신경은 신경절 이전 뉴런이 짧고 신경절 이후 뉴런이 길며, 부교감 신경은 신경절 이전 뉴런이 길고 신경절 이후 뉴런이 짧다.

이에 대한 설명으로 옳은 것만을 〈보기〉에서 있는 대로 고른 것은?

보기
ㄱ. A와 C의 신경 세포체는 모두 척수에 있다.
ㄴ. D에서 분비되는 신경 전달 물질은 아세틸콜린이다.
ㄷ. E는 척수의 전근을 통해 나온다.

① ㄱ　　　　② ㄷ　　　　③ ㄱ, ㄷ　　　　④ ㄴ, ㄷ　　　　⑤ ㄱ, ㄴ, ㄷ

07

› 자율 신경계에 의한 소화 운동의 조절

그림은 위에 연결된 자율 신경 A와 B를 나타낸 것으로, ㉠, ㉡은 축삭 돌기 말단에서 분비되는 신경 전달 물질이다.

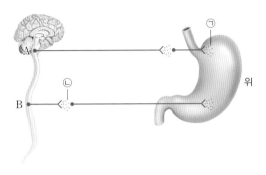

이에 대한 설명으로 옳은 것만을 〈보기〉에서 있는 대로 고른 것은?

┌─ 보기 ───┐
ㄱ. A의 신경절 이전 뉴런의 신경 세포체는 연수에 있다.
ㄴ. ㉠과 ㉡은 같은 신경 전달 물질이다.
ㄷ. B가 흥분하면 위의 운동이 활발해진다.
└──┘

① ㄱ   ② ㄴ   ③ ㄱ, ㄴ   ④ ㄴ, ㄷ   ⑤ ㄱ, ㄴ, ㄷ

> 부교감 신경은 중간뇌, 연수, 척수의 꼬리 부분에서 나오고, 교감 신경은 척수의 중간 부분에서 나온다.

08

› 자율 신경계에 의한 방광의 조절

그림은 척수와 방광 사이의 흥분 전달 경로를 나타낸 것이다.

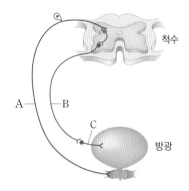

이에 대한 설명으로 옳은 것만을 〈보기〉에서 있는 대로 고른 것은?

┌─ 보기 ───┐
ㄱ. A는 교감 신경, B는 부교감 신경이다.
ㄴ. A가 흥분하면 방광이 수축한다.
ㄷ. B와 C의 말단에서 분비되는 신경 전달 물질은 같다.
└──┘

① ㄱ   ② ㄴ   ③ ㄷ   ④ ㄱ, ㄴ   ⑤ ㄴ, ㄷ

> 방광은 교감 신경에 의해 확장되고, 부교감 신경에 의해 수축한다.

09 ▶ 자율 신경계에 의한 심장 박동 조절

심장 박동은 두 가지 자율 신경 **A**와 **B**에 의해 조절된다. 그림 (가)는 **A**를, 그림 (나)는 **B**를 자극하였을 때 심장 세포에서 활동 전위가 발생하는 빈도의 변화를 각각 나타낸 것이다.

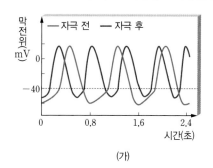

(가)

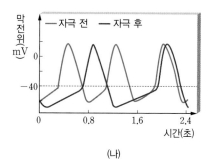

(나)

- A를 자극하면 활동 전위의 발생 빈도가 증가하고, B를 자극하면 활동 전위의 발생 빈도가 감소한다.

이에 대한 설명으로 옳은 것만을 〈보기〉에서 있는 대로 고른 것은?

보기
ㄱ. A는 심장 박동을 촉진하고, B는 심장 박동을 억제한다.
ㄴ. A의 신경절 이전 뉴런의 신경 세포체는 척수에 있다.
ㄷ. B에 더 강한 자극을 주면 심장으로 분비되는 노르에피네프린의 양이 증가한다.

① ㄱ   ② ㄴ   ③ ㄱ, ㄴ   ④ ㄴ, ㄷ   ⑤ ㄱ, ㄴ, ㄷ

10 ▶ 시각의 성립 경로와 동공 반사

그림은 시각 세포에 수용된 자극이 뇌로 전달되는 경로와 동공 반사의 경로를 나타낸 것이다. ㉠은 중간뇌와 홍채를 연결하는 부교감 신경이다.

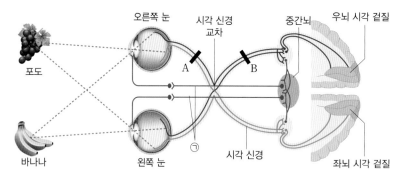

- 눈에서 수용한 정보는 대뇌의 우반구와 좌반구로 나뉘어 전달되고, 중간뇌로도 전달되어 홍채의 수축과 이완이 조절된다.

이에 대한 설명으로 옳은 것만을 〈보기〉에서 있는 대로 고른 것은?

보기
ㄱ. ㉠이 흥분하면 동공의 크기가 작아진다.
ㄴ. A 부위가 절단된 사람의 왼쪽 눈에 강한 빛을 비추면 오른쪽 눈의 동공 크기가 작아진다.
ㄷ. B 부위가 절단된 사람은 포도를 볼 수 없다.

① ㄱ   ② ㄴ   ③ ㄱ, ㄴ   ④ ㄴ, ㄷ   ⑤ ㄱ, ㄴ, ㄷ

11 ❯ 체성 신경계와 자율 신경계를 통한 반응

그림 (가)와 (나)는 우리 몸에서 일어나는 두 가지 흥분 전달 경로를 나타낸 것이다.

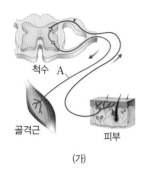

(가)

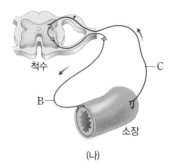

(나)

• 감각 신경은 감각 기관에서 받아들인 자극을 중추 신경계로 전달하며, 교감 신경과 부교감 신경은 같은 내장 기관에 분포하여 서로 반대 작용을 하는 자율 신경이다.

이에 대한 설명으로 옳지 <u>않은</u> 것은?

① A와 B는 모두 원심성 뉴런이다.
② A는 체성 신경계, B는 자율 신경계에 속한다.
③ A와 B의 축삭 돌기 말단에서 분비되는 신경 전달 물질은 같다.
④ B가 흥분하면 소장에서의 소화 작용이 억제된다.
⑤ C는 감각 신경이다.

12 ❯ 자율 신경계에 의한 심장 박동과 호흡 운동의 조절

그림은 심장 박동을 조절하는 말초 신경 A와 B를, 표는 어떤 사람에서 평상시와 운동 시의 심장 박출량과 호흡수를 나타낸 것이다. 심장 박출량은 심장에서 1분 동안 방출되는 혈액량이고, ㉠과 ㉡은 각각 평상시와 운동 시 중 하나이다.

• A는 신경절 이전 뉴런이 신경절 이후 뉴런보다 짧고, B는 신경절 이전 뉴런이 신경절 이후 뉴런보다 길다.

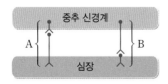

구분	심장 박출량(L/분)	호흡수(회/분)
㉠	5.8	17
㉡	25.6	63

이에 대한 설명으로 옳은 것만을 〈보기〉에서 있는 대로 고른 것은?

보기
ㄱ. 폐포에서 폐포 모세 혈관으로의 산소 이동 속도는 ㉡이 ㉠보다 빠르다.
ㄴ. 단위 시간당 A의 신경절 이후 뉴런의 활동 전위 발생 횟수는 ㉡이 ㉠보다 많다.
ㄷ. B의 신경절 이후 뉴런에서 분비되는 신경 전달 물질의 양은 ㉠이 ㉡보다 많다.

① ㄱ   ② ㄴ   ③ ㄱ, ㄷ   ④ ㄴ, ㄷ   ⑤ ㄱ, ㄴ, ㄷ

04 항상성 유지

학습 Point 호르몬의 특성 > 사람의 내분비샘에서 분비되는 호르몬 > 항상성 유지 원리 > 항상성 유지를 위한 조절 (혈당량, 체온, 삼투압)

 ## 사람의 내분비샘과 호르몬

호르몬은 내분비샘에서 분비되어 특정 조직이나 기관의 생리 작용을 조절하는 화학 물질로, 신경계와 함께 신호를 전달하여 인체의 기능을 조화롭게 유지한다.

1. 내분비샘과 호르몬

(1) **내분비계**: 호르몬을 분비하는 여러 가지 내분비샘으로 구성된 기관계이다.

(2) **내분비샘**: 호르몬을 생성하여 분비하는 조직이나 기관으로, 분비관이 따로 없어 혈관이나 림프관으로 호르몬을 직접 분비한다. 따라서 내분비샘 주변에는 모세 혈관이 많이 분포한다.

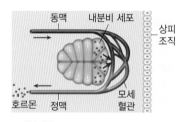

▲ 내분비샘

(3) **호르몬**: 내분비샘에서 분비되어 특정 조직이나 기관의 생리 작용을 조절하는 화학 물질이다.

(4) **호르몬의 특성**

① 내분비샘에서 생성되어 혈관이나 림프관으로 직접 분비된다.

② 혈액을 따라 이동하므로 온몸으로 운반되지만 특정 세포나 기관에만 작용하는데, 이와 같은 세포나 기관을 표적 세포 또는 표적 기관이라고 한다. 호르몬이 표적 기관(세포)에만 작용하는 까닭은 이곳에 특정 호르몬만 결합할 수 있는 수용체가 있기 때문이다.

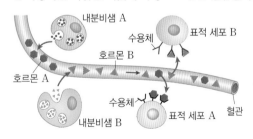

◀ **호르몬의 작용** 내분비샘 A에서 분비된 호르몬 A는 혈액을 따라 이동하다가 표적 세포 A에만 작용하고, 내분비샘 B에서 분비된 호르몬 B는 혈액을 따라 이동하다가 표적 세포 B에만 작용한다.

③ 매우 적은 양으로 생리 작용을 조절하며, 우리 몸에 비교적 일정한 농도로 존재한다. 따라서 분비량이 너무 많으면 과다증, 너무 적으면 결핍증이 나타난다.

④ 체내 환경을 일정하게 유지하고, 생식, 발생 등의 과정에 중요한 역할을 한다.

⑤ 척추동물 사이에는 종 특이성이 없거나 작아서 같은 내분비샘에서 분비된 호르몬이면 대체로 같은 기능을 나타낸다.

외분비샘

특정 물질을 분비관을 통해 상피 조직 밖의 다른 곳으로 분비하는 기관이다. 외분비샘에는 침샘, 눈물샘, 땀샘, 소화샘 등이 있다.

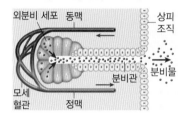

종 특이성

특정 종에서만 작용하는 특성을 종 특이성이라고 한다. 인슐린의 경우 공통의 분자 구조가 있어서 돼지의 인슐린을 사람에게 주사해도 효과를 나타내므로 종 특이성이 없다. 즉, 종 특이성이 없다는 것은 특정 내분비샘에서 분비된 호르몬이 다른 종의 동물에서도 동일한 기능을 나타낼 수 있다는 의미이다. 그러나 다른 종에서 얻은 호르몬이 모두 효과적으로 작용하는 것은 아니다.

2. 호르몬과 신경계의 작용 비교

사람의 체내에서는 내분비계의 호르몬 분비와 신경계의 신호 전달 체계가 상호 보완적으로 작용하여 항상성을 유지한다. 호르몬은 신호 전달 속도가 느리고 효과가 지속적으로 나타나므로, 생장이나 2차 성징 발현과 같이 지속적이고 완만한 반응의 조절에 관여한다. 반면, 신경계는 신호 전달 속도가 빠르고 효과가 즉각적으로 나타나므로, 뜨거운 것에 손이 닿았을 때와 같이 즉각적이고 신속한 반응을 필요로 할 때 작용한다.

구분	호르몬의 작용	신경계의 작용
자극 전달 매체	혈액	뉴런
신호 전달 속도	분비, 운반, 작용에 시간이 걸리므로, 신호 전달 속도가 비교적 느리다.	뉴런을 통해 신호(흥분)가 전달되므로, 신호 전달 속도가 매우 빠르다.
효과의 지속성	비교적 오래 지속된다.	일시적이며 빨리 사라진다.
작용 범위	멀리 있는 기관의 활동을 조절하므로, 작용 범위가 넓다.	뉴런과 연결된 부위에만 작용하므로, 작용 범위가 좁다.
특징	표적 세포나 표적 기관에만 작용한다.	일정한 방향으로만 자극이 전달된다.

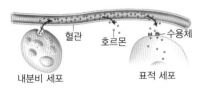
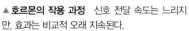

▲ **호르몬의 작용 과정** 신호 전달 속도는 느리지만, 효과는 비교적 오래 지속된다.

▲ **신경계의 작용 과정** 신호 전달 속도는 빠르지만, 효과가 빨리 사라진다.

3. 사람의 내분비샘에서 분비되는 호르몬

사람의 내분비샘에는 뇌하수체, 갑상샘, 부갑상샘, 부신, 이자, 정소, 난소 등이 있으며, 내분비샘마다 다른 종류의 호르몬을 분비한다. 간뇌의 시상 하부는 호르몬 분비를 조절하는 최고 중추로, 뇌하수체를 조절하여 다른 내분비샘의 호르몬 분비를 조절한다.

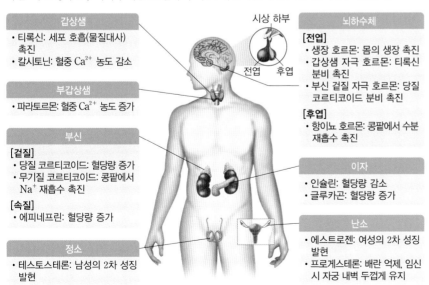

갑상샘
• 티록신: 세포 호흡(물질대사) 촉진
• 칼시토닌: 혈중 Ca^{2+} 농도 감소

부갑상샘
• 파라토르몬: 혈중 Ca^{2+} 농도 증가

부신
[겉질]
• 당질 코르티코이드: 혈당량 증가
• 무기질 코르티코이드: 콩팥에서 Na^+ 재흡수 촉진
[속질]
• 에피네프린: 혈당량 증가

정소
• 테스토스테론: 남성의 2차 성징 발현

시상 하부
전엽 후엽

뇌하수체
[전엽]
• 생장 호르몬: 몸의 생장 촉진
• 갑상샘 자극 호르몬: 티록신 분비 촉진
• 부신 겉질 자극 호르몬: 당질 코르티코이드 분비 촉진
[후엽]
• 항이뇨 호르몬: 콩팥에서 수분 재흡수 촉진

이자
• 인슐린: 혈당량 감소
• 글루카곤: 혈당량 증가

난소
• 에스트로젠: 여성의 2차 성징 발현
• 프로게스테론: 배란 억제, 임신 시 자궁 내벽 두껍게 유지

▲ **사람의 내분비샘에서 분비되는 호르몬** 생식샘인 정소와 난소를 제외한 다른 내분비샘은 남성과 여성이 동일하다.

호르몬 정의의 변화
전통적으로 호르몬은 내분비샘에서 분비되어 혈액에 의해 운반되는 화학적 신호 전달 물질을 의미한다. 그러나 최근에는 세포에서 분비되어 주변의 다른 세포에 영향을 주는 물질과 뉴런에서 분비되는 신경 전달 물질을 국소 호르몬의 한 범주로 정의하기도 한다.

간뇌의 시상 하부
간뇌의 시상 하부는 인체의 항상성을 조절하는 중추이다. 혈당량, 체온, 삼투압, 혈액에 함유된 각 호르몬의 양 등을 항상 감지하여 자율 신경과 뇌하수체를 통해 신체의 각 기관과 내분비샘의 호르몬 분비를 조절한다.

(1) **뇌하수체:** 간뇌의 시상 하부 끝에 달려 있으며, 전엽, 중엽, 후엽으로 구분한다. 사람의 경우 성인이 되면 중엽은 흔적만 남는다. 뇌하수체 전엽은 시상 하부에 의해 조절되며, 다른 내분비샘의 호르몬 분비를 조절하는 호르몬을 분비한다. 뇌하수체 후엽은 시상 하부에서 생성된 호르몬을 저장해 두었다가 필요할 때 분비한다.

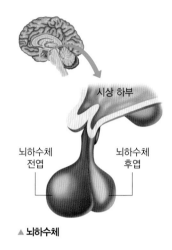

▲ **뇌하수체**

뇌하수체 전엽	생장 호르몬	뼈와 근육의 발달을 촉진하여 몸의 생장을 촉진한다.
	갑상샘 자극 호르몬(TSH)	갑상샘을 자극하여 티록신의 분비를 촉진한다.
	부신 겉질 자극 호르몬(ACTH)	부신 겉질을 자극하여 당질 코르티코이드의 분비를 촉진한다.
	여포 자극 호르몬(FSH)	여성에서는 여포를 성숙시키고, 남성에서는 세정관을 발달시켜 정자 생성을 촉진한다.
	황체 형성 호르몬(LH)	여성에서는 배란을 촉진하여 황체를 발달시키고, 남성에서는 테스토스테론의 분비를 촉진한다.
	젖분비 자극 호르몬(프로락틴)	임신 전후 분비되어 젖샘의 발달과 모유 생성을 촉진한다.
뇌하수체 후엽	항이뇨 호르몬(ADH)	콩팥에서 수분 재흡수를 촉진하고, 혈관을 수축시켜 혈압을 상승시킨다.
	옥시토신(자궁 수축 호르몬)	분만 시 자궁 수축을 촉진한다.

시상 하부의 뇌하수체 전엽 조절
시상 하부는 뇌하수체 전엽의 호르몬 분비를 조절하는 몇 가지 방출 호르몬(RH, Releasing Hormone)을 분비하는데, 이들 호르몬은 시상 하부와 뇌하수체 전엽 사이의 혈관을 통해 이동한다.
• TRH: 갑상샘 자극 호르몬의 분비를 촉진하는 호르몬(TSH-RH)이다.
• CRH: 부신 겉질 자극 호르몬의 분비를 촉진하는 호르몬(ACTH-RH)이다.
• GnRH: 생식샘 자극 호르몬(FSH와 LH)의 분비를 촉진하는 호르몬이다.

(2) **갑상샘과 부갑상샘:** 갑상샘은 목에서 성대 아래쪽 기관의 연골에 나비 모양으로 붙어 있고, 부갑상샘은 갑상샘 뒤쪽에 콩알 크기로 두 쌍(4개)이 부착되어 있다.

갑상샘	티록신	세포 호흡(물질대사)을 촉진한다.
	칼시토닌	혈액의 Ca^{2+} 농도가 높을 때 분비가 촉진되어 뼈에서 Ca^{2+}이 방출되는 것을 억제하고, 콩팥에서 Ca^{2+}의 재흡수를 억제하여 혈액의 Ca^{2+} 농도를 낮춘다.
부갑상샘	파라토르몬	혈액의 Ca^{2+} 농도가 낮을 때 분비가 촉진되어 뼈에서 혈액으로 Ca^{2+}을 방출시키고, 콩팥에서 Ca^{2+}의 재흡수를 촉진하여 혈액의 Ca^{2+} 농도를 높인다.

후두　　　갑상샘

기관　　　부갑상샘

▲ **갑상샘과 부갑상샘**

티록신
아이오딘(I)을 함유하는 호르몬으로, 음식물을 통해 아이오딘을 충분히 섭취하지 못하면 갑상샘에서 티록신이 생성되지 못한다. 아이오딘은 미역, 김, 다시마 같은 해조류에 많이 들어 있다.

(3) **부신:** 양쪽 콩팥의 윗부분을 덮고 있으며, 겉질과 속질로 구분한다. 부신 겉질에서는 당질 코르티코이드와 무기질 코르티코이드가 분비되며, 부신 속질에서 분비되는 호르몬의 80 %는 에피네프린이고, 20 %는 노르에피네프린이다.

겉질	당질 코르티코이드 (코르티솔)	단백질이나 지방을 포도당으로 전환시키는 과정을 촉진하여 혈당량을 증가시킨다.
	무기질 코르티코이드 (알도스테론)	콩팥에서 Na^+의 재흡수를 촉진한다.
속질	에피네프린 (아드레날린)	간에서 글리코젠을 포도당으로 분해하는 과정을 촉진하여 혈당량을 증가시키고, 심장 박동을 촉진한다.

부신　　　속질

겉질

콩팥

▲ **부신**

(4) **이자**: 소화액을 분비하는 외분비샘인 동시에 호르몬을 분비하는 내분비샘이다. 호르몬은 이자섬을 이루는 세포에서 분비되며, 이자섬은 α세포와 β세포 등으로 이루어져 있다. α세포에서는 글루카곤이, β세포에서는 인슐린이 분비된다.

▲ 이자

이자섬		
α세포	글루카곤	간에 저장된 글리코젠을 포도당으로 분해하는 과정을 촉진하여 포도당이 혈액으로 방출되도록 함으로써 혈당량을 증가시킨다.
β세포	인슐린	혈액에 있는 포도당을 세포로 이동시키고, 간에서 포도당을 글리코젠으로 합성하여 저장하는 과정을 촉진함으로써 혈당량을 감소시킨다.

(5) **생식샘**: 남성의 경우 정소, 여성의 경우 난소가 있다.

정소	테스토스테론	정자의 생성을 촉진하고, 남성의 2차 성징이 나타나게 한다.
난소	에스트로젠	여성의 2차 성징이 나타나게 하고, 자궁 내벽의 발달을 촉진한다.
	프로게스테론	배란을 억제하고, 임신 시 자궁 내벽을 두껍게 유지한다.

2 항상성 유지

호르몬의 분비량은 피드백에 의해 자동으로 조절되며, 신경계와 호르몬의 작용으로 혈당량, 체온, 삼투압 등이 일정 수준으로 조절되어 항상성이 유지된다.

1. 항상성
생물체는 외부 환경이나 체내 환경이 변하더라도 혈당량, 체온, 삼투압 등과 같은 체내 환경을 일정하게 유지하려는 성질이 있는데, 이를 항상성이라고 한다. 항상성은 신경계와 내분비계(호르몬)의 조절 작용에 의해 유지되며, 최고 조절 중추는 간뇌의 시상 하부이다.

2. 항상성 유지의 원리
항상성은 대부분 음성 피드백과 길항 작용에 의해 유지된다.

(1) **음성 피드백(음성 되먹임)**: 어떤 변화가 일어날 때 원인에 의해 결과가 나타나고, 그 결과가 다시 원인에 영향을 미치는 현상을 피드백(feedback)이라고 한다. 피드백에는 양성 피드백과 음성 피드백이 있으며, 호르몬의 분비량은 대부분 음성 피드백에 의해 조절된다. 음성 피드백은 결과가 원인을 억제하는 방향으로 작용하는 현상으로, 최종 분비된 호르몬의 양이 많으면 시상 하부나 뇌하수체와 같은 조절 기관의 기능이 억제되는 조절 방식이다.

(2) **길항 작용**: 하나의 기관에 서로 반대되는 두 가지 요인이 함께 작용할 때 한 요인이 기능을 촉진하면 다른 요인은 기능을 억제함으로써 그 기관의 기능을 일정하게 조절하는 작용이다. 대표적인 예로는 교감 신경과 부교감 신경의 작용, 인슐린과 글루카곤의 혈당량 조절, 칼시토닌과 파라토르몬의 혈중 Ca^{2+} 농도 조절 등이 있다.

이자섬
1869년 독일의 랑게르한스(Langerhans, P.)에 의해 이자에서 발견되었으며, 그의 이름을 따서 랑게르한스섬이라고도 불린다. 이자섬은 지름이 0.2 mm 정도이며, 이자에 200만 개 정도 있는 것으로 알려져 있다. 이자섬을 구성하는 α세포는 크기가 크고 수가 적으며, β세포는 크기가 작고 수가 많다. 이자섬 주변에는 모세 혈관이 많이 분포한다.

글리코젠
많은 수의 포도당이 결합하여 생성되는 동물의 저장 다당류로, 간과 근육 세포 내에 축적된다. 식물의 저장 다당류인 녹말과 매우 유사하다.

양성 피드백
음성 피드백과 반대로 결과가 원인을 촉진하는 방향으로 작용하는 현상으로, 옥시토신의 분비량 증가로 인한 분만이 그 예이다. 옥시토신에 의해 자궁이 수축하면 진통이 오고, 이 진통이 다시 옥시토신의 분비를 촉진하여 진통이 더 자주 오면서 분만이 일어난다.

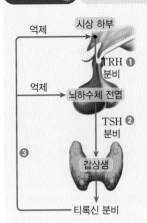

1 간뇌의 시상 하부에서 분비된 갑상샘 자극 호르몬 방출 호르몬(TRH)은 뇌하수체 전엽을 자극하여 갑상샘 자극 호르몬(TSH) 분비를 촉진한다.

2 갑상샘 자극 호르몬(TSH)은 갑상샘을 자극하여 티록신 분비를 촉진한다.

3 혈액 속 티록신의 양이 증가하면 시상 하부와 뇌하수체 전엽의 작용이 억제되어 갑상샘 자극 호르몬 방출 호르몬(TRH)과 갑상샘 자극 호르몬(TSH)의 분비량이 모두 감소한다. 그 결과 갑상샘에서 티록신 분비량도 감소한다.
→ 음성 피드백에 의해 티록신 분비량이 일정하게 조절된다.

4 티록신의 양이 부족하면 시상 하부와 뇌하수체 전엽의 작용이 촉진되어 다시 1로 돌아간다.

음성 피드백에 의한 냉방기의 자동 온도 조절
실내 온도가 설정 온도보다 낮아지면(↓) 냉방기가 꺼져 실내 온도가 높아지고(↑), 실내 온도가 설정 온도보다 높아지면(↑) 냉방기가 켜져 실내 온도가 낮아진다(↓).

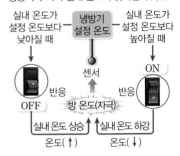

3. 혈당량 조절

집중 분석 1권 174쪽

포도당은 우리 몸의 세포가 에너지원으로 사용하는 주된 물질이므로, 혈액 속 포도당 농도는 일정하게 유지되어야 한다. 혈당량은 이자에서 직접 혈당량 변화를 감지하여 조절될 뿐만 아니라 간뇌의 시상 하부를 중추로 한 조절 기구가 작동하여 조절된다.

(1) **혈당량이 높을 때:** 음식물을 섭취하면 소장에서 포도당이 흡수되어 혈당량이 증가한다. 혈당량이 증가하면 간뇌의 시상 하부가 부교감 신경을 통해 이자섬 β세포에서 인슐린의 분비를 촉진한다. 인슐린은 간에서 포도당을 글리코젠으로 합성하는 과정을 촉진하고, 체세포의 포도당 흡수를 촉진함으로써 혈당량을 감소시킨다.

(2) **혈당량이 낮을 때:** 식사 후 오랜 시간이 지나거나 운동을 하여 혈당량이 감소하면 간뇌의 시상 하부가 교감 신경을 통해 이자섬 α세포에서 글루카곤의 분비와 부신 속질에서 에피네프린의 분비를 촉진한다. 글루카곤과 에피네프린은 간에 저장되어 있던 글리코젠을 포도당으로 분해하는 과정을 촉진하여 포도당이 혈액으로 방출되도록 함으로써 혈당량을 증가시킨다.

혈당량
혈액 속의 포도당 농도를 혈당량이라고 한다. 정상인의 경우 혈당량은 혈액 100 mL 당 70 mg~110 mg 정도로 유지되는데, 식후에도 180 mg/100 mL를 넘는 일은 없고, 기아 상태일 때에도 60 mg/100 mL 이하로 떨어지는 일은 거의 없다.

탄수화물의 섭취와 혈당
탄수화물 중 녹말, 엿당을 섭취하면 소화 과정에서 모두 포도당으로 분해되어 흡수된다. 그러나 설탕, 젖당을 섭취하면 포도당 외에도 과당, 갈락토스가 생성되는데, 이들 단당류는 소장에서 흡수된 후 간에서 포도당으로 전환되어 각 조직 세포에 공급된다. 즉, 사람의 체내에서 혈액을 통해 운반되는 탄수화물은 포도당이며, 이를 혈당이라고 한다.

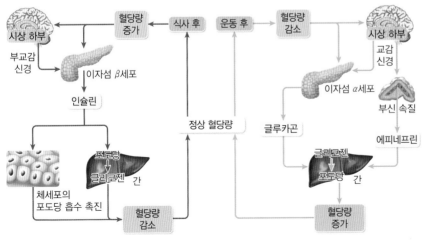

▲ 혈당량 조절 과정

α세포와 β세포의 호르몬 분비
이자섬의 α세포와 β세포에서는 자율 신경의 조절을 받지 않더라도 혈당량에 따라 글루카곤과 인슐린의 분비량이 증가 혹은 감소한다.

4. 체온 조절

우리 몸은 외부 온도가 변하더라도 체온을 36.5 ℃ 정도로 일정하게 유지한다. 정상 체온에서 조금만 벗어나면 간뇌의 시상 하부를 중추로 한 조절 기구가 작동한다.

(1) **추울 때**: 열 발생량은 증가하고 열 발산량(열 방출량)은 감소함으로써 체온이 높아진다.

① 열 발생량 증가: 간뇌의 시상 하부가 뇌하수체 전엽을 통해 갑상샘의 티록신 분비를 증가시키고, 교감 신경을 통해 부신 속질에서 에피네프린 분비를 증가시킴으로써 체내 물질대사(세포 호흡)를 촉진한다. 또, 간뇌의 시상 하부는 골격근을 수축시켜 무의식적으로 몸이 떨리게 함으로써 열 발생량을 증가시킨다.

② 열 발산량 감소: 교감 신경의 작용으로 피부 근처 혈관이 수축하여 피부 근처로 흐르는 혈액의 양이 줄어들고, 땀 분비가 억제되어 열 발산량이 감소한다.

(2) **더울 때**: 열 발생량은 감소하고 열 발산량(열 방출량)은 증가함으로써 체온이 낮아진다.

① 열 발생량 감소: 간뇌의 시상 하부가 뇌하수체 전엽을 통해 갑상샘의 티록신 분비를 감소시킴으로써 체내 물질대사(세포 호흡)를 억제하여 열 발생량을 감소시킨다.

② 열 발산량 증가: 교감 신경의 작용 완화로 피부 근처 혈관이 확장되어 피부 근처로 흐르는 혈액의 양이 늘어나고, 땀 분비가 증가하여 기화열에 의한 열 손실이 촉진됨으로써 열 발산량이 증가한다.

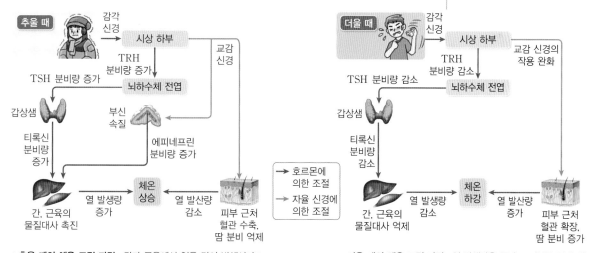

▲ **추울 때의 체온 조절 과정** 간과 근육에서 열을 많이 발생시키고, 피부를 통해 발산되는 열을 줄인다.

▲ **더울 때의 체온 조절 과정** 열 발생량을 줄이고, 피부를 통해 열이 많이 발산되도록 한다.

5. 삼투압 조절

사람은 하루에 약 2 L의 물을 음식물을 통해 섭취하고 오줌, 땀, 호흡 등을 통해 배출하여 무기염류 농도를 일정하게 유지한다. 세포는 항상 체액과 접촉하고 있으므로, 체액의 농도가 변하면 세포와 체액 사이에 삼투압 차이가 발생하여 세포가 수축하거나 부풀어 올라 정상적인 기능을 할 수 없게 된다. 따라서 혈장 삼투압이 일정한 범위를 벗어나면 간뇌의 시상 하부를 중추로 한 조절 기구가 작동한다. 혈장 삼투압은 체액의 농도에 비례하며, 체내 수분량과 무기염류의 양에 의해 결정된다.

체온 유지의 중요성

생명 현상은 효소가 관여하는 다양한 물질대사를 통해 일어난다. 효소는 단백질이 주성분이어서 온도에 민감하므로, 체온이 너무 낮거나 높으면 효소가 제 기능을 할 수 없다. 따라서 체온을 일정하게 유지하는 것은 생명 유지에 매우 중요하다.

추울 때 성인과 유아의 체온 조절 차이

· 성인: 주로 골격근을 수축시켜 몸이 떨리게 함으로써 열을 생산하여 체온을 높인다.
· 유아: 근육 활동이 거의 증가하지 않고 교감 신경의 활성화와 티록신의 작용으로 물질대사 속도를 증가시켜 열을 생산하여 체온을 높인다. 이를 비떨림 열 생산이라고 한다.

체액(몸 體, 진액 液)

체내의 혈관 또는 조직을 채우고 있는 액체로, 혈액, 림프, 조직액 등을 말한다.

(1) **체내 수분량 조절**: 뇌하수체 후엽에서 분비되는 항이뇨 호르몬(ADH)에 의해 조절된다.

① 혈장 삼투압이 높을 때: 땀을 많이 흘리거나 수분 섭취량이 적어 혈장 삼투압이 높아지면 간뇌의 시상 하부가 뇌하수체 후엽에서 항이뇨 호르몬(ADH)의 분비량을 증가시켜 콩팥에서 수분의 재흡수를 촉진한다. 그 결과 오줌 생성량은 감소하고, 체내 수분량이 증가하여 혈장 삼투압이 낮아진다.

② 혈장 삼투압이 낮을 때: 수분 섭취량이 많아 혈장 삼투압이 낮아지면 간뇌의 시상 하부가 뇌하수체 후엽에서 항이뇨 호르몬(ADH)의 분비량을 감소시켜 콩팥에서 수분의 재흡수를 억제한다. 그 결과 오줌 생성량은 증가하고, 체내 수분량이 감소하여 혈장 삼투압이 높아진다.

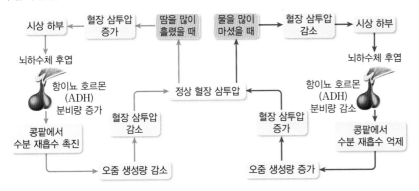

▲ **삼투압 조절 과정**

(2) **체내 Na^+ 양 조절**: 혈액의 Na^+ 양이 부족하면 부신 겉질에서 무기질 코르티코이드(알도스테론)의 분비량이 증가하여 콩팥에서 Na^+의 재흡수를 촉진한다. 그 결과 혈액의 Na^+ 양이 증가하고, 오줌으로 배설되는 Na^+ 양이 감소한다.

시선 집중 ★ **혈장 삼투압, 혈액량, 혈압의 관계**

그림 (가)는 혈장 삼투압, 혈액량, 혈압에 따른 혈중 항이뇨 호르몬(ADH) 농도를, 그림 (나)는 건강한 사람이 물 1 L를 마신 후 혈장 삼투압, 오줌 삼투압, 오줌 생성량의 변화를 나타낸 것이다.

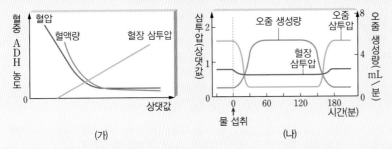

❶ 혈액량이 적고 혈압이 낮아질수록 혈장의 항이뇨 호르몬(ADH) 농도가 높아진다. → 항이뇨 호르몬(ADH)은 콩팥에서 수분 재흡수를 촉진하여 혈액량을 증가시키고 혈압을 높인다.

❷ 혈장 삼투압이 높아질수록 혈장의 항이뇨 호르몬(ADH) 농도가 높아진다. → 항이뇨 호르몬(ADH)은 콩팥에서 수분 재흡수를 촉진하여 혈장 삼투압을 낮춘다.

❸ 물을 많이 마셔 혈장 삼투압이 낮아지면 항이뇨 호르몬(ADH)의 분비량이 감소하여 콩팥에서 수분 재흡수가 억제된다. 그 결과 오줌 생성량이 증가하여 오줌 삼투압이 낮아진다.

삼투압

세포막과 같은 반투과성 막을 경계로 양쪽에 농도가 다른 두 용액이 있을 때, 농도가 낮은 쪽에서 높은 쪽으로 용매인 물이 이동하는 현상(삼투)에 의해 나타나는 압력으로, 용액의 농도에 비례한다.

생리식염수

우리 몸의 체액을 0.9 % $NaCl$ 용액으로 가정하여 이와 농도를 동일하게 조정하여 만든 용액이다. 체액과 삼투압이 같기 때문에 체내에 주사해도 혈장 삼투압에 아무런 영향을 미치지 않는다.

체내 Na^+ 양 조절

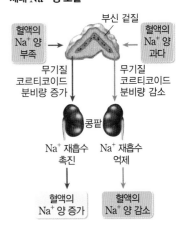

③ 내분비계 질환

호르몬은 우리 몸의 항상성 유지에 중요한 역할을 한다. 따라서 호르몬을 분비하는 내분비샘에 이상이 생기면 여러 질환이 발생할 수 있다.

1. 뇌하수체 질환

(1) **거인증과 소인증(왜소증):** 성장기에 생장 호르몬이 너무 많이 분비되면 키가 비정상적으로 많이 자라는 거인증이 나타나고, 생장 호르몬이 너무 적게 분비되면 뼈와 근육이 제대로 발달하지 못해 키가 잘 자라지 않는 소인증이 나타난다.

(2) **말단 비대증:** 성장이 끝난 후에도 생장 호르몬이 너무 많이 분비되면 얼굴, 손, 발과 같은 몸의 말단 부위가 비대해지는 말단 비대증이 나타난다. 주로 뇌하수체 종양으로 발생하며, 뇌하수체 종양 제거나 약물 등으로 치료한다.

2. 갑상샘 질환

(1) **갑상샘 기능 항진증:** 티록신이 지나치게 많이 분비되어 체내 물질대사가 항진된 상태로, 체온 상승, 체중 감소, 식욕 증가, 신경 과민, 안구 돌출 등의 증상이 나타난다. 주요 원인에는 바제도병(그레이브스병)이 있고, 이 외에 갑상샘종 등이 있다. 바제도병은 자가 면역에 의해 생성된 항체가 갑상샘 자극 호르몬(TSH) 대신 갑상샘을 지속적으로 자극하여 티록신 분비를 촉진하며, 갑상샘이 커지는 갑상샘종을 유발한다. 티록신 생성을 억제하는 약물을 투여하거나 갑상샘 절제 수술, 방사성 아이오딘을 사용하여 갑상샘의 일부를 파괴하는 방법 등으로 치료한다.

(2) **갑상샘 기능 저하증:** 티록신이 지나치게 적게 분비되어 체내 물질대사가 저하된 상태로, 열 발생량이 적어 추위를 많이 타고, 체중 증가, 무기력 등의 증상이 나타난다. 주요 원인에는 아이오딘(I) 결핍과 하시모토병 등이 있다. 티록신을 구성하는 아이오딘(I)이 결핍되면 갑상샘에서 적절한 양의 티록신을 만들지 못해 혈중 티록신 농도가 낮아진다. 이에 따라 뇌하수체 전엽에서 갑상샘 자극 호르몬(TSH)의 분비가 촉진되고, 갑상샘 자극 호르몬(TSH)이 갑상샘을 과도하게 자극하여 갑상샘종을 유발한다. 이 경우 음식물에 아이오딘(I)을 첨가하면 정상적으로 회복될 수 있다.

3. 이자 질환 – 당뇨병

당뇨병은 혈당량이 정상 수준보다 높게 유지되어 오줌으로 포도당이 지속적으로 배출되는 질환으로, 제1형 당뇨병과 제2형 당뇨병으로 구분한다.

(1) **제1형 당뇨병:** 이자섬의 β세포가 파괴되는 자가 면역 질환으로 발생하며, 인슐린이 생성되지 않으므로 인슐린을 주기적으로 주사해야 한다. 주로 소아에서 발생하고, 성인에서는 드물게 발생한다.

(2) **제2형 당뇨병:** 인슐린은 정상적으로 분비되지만, 다양한 원인으로 인슐린의 표적 세포인 체세포나 간세포가 인슐린의 신호를 제대로 받아들이지 못해 발생한다. 당뇨병의 약 90 % 이상을 차지하며, 최근 들어 식습관과 생활 습관 변화로 인한 비만, 스트레스, 운동 부족으로 발생하는 경우가 많아 환자가 급속히 증가하고 있다. 제2형 당뇨병의 경우 인슐린 주사보다는 규칙적인 운동과 균형 잡힌 식단으로 혈당량을 조절하는 것이 필요하다.

요붕증

외상, 뇌종양, 감염, 약물 등에 의해 뇌하수체 후엽이 손상되어 항이뇨 호르몬(ADH)이 정상적으로 분비되지 않거나, 콩팥이 항이뇨 호르몬에 반응하지 않을 때 발생한다. 콩팥에서 수분의 재흡수가 원활하지 못하여 정상인에 비해 많은 양의 묽은 오줌을 자주 배설하므로, 심각한 탈수 증세가 나타날 수 있다.

갑상샘종

갑상샘이 비정상적으로 커지는 것으로, 목의 정면과 측면이 부풀어 오른다.

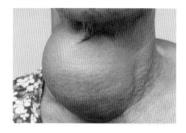

하시모토병

자가 면역에 의해 생성된 항체가 갑상샘에 염증을 일으켜 갑상샘이 파괴되는 경우로, 티록신의 분비가 감소하므로 티록신을 매일 약으로 섭취하는 방법 등으로 치료한다.

테타니병

일반적으로 부갑상샘의 기능이 저하되어 파라토르몬이 정상적으로 분비되지 않아서 발생한다. 혈액 속 Ca^{2+} 농도의 감소로 말초 신경과 근육 접합부의 흥분성이 높아져 가벼운 자극에도 손, 발, 안면 근육이 수축과 경련을 일으킨다.

쿠싱 증후군

뇌하수체나 부신의 종양으로 부신 겉질 자극 호르몬(ACTH)이나 당질 코르티코이드가 너무 많이 분비되어 발생한다. 당질 코르티코이드에 의해 뼈, 근육, 피부 등에서 단백질과 지방의 과도한 당화 작용이 일어나 혈당량이 높아지고, 피부가 얇아지며 근육이 약화되어 쉽게 타박상을 입을 수 있다. 팔과 다리의 지방이 줄어드는 대신 몸통, 얼굴, 목의 뒷부분에 지방이 축적되어 비만해지며, 얼굴이 달처럼 둥근 모습이 된다.

다양한 혈당량 관련 그래프의 분석

우리는 매일 녹말, 설탕 등 많은 양의 탄수화물을 섭취하며, 탄수화물은 소화된 후 포도당의 형태로 흡수되어 이동한다. 포도당은 체내 모든 조직 세포의 에너지원이므로 항상 안정적으로 공급되어야 생명 활동을 유지할 수 있다. 그러나 식사와 운동 등 신체 활동에 따라 포도당의 흡수량과 소비량이 수시로 변할 수 있기 때문에 혈당량을 일정한 수준으로 조절해야 한다. 혈당량과 관련된 다양한 그래프를 분석하여 혈당량이 일정한 수준으로 유지되는 원리에 대해 알아보자.

❶ 식사와 운동에 따른 혈당량과 호르몬의 변화

그림 (가)는 건강한 어떤 사람의 식사 후 시간에 따른 포도당, 인슐린, 글루카곤의 혈중 농도 변화를, 그림 (나)는 이 사람이 운동을 하는 동안 시간에 따른 글루카곤의 혈중 농도 변화를 나타낸 것이다.

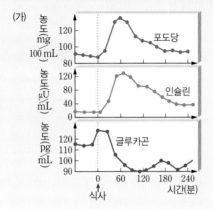

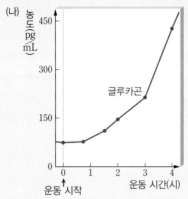

인슐린과 글루카곤의 작용

• 인슐린: 뇌세포를 제외한 인체의 모든 세포를 자극해 세포가 혈액으로부터 포도당을 흡수하도록 하여 혈당량을 낮춘다(뇌세포는 인슐린 없이 포도당을 흡수할 수 있다.). 또, 간에서 포도당을 글리코젠으로 합성하는 과정을 촉진하여 혈당량을 낮춘다.

• 글루카곤: 간에 저장된 글리코젠을 포도당으로 분해하는 과정을 촉진하여 포도당이 혈액으로 방출되도록 함으로써 혈당량을 높인다.

(1) (가)에서 식사 후 혈중 포도당 농도(혈당량)가 높아진 까닭: 소화 기관을 거치면서 음식물 속의 탄수화물이 포도당으로 분해되어 소장 융털의 모세 혈관으로 흡수되었기 때문이다.

(2) (가)에서 식사 후 인슐린과 글루카곤의 농도 변화: 식사 후 혈당량이 높아지면 인슐린의 농도가 증가하고, 반대로 글루카곤의 농도는 감소한다. ➡ 인슐린은 혈당량을 낮추는 작용을 하고, 글루카곤은 혈당량을 높이는 작용을 한다.

(3) (나)에서 운동을 하는 동안 글루카곤의 농도 변화: 운동을 하는 동안에는 근육이 에너지를 얻기 위해 포도당을 다량 소비한다. ➡ 혈당량이 낮아지지 않도록 하기 위해 글루카곤의 분비가 촉진된다.

(4) 혈당량이 높아지면 인슐린의 분비가 촉진되어 혈당량을 낮추고, 혈당량이 낮아지면 글루카곤의 분비가 촉진되어 혈당량을 높인다.

예제

❶ 그림은 혈당량에 따른 이자 호르몬 A와 B의 혈중 농도 변화를 나타낸 것이다.

(1) A와 B에 해당하는 호르몬을 각각 쓰시오.

(2) A와 B는 서로 반대로 작용하여 서로의 효과를 줄이는데, 이러한 작용을 무엇이라고 하는지 쓰시오.

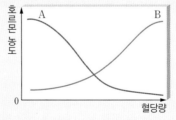

정답 (1) A: 글루카곤, B: 인슐린　(2) 길항 작용

해설 (1) A는 혈당량이 높아질수록 농도가 감소하므로 글루카곤이고, B는 혈당량이 높아질수록 농도가 증가하므로 인슐린이다.
(2) 글루카곤은 혈당량을 높이는 작용을 하고, 인슐린은 혈당량을 낮추는 작용을 하므로 서로 길항 작용을 한다.

❷ 건강한 사람과 당뇨병 환자의 혈당량과 호르몬의 변화

그림은 건강한 사람과 제1형 당뇨병 환자, 제2형 당뇨병 환자가 각각 같은 양의 주스를 마신 후 시간에 따른 혈당량과 혈중 인슐린 농도 변화를 나타낸 것이다.

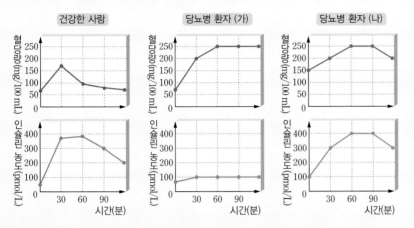

당뇨병의 발생
정상인의 경우 혈당량에 따른 음성 피드백 조절과 혈당량을 조절하는 호르몬들의 길항 작용을 통해 혈당량이 일정한 수준을 유지한다. 그러나 자가 면역 질환이나 비만, 운동 부족 등이 원인이 되어 고혈당 상태가 지속되면 오줌으로 포도당이 배출되는 당뇨병이 발생할 수 있다.

(1) **건강한 사람**: 주스를 마신 후 혈당량이 높아지면 인슐린의 분비가 촉진되어 혈당량이 낮아지므로, 주스를 마신 지 90분 정도 지나면 혈당량이 정상 수준으로 회복된다.

(2) **당뇨병 환자 (가)**: 혈당량이 높아져도 인슐린의 분비량이 증가하지 않으므로, 제1형 당뇨병 환자이다. → 제1형 당뇨병 환자는 이자섬의 β세포가 파괴되어 인슐린을 생성하지 못한다.

(3) **당뇨병 환자 (나)**: 혈당량이 높아짐에 따라 인슐린의 분비량이 증가하지만 혈당량이 쉽게 낮아지지 않으므로, 제2형 당뇨병 환자이다. → 제2형 당뇨병 환자는 인슐린의 표적 세포가 인슐린의 신호를 제대로 받아들이지 못한다.

예제

❷ 그림은 건강한 사람과 어떤 당뇨병 환자의 식사 후 혈당량과 혈중 인슐린 농도 변화를 나타낸 것이다. 이 환자는 제1형 당뇨병과 제2형 당뇨병 중 어느 쪽에 해당하는지 쓰시오.

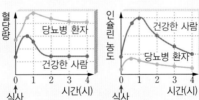

정답 제1형 당뇨병
해설 이 환자는 혈당량이 높아져도 인슐린이 정상적으로 분비되지 않으므로, 이자섬의 β세포가 파괴된 제1형 당뇨병 환자이다.

> 정답과 해설 **32쪽**

그림은 호르몬에 의해 혈당량이 조절되는 과정을 나타낸 것이다.
이에 대한 설명으로 옳지 <u>않은</u> 것은?

① 호르몬 X와 Y는 길항 작용을 한다.

② 호르몬 X는 이자섬의 β세포에서 분비된다.

③ 식사 후에는 호르몬 X의 분비량이 증가한다.

④ 혈당량에 따라 음성 피드백 조절이 일어난다.

⑤ 제1형 당뇨병 환자는 호르몬 Y를 정상적으로 생성하지 못한다.

심화 호르몬의 작용 방식

호르몬은 성분에 따라 아미노산 유도체, 단백질계, 스테로이드계로 구분하며, 이들은 표적 세포에 작용하는 방식에서 차이가 있다. 지용성이라서 세포막을 쉽게 통과하는 스테로이드계 호르몬은 표적 세포의 핵까지 이동하여 유전자 발현에 직접 영향을 미치지만, 세포막을 통과하지 못하는 단백질계 호르몬은 세포막에 있는 수용체에 결합하여 표적 세포의 작용에 영향을 미친다. 호르몬의 성분에 따른 구분과 작용 방식에 대해 알아보자.

❶ 호르몬의 성분에 따른 구분

(1) **아미노산 유도체 호르몬**: 화학적으로 가장 단순한 호르몬으로, 페놀기를 가진 아미노산 유도체이다. **예** 에피네프린, 티록신, 멜라토닌

(2) **단백질(펩타이드)계 호르몬**: 여러 개의 아미노산이 결합한 것으로, 가장 많은 호르몬이 해당되며 수용성이다. **예** 옥시토신, 항이뇨 호르몬, 인슐린

(3) **스테로이드계 호르몬**: 지질 성분의 독특한 고리 구조를 가진 스테로이드 핵을 가지고 있는 호르몬이다. **예** 부신 겉질 호르몬(당질 코르티코이드, 무기질 코르티코이드), 성호르몬(에스트로젠)

❷ 호르몬의 작용 방식

(1) **수용성 호르몬**: 단백질계 호르몬이나 에피네프린과 같은 수용성 호르몬은 혈액을 따라 이동하다가 표적 세포의 세포막에 있는 수용체에 결합한다. 호르몬이 수용체에 결합하면 신호 전달 경로를 거쳐 세포질의 기능을 변화시키거나 핵 안에서 유전자의 작용에 영향을 미친다.
➡ 세포막의 수용체에 결합하여 세포 내 효소를 활성화시키는 것과 같은 반응을 유도하므로, 효과가 빠르지만 일시적이다.

(2) **지용성 호르몬**: 스테로이드계 호르몬이나 티록신과 같은 지용성 호르몬은 표적 세포의 세포막을 통과할 수 있다. 세포 내로 들어간 호르몬은 세포질이나 핵에 있는 수용체와 결합하여 DNA에 직접 작용함으로써 유전자의 발현을 조절한다. ➡ 핵 속의 유전자에 직접 작용하여 세포의 단백질 합성을 조절하므로, 효과가 나타나는 데 시간이 걸리지만 오래 지속된다.

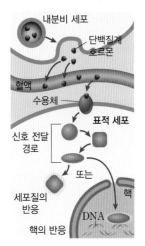

▲ 단백질계 호르몬의 작용

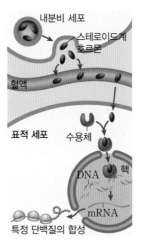

▲ 스테로이드계 호르몬의 작용

멜라토닌
간뇌의 뒤쪽에 돌출해 있는 송과샘이라는 작은 내분비샘에서 분비되는 호르몬이다. 밤에 주로 분비되며, 밤과 낮의 길이나 계절에 따른 일조 시간의 변화와 같은 광주기를 감지하여 생식 활동을 비롯한 생체 리듬에 관여한다.

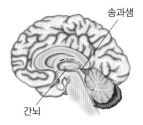

▲ 멜라토닌이 분비되는 송과샘

호르몬 부족 시 인체 내 투여 방법
• 단백질계 호르몬은 구강 투여를 하면 소화 기관에서 분해되어 기능을 상실하므로, 반드시 주사로 투여해야 한다.
• 스테로이드계 호르몬과 티록신은 분자의 크기가 작아서 주사 투여뿐만 아니라 알약 형태로 구강 투여해도 소화 기관을 통한 직접 흡수가 가능하다.

04 항상성 유지

① 사람의 내분비샘과 호르몬

1. 호르몬의 특성
- (❶   )에서 분비되어 혈액에 의해 운반되며, 표적 세포나 표적 기관에 작용한다.
- 매우 적은 양으로 생리 작용을 조절하며, 과다증과 결핍증이 있다.

2. 사람의 내분비샘에서 분비되는 호르몬

내분비샘		호르몬
뇌하수체	전엽	• 생장 호르몬: 몸의 생장 촉진　　•(❷　　): 티록신 분비 촉진
	후엽	• 항이뇨 호르몬: 콩팥에서 수분의 재흡수 촉진
갑상샘		• 티록신: 조직 세포의 세포 호흡 촉진
부신	속질	•(❸　　): 혈당량 증가
이자		• 인슐린: 혈당량 감소　　• 글루카곤: 혈당량 증가

② 항상성 유지

1. 항상성 유지의 원리　항상성은 대부분 음성 피드백과 길항 작용에 의해 유지된다.
- 음성 피드백: 어떤 원인에 의해 나타난 결과가 원인을 억제하는 방향으로 작용하는 현상
- 길항 작용: 하나의 기관에 서로 반대되는 두 가지 요인이 함께 작용할 때 한 요인이 기능을 촉진하면 다른 요인은 기능을 억제함으로써 그 기관의 기능을 일정하게 조절하는 작용

2. 혈당량 조절
- 혈당량이 높을 때: 이자섬 β세포에서 (❹　　) 분비 촉진 → 간에서 포도당을 글리코젠으로 합성하는 과정 촉진, 체세포의 포도당 흡수 촉진 → 혈당량 감소
- 혈당량이 낮을 때: 이자섬 α세포에서 (❺　　), 부신 속질에서 에피네프린 분비 촉진 → 간에 저장되어 있던 글리코젠을 포도당으로 분해하는 과정 촉진 → 혈당량 증가

3. 체온 조절
- 추울 때: 열 발생량 증가(물질대사 촉진, 골격근을 수축시켜 몸을 떨게 함), 열 발산량 감소(피부 근처 혈관 수축)
- 더울 때: 열 발생량 감소(물질대사 억제), 열 발산량 증가(피부 근처 혈관 확장, 땀 분비 증가)

4. 삼투압 조절
- 혈장 삼투압이 높을 때(수분 부족): 뇌하수체 후엽에서 항이뇨 호르몬의 분비량 (❻　　) → 콩팥에서 수분 재흡수 촉진 → 오줌 생성량 감소, 체내 수분량 증가 → 혈장 삼투압 감소
- 혈장 삼투압이 낮을 때(수분 과잉): 뇌하수체 후엽에서 항이뇨 호르몬의 분비량 (❼　　) → 콩팥에서 수분 재흡수 억제 → 오줌 생성량 증가, 체내 수분량 감소 → 혈장 삼투압 증가

③ 내분비계 질환

내분비샘	호르몬	과다증	결핍증
뇌하수체	생장 호르몬	거인증, 말단 비대증	소인증
	항이뇨 호르몬	−	요붕증
갑상샘	티록신	갑상샘 기능 항진증	갑상샘 기능 저하증
이자	인슐린	−	(❽　　)

01 호르몬에 대한 설명으로 옳은 것만을 〈보기〉에서 있는 대로 고르시오.

> 보기
> ㄱ. 미량으로 생리 작용을 조절한다.
> ㄴ. 내분비샘에서 생성되어 분비된다.
> ㄷ. 특정 세포나 기관에서만 기능을 나타낸다.
> ㄹ. 분비관을 통해 온몸의 기관으로 운반된다.

02 다음은 호르몬과 신경계를 비교하여 나타낸 것이다. ( ) 안에 들어갈 알맞은 말을 고르시오.

> 호르몬은 신경계보다 신호 전달 속도가 ㉠(빠르고, 느리고), 작용 범위는 ㉡(넓으며, 좁으며), 효과가 ㉢(일시적, 지속적)이다.

03 그림은 사람의 몇 가지 내분비샘을 나타낸 것이다. (단, A는 B보다 많은 종류의 호르몬을 분비한다.)

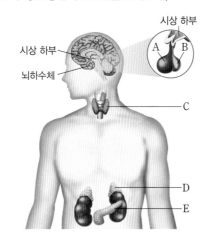

다음 설명에 해당하는 내분비샘의 기호와 이름을 쓰시오.

(1) 아이오딘(I)을 함유한 호르몬을 분비한다.

(2) 콩팥에 작용하는 항이뇨 호르몬(ADH)을 분비한다.

(3) 간에 작용하여 혈당량을 낮추는 호르몬을 분비한다.

(4) 과다 분비되면 거인증을 일으키는 호르몬을 분비한다.

[04~06] 그림은 티록신의 분비 조절 과정을 나타낸 것이다.

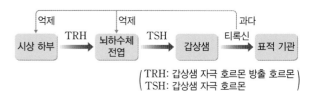

(TRH: 갑상샘 자극 호르몬 방출 호르몬)
(TSH: 갑상샘 자극 호르몬)

04 이와 같은 조절 방식을 무엇이라고 하는지 쓰시오.

05 갑상샘을 제거할 경우 TSH(갑상샘 자극 호르몬)와 티록신의 분비량은 어떻게 변화할지 각각 쓰시오.

(1) TSH:

(2) 티록신:

06 TSH를 혈관에 주사할 경우 TRH(갑상샘 자극 호르몬 방출 호르몬)와 티록신의 분비량은 어떻게 변화할지 각각 쓰시오.

(1) TRH:

(2) 티록신:

07 그림은 사람의 이자에서 이자섬을 구성하는 두 가지 세포의 호르몬 분비를 나타낸 것이다.

(1) 호르몬 A와 B는 각각 무엇인지 쓰시오.

(2) α세포의 호르몬 분비를 촉진하는 자율 신경의 종류는 무엇인지 쓰시오.

(3) 분비량이 부족할 때 당뇨병을 일으킬 수 있는 호르몬은 A와 B 중 무엇인지 쓰시오.

08 그림은 건강한 사람에게 인슐린을 주사한 후 시간에 따른 혈중 글루카곤과 에피네프린의 농도 변화를 나타낸 것이다.

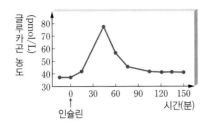

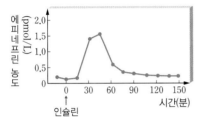

이에 대한 설명으로 옳은 것만을 〈보기〉에서 있는 대로 고르시오.

보기
ㄱ. 글루카곤은 혈당량이 낮을 때 분비가 촉진된다.
ㄴ. 에피네프린은 글리코젠의 합성을 촉진한다.
ㄷ. 글루카곤과 에피네프린은 길항적으로 작용한다.

09 그림은 추울 때 일어나는 체온 조절 과정을 나타낸 것이다. (가)는 자율 신경이다.

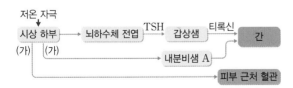

(1) 내분비샘 A는 무엇인지 쓰시오.

(2) 내분비샘 A에서 분비하는 호르몬은 무엇인지 쓰시오.

(3) (가)에 의해 피부 근처 혈관에서 어떤 변화가 나타나는지 쓰시오.

10 짠 음식을 많이 먹거나 운동으로 땀을 많이 흘리면 혈장 삼투압이 높아진다. 이때 항이뇨 호르몬(ADH)의 분비량과 오줌 생성량의 변화를 각각 쓰시오.

(1) ADH의 분비량:

(2) 오줌 생성량:

11 그림은 혈장 삼투압과 혈압에 따른 혈중 항이뇨 호르몬(ADH)의 농도 변화를 각각 나타낸 것이다.

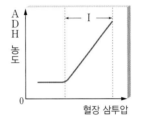 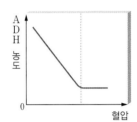

이에 대한 설명으로 옳은 것만을 〈보기〉에서 있는 대로 고르시오.

보기
ㄱ. 혈압이 높을 때 항이뇨 호르몬의 분비가 촉진된다.
ㄴ. 항이뇨 호르몬은 혈장 삼투압을 낮추는 작용을 한다.
ㄷ. 구간 I에서는 혈장 삼투압이 높아질수록 콩팥에서 수분의 재흡수가 촉진된다.

12 그림은 건강한 사람이 1 L의 물을 섭취한 후 단위 시간당 오줌 생성량을 시간에 따라 나타낸 것이다.

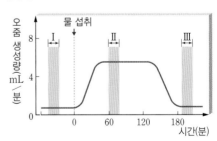

(1) 구간 I과 구간 II 중 혈중 항이뇨 호르몬(ADH)의 농도가 더 높은 구간을 쓰시오.

(2) 구간 II와 구간 III 중 혈장 삼투압이 더 높은 구간을 쓰시오.

01 ▶ 내분비샘과 호르몬

그림은 세 가지 호르몬 A~C를 구분하는 과정을 나타낸 것이며, X는 호르몬을 구분하는 기준이다. A~C는 각각 항이뇨 호르몬(ADH), 갑상샘 자극 호르몬(TSH), 당질 코르티코이드 중 하나이다.

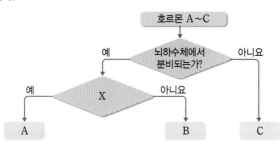

이에 대한 설명으로 옳은 것만을 〈보기〉에서 있는 대로 고른 것은?

보기
ㄱ. '표적 기관이 내분비샘인가?'는 X가 될 수 있다.
ㄴ. A와 B는 모두 혈장 삼투압에 영향을 미친다.
ㄷ. C의 분비는 뇌하수체의 영향을 받는다.

① ㄱ   ② ㄴ   ③ ㄷ   ④ ㄱ, ㄷ   ⑤ ㄴ, ㄷ

• 항이뇨 호르몬(ADH)은 뇌하수체 후엽에서, 갑상샘 자극 호르몬(TSH)은 뇌하수체 전엽에서, 당질 코르티코이드는 부신 겉질에서 분비되는 호르몬이다.

02 ▶ 음성 피드백에 의한 호르몬 분비 조절

그림은 호르몬의 분비 조절 방식 중 하나를 나타낸 것이다.

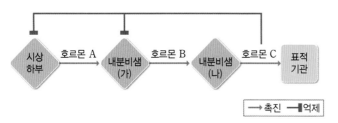

이에 대한 설명으로 옳은 것만을 〈보기〉에서 있는 대로 고른 것은?

보기
ㄱ. 뇌하수체 전엽은 (가)에 해당한다.
ㄴ. 부신 겉질은 (나)에 해당한다.
ㄷ. 혈액 내 C의 농도가 증가하면 A의 분비량이 감소한다.

① ㄱ   ② ㄷ   ③ ㄱ, ㄴ   ④ ㄴ, ㄷ   ⑤ ㄱ, ㄴ, ㄷ

• 시상 하부의 조절을 받으며, 다른 내분비샘의 호르몬 분비를 조절하는 호르몬을 분비하는 내분비샘은 뇌하수체 전엽이다.

03 ▶ 이자섬과 혈당량 조절

그림은 호르몬 A에 의한 혈당량 조절 과정을 나타낸 것이다.

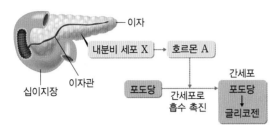

이에 대한 설명으로 옳은 것만을 〈보기〉에서 있는 대로 고른 것은?

보기
ㄱ. 내분비 세포 X는 이자섬의 β세포이다.
ㄴ. A는 이자관을 통해 십이지장으로 분비된다.
ㄷ. A는 혈당량 조절에서 에피네프린과 유사하게 작용한다.

① ㄱ　　　　② ㄴ　　　　③ ㄱ, ㄷ　　　　④ ㄴ, ㄷ　　　　⑤ ㄱ, ㄴ, ㄷ

● 호르몬 A는 간세포에서 포도당을 흡수하여 글리코젠으로 전환하는 과정을 촉진하므로, 혈당량을 낮추는 호르몬이다.

04 ▶ 혈당량 조절

그림 (가)와 (나)는 건강한 사람이 탄수화물 위주의 식사를 한 후 시간에 따른 혈당량과 혈중 호르몬 A의 농도 변화를 각각 나타낸 것이다. 호르몬 A는 이자에서 분비된다.

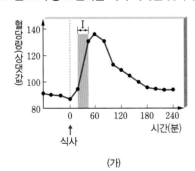

(가)

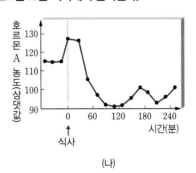

(나)

이에 대한 설명으로 옳은 것만을 〈보기〉에서 있는 대로 고른 것은?

보기
ㄱ. A는 이자의 α세포에서 분비된다.
ㄴ. A는 간세포에서 포도당 생성을 촉진한다.
ㄷ. 구간 I에서 A의 감소가 혈당량 증가의 주된 요인이다.

① ㄱ　　　　② ㄴ　　　　③ ㄱ, ㄴ　　　　④ ㄴ, ㄷ　　　　⑤ ㄱ, ㄴ, ㄷ

● 호르몬 A는 식사 후 혈당량이 높아질 때 농도가 낮아지므로, 혈당량을 높이는 호르몬이다.

05 ❯ 혈당량 조절

그림은 건강한 사람에게 공복 시 포도당을 투여한 후 시간에 따른 호르몬 A의 혈중 농도 변화를 나타낸 것이다. A는 이자에서 분비되는 혈당량 조절 호르몬이다.

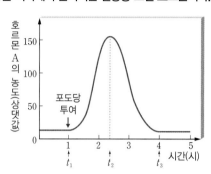

이에 대한 설명으로 옳은 것만을 〈보기〉에서 있는 대로 고른 것은?

보기
ㄱ. 혈당량은 t_2일 때가 t_3일 때보다 높다.
ㄴ. 혈중 글루카곤 농도는 t_1일 때가 t_2일 때보다 높다.
ㄷ. 간세포의 글리코젠 합성량은 t_1일 때가 t_2일 때보다 많다.

① ㄱ   ② ㄴ   ③ ㄱ, ㄴ   ④ ㄴ, ㄷ   ⑤ ㄱ, ㄴ, ㄷ

• 호르몬 A는 포도당 투여 후 혈당량이 증가할 때 혈중 농도가 높아지므로 인슐린이다.

06 ❯ 저온 자극에 따른 체온 조절

그림은 저온 자극이 주어졌을 때 신경과 호르몬에 의해 일어나는 체온 조절 과정을 나타낸 것이다. (가)는 체온 조절 중추이고, ㉠은 자율 신경을 통한 조절 과정이다.
이에 대한 설명으로 옳은 것만을 〈보기〉에서 있는 대로 고른 것은?

보기
ㄱ. (가)는 간뇌의 시상 하부이다.
ㄴ. ㉠은 부교감 신경을 통한 조절 과정이다.
ㄷ. 티록신의 혈중 농도가 증가하면 TRH와 TSH의 분비량이 모두 증가한다.

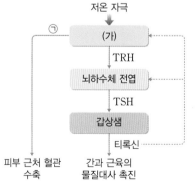

① ㄱ   ② ㄴ   ③ ㄱ, ㄴ   ④ ㄱ, ㄷ   ⑤ ㄴ, ㄷ

• 저온 자극이 주어졌을 때는 교감 신경을 통한 조절이 일어나 열 발산량이 감소한다.

07 〉체온 조절

그림 (가)는 체온 조절 과정의 일부를, 그림 (나)는 어떤 사람의 시상 하부에 설정된 온도에 따른 체온 변화를 나타낸 것이다.

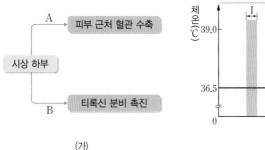

(가)

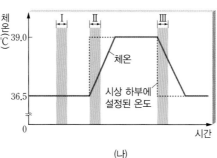

(나)

• A 과정은 자율 신경(교감 신경)에 의해 일어나며, B 과정은 호르몬에 의해 일어난다.

이에 대한 설명으로 옳은 것만을 〈보기〉에서 있는 대로 고른 것은?

보기
ㄱ. A는 구간 Ⅱ에서가 구간 Ⅰ에서보다 활발하다.
ㄴ. B는 구간 Ⅲ에서가 구간 Ⅱ에서보다 활발하다.
ㄷ. A를 통한 신호 전달은 B를 통한 신호 전달보다 빠르다.

① ㄱ   ② ㄷ   ③ ㄱ, ㄷ   ④ ㄴ, ㄷ   ⑤ ㄱ, ㄴ, ㄷ

08 〉뇌하수체 호르몬과 삼투압 조절

그림 (가)는 뇌하수체에서 분비되는 호르몬 A, B와 각각의 표적 기관을, 그림 (나)는 혈장 삼투압에 따른 호르몬 B의 혈중 농도 변화를 나타낸 것이다.

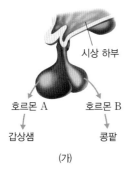

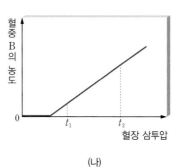

(가)   (나)

• A는 뇌하수체 전엽에서 분비되어 갑상샘에 작용하는 갑상샘 자극 호르몬(TSH)이고, B는 뇌하수체 후엽에서 분비되어 콩팥에 작용하는 항이뇨 호르몬(ADH)이다.

이에 대한 설명으로 옳은 것만을 〈보기〉에서 있는 대로 고른 것은?

보기
ㄱ. 더울 때 A의 분비량이 감소한다.
ㄴ. 땀을 많이 흘리면 B의 분비량이 증가한다.
ㄷ. 배출되는 오줌의 삼투압은 t_2에서가 t_1에서보다 높다.

① ㄱ   ② ㄴ   ③ ㄱ, ㄷ   ④ ㄴ, ㄷ   ⑤ ㄱ, ㄴ, ㄷ

09 ➤ 삼투압 조절

그림은 건강한 사람이 물 **1 L**를 섭취한 후 단위 시간당 오줌 생성량을 시간에 따라 나타낸 것이다.

이에 대한 설명으로 옳은 것만을 〈보기〉에서 있는 대로 고른 것은? (단, 제시된 조건 이외에 체내 수분량에 영향을 미치는 요인은 없다.)

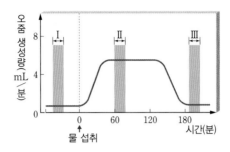

• 혈장 삼투압이 높아지면 항이뇨 호르몬(ADH)의 분비량이 증가하여 오줌 생성량이 줄어든다.

보기
┌───
ㄱ. 혈중 항이뇨 호르몬의 농도는 구간 Ⅰ에서가 구간 Ⅱ에서보다 높다.
ㄴ. 오줌 삼투압은 구간 Ⅱ에서가 구간 Ⅰ에서보다 높다.
ㄷ. 콩팥에서 단위 시간당 수분 재흡수량은 구간 Ⅲ에서가 구간 Ⅱ에서보다 많다.
└───

① ㄱ   ② ㄷ   ③ ㄱ, ㄷ   ④ ㄴ, ㄷ   ⑤ ㄱ, ㄴ, ㄷ

10 고난도 ➤ 삼투압 조절

그림 (가)는 건강한 사람의 혈장 삼투압에 따른 호르몬 X의 혈중 농도를, 그림 (나)는 이 사람이 물 **1 L**를 섭취한 후 시간에 따른 혈장과 오줌의 삼투압을 나타낸 것이다. X는 뇌하수체 후엽에서 분비된다.

• 호르몬 X는 뇌하수체 후엽에서 분비되는 항이뇨 호르몬(ADH)이다.

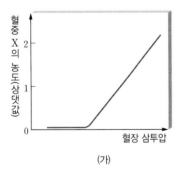

(가)

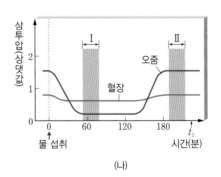

(나)

이에 대한 설명으로 옳은 것만을 〈보기〉에서 있는 대로 고른 것은? (단, 제시된 조건 이외에 체내 수분량에 영향을 미치는 요인은 없다.)

보기
┌───
ㄱ. X의 표적 기관은 콩팥이다.
ㄴ. X의 분비량은 구간 Ⅰ에서가 구간 Ⅱ에서보다 많다.
ㄷ. t_1일 때 땀을 많이 흘리면 생성되는 오줌 삼투압은 낮아진다.
└───

① ㄱ   ② ㄷ   ③ ㄱ, ㄴ   ④ ㄱ, ㄷ   ⑤ ㄱ, ㄴ, ㄷ

호르몬의 발견과 연구

호르몬(hormone)은 '자극하다.'라는 뜻의 그리스어 horman에서 유래한 단어이다. 1902년 영국의 생리학자 베일리스(Bayliss, W. M.)와 스탈링(Starling, E. H.)은 이자액의 분비를 밝히는 연구를 하였는데, 이 과정에서 처음으로 호르몬의 존재가 확인되었다.

그 당시에는 신경계에 의한 신호 전달만 알려져 있었기 때문에 위 속의 산성 음식물이 십이지장으로 내려가면 염기성의 이자액이 분비되는 것도 신경을 통한 신호 전달에 의해 일어난다고 믿고 있었다. 이를 확인하기 위해 베일리스와 스탈링은 개의 이자에 연결된 신경을 모두 자른 후 십이지장에 산성 음식물 대신 묽은 염산을 넣는 실험을 하였다. 그러나 이자액이 분비되지 않을 것이라는 예상과 달리 이자액이 계속 분비되었다. 이러한 실험 결과는 십이지장과 이자 사이에 신경계 외에 또 다른 신호 전달 체계가 있다는 것을 의미하므로, 이를 확인하기 위해 다음과 같이 실험하였다.

실험 과정

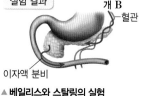

(가) 개 A의 십이지장에 묽은 염산을 주입한 후 십이지장의 일부를 떼어 내어 추출액을 얻었다.

(나) 이 추출액을 또 다른 개 B의 혈관에 주사하였다.

실험 결과

(다) 개 B는 음식물을 먹지 않았는데도 이자액이 분비되었다.

▲ 베일리스와 스탈링의 실험

이 실험을 통해 십이지장에서 이자까지 혈액을 통해 운반되는 신호 전달 물질의 존재가 확인되었으며, 이 물질을 '분비한다.'라는 뜻으로 세크레틴(secretin)이라고 이름 지었다. 그 후 이와 같은 역할을 하는 물질이 다수 밝혀지면서 이러한 화학 물질을 통틀어 호르몬이라고 부르게 되었다.

과학자들이 새로운 호르몬을 발견하기 위해 사용하는 방법은 크게 두 가지이다. 세크레틴의 발견 때처럼 내분비샘으로 추정되는 기관의 추출액을 다른 동물에게 주사하여 어떤 변화가 있는지 관찰하거나, 내분비샘으로 추정되는 기관을 제거한 후 나타나는 결핍 증세를 연구하는 방법이다. 예를 들어 동물의 부신을 제거하면 저혈당, 저혈압, 혈액 내 나트륨 농도 저하로 동물이 생명을 잃게 된다. 그러나 부신을 제거한 동물에게 부신 추출액을 주사하면 생명을 유지할 수 있는데, 이 사실로부터 부신에서 분비되는 호르몬이 혈당량 조절과 혈압 조절, 혈액 내 나트륨 농도 조절에 관여한다는 것을 알아내었다. 그 후 부신 속질에서 에피네프린과 노르에피네프린이, 부신 겉질에서 당질 코르티코이드와 무기질 코르티코이드라는 호르몬이 분비된다는 것이 밝혀졌다.

1921년 캐나다의 밴팅(Banting, F. G.)과 베스트(Best, C. H.)는 개의 이자 추출액을 당뇨병에 걸린 개에게 주사하여 당뇨병이 치료되는 것을 확인함으로써 혈당량을 조절하는 호르몬인 인슐린을 발견하였다. 이후 소나 돼지의 이자에서 추출한 인슐린을 당뇨병 환자의 치료에 사용하기 시작하였고, 그 결과 수많은 당뇨병 환자의 생명을 구할 수 있었다. 오늘날 수많은 호르몬의 분자 구조와 작용 원리가 자세히 밝혀지고, 유전자 재조합 기술을 이용한 호르몬의 대량 생산이 가능해지는 등 당뇨병을 비롯한 내분비계 질환의 치료에 대한 연구가 활발하게 이루어지고 있다.

01 ▶막전위 변화와 이온의 이동

그림 (가)는 어떤 뉴런에 역치 이상의 자극을 주었을 때 이 뉴런의 축삭 돌기 한 지점에서 측정한 막전위 변화를, 그림 (나)는 t_2일 때 이 지점에서 K^+ 통로를 통한 K^+의 확산을 나타낸 것이다. ㉠과 ㉡은 각각 세포 안과 세포 밖 중 하나이다.

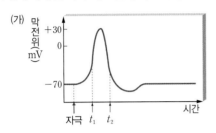 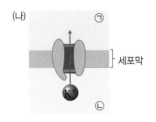

이에 대한 설명으로 옳은 것만을 〈보기〉에서 있는 대로 고른 것은?

> 보기
> ㄱ. K^+의 막 투과도는 t_1일 때가 t_2일 때보다 크다.
> ㄴ. t_1일 때 Na^+은 Na^+ 통로를 통해 ㉠에서 ㉡으로 확산된다.
> ㄷ. t_2일 때 이온의 $\dfrac{㉡에서의 농도}{㉠에서의 농도}$ 는 K^+이 Na^+보다 크다.

① ㄱ   ② ㄷ   ③ ㄱ, ㄴ   ④ ㄴ, ㄷ   ⑤ ㄱ, ㄴ, ㄷ

- t_1은 탈분극, t_2는 재분극 시기에 해당하며, 이온의 확산은 항상 농도가 높은 쪽에서 낮은 쪽으로 일어난다.

02 ▶흥분 전도

그림 (가)는 민말이집 신경 A와 B의 축삭 돌기 일부를, 그림 (나)는 지점 $d_1 \sim d_3$에서 활동 전위가 발생하였을 때 막전위 변화를 나타낸 것이다. A와 B의 d_1에 역치 이상의 자극을 동시에 1회 주고 4 ms가 경과했을 때 A의 d_3와 B의 d_2에서의 막전위는 모두 -80 mV이다.

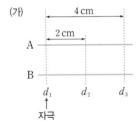 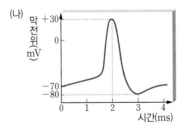

이에 대한 설명으로 옳은 것만을 〈보기〉에서 있는 대로 고른 것은? (단, A와 B에서 흥분 전도는 각각 1회만 일어났다.)

> 보기
> ㄱ. 자극을 준 후 2 ms일 때 A의 d_2에서 Na^+이 세포 안으로 유입된다.
> ㄴ. 자극을 준 후 4 ms일 때 B의 d_3에서의 막전위는 $+30$ mV이다.
> ㄷ. 흥분 전도 속도는 B가 A보다 빠르다.

① ㄱ   ② ㄴ   ③ ㄱ, ㄴ   ④ ㄱ, ㄷ   ⑤ ㄴ, ㄷ

- (나)에서 1회의 막전위 변화에 걸리는 총 시간이 4 ms이므로, 자극을 준 후 4 ms가 경과하였을 때 d_1의 막전위는 다시 -70 mV를 회복한다. A의 d_3와 B의 d_2에서 막전위가 모두 -80 mV인 것을 통해 1 ms 동안에 흥분 전도가 A는 4 cm, B는 2 cm 일어남을 알 수 있다.

03

> 흥분의 전도와 전달

그림 (가)는 시냅스로 연결된 두 뉴런에서 지점 B와 이 지점으로부터 같은 거리에 위치하는 두 지점 A와 C를, 그림 (나)의 ㉠과 ㉡은 B에 역치 이상의 자극을 1회 주었을 때 A와 C에서의 막전위 변화를 순서 없이 나타낸 것이다.

(가)

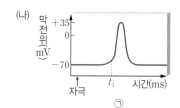 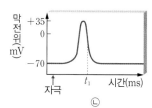

(나)

이에 대한 설명으로 옳은 것만을 〈보기〉에서 있는 대로 고른 것은?

> 보기

ㄱ. A에서의 막전위 변화는 ㉡이다.

ㄴ. t_1일 때 A에서 K^+이 세포 밖으로 이동한다.

ㄷ. t_1일 때 C에서 Na^+의 농도는 세포 밖에서가 세포 안에서보다 높다.

① ㄴ   ② ㄷ   ③ ㄱ, ㄴ   ④ ㄱ, ㄷ   ⑤ ㄱ, ㄴ, ㄷ

* 시냅스를 통해 일어나는 흥분 전달은 축삭 돌기를 따라 일어나는 흥분 전도보다 속도가 느리다.

04

> 골격근의 수축과 근육 원섬유 마디의 변화

표는 골격근의 근육 원섬유 마디 X가 수축하는 과정에서 두 시점 ㉠과 ㉡일 때 X의 길이와 A대의 길이를, 그림은 X의 한 지점에서 관찰되는 단면을 나타낸 것이다. X는 좌우 대칭이다.

시점	X의 길이(μm)	A대의 길이(μm)
㉠	2.2	?
㉡	2.0	1.6

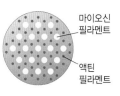

마이오신 필라멘트

액틴 필라멘트

이에 대한 설명으로 옳은 것만을 〈보기〉에서 있는 대로 고른 것은?

> 보기

ㄱ. ㉠일 때 I대의 길이는 0.6 μm이다.

ㄴ. 그림은 H대에서 관찰되는 단면이다.

ㄷ. ㉠에서 ㉡으로 될 때 ATP가 소모된다.

① ㄱ   ② ㄷ   ③ ㄱ, ㄴ   ④ ㄱ, ㄷ   ⑤ ㄴ, ㄷ

* 'X의 길이＝A대의 길이＋I대의 길이'이며, 근육이 수축할 때 에너지가 사용된다.

05 〉근육 원섬유 마디의 구조와 길이 변화

다음은 근육 원섬유 마디 X에 대한 자료이다.

- 그림은 어떤 ⓐ골격근을 구성하는 근육 원섬유 마디 X의 구조를 나타낸 것으로, X는 좌우 대칭이다. 구간 ㉠～㉢은 각각 액틴 필라멘트와 마이오신 필라멘트가 겹쳐 있는 부분, 액틴 필라멘트만 있는 부분, 마이오신 필라멘트만 있는 부분 중 하나이다.

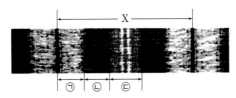

- X의 길이는 시점 t_1일 때 2.2 μm, t_2일 때 2.6 μm이다.
- t_1일 때 ㉠～㉢ 각각의 길이의 합과 A대의 길이는 모두 1.2 μm이다.

이에 대한 설명으로 옳은 것만을 〈보기〉에서 있는 대로 고른 것은?

보기
ㄱ. ⓐ에는 원심성 뉴런이 연결되어 있다.
ㄴ. t_2일 때 ㉠의 길이와 ㉡의 길이의 차는 0.6 μm이다.
ㄷ. $\dfrac{㉢의 길이}{㉠의 길이}$ 는 t_1일 때가 t_2일 때보다 크다.

① ㄱ   ② ㄷ   ③ ㄱ, ㄴ   ④ ㄱ, ㄷ   ⑤ ㄴ, ㄷ

> ㉠은 액틴 필라멘트만 있는 부분, ㉡은 액틴 필라멘트와 마이오신 필라멘트가 겹쳐 있는 부분, ㉢은 마이오신 필라멘트만 있는 부분이다. t_1일 때 X의 길이＝2㉠＋2㉡＋㉢ ＝2.2 μm이며, ㉠＋㉡＋㉢＝A대의 길이(2㉡＋㉢)＝1.2 μm이다.

06 〉중추 신경계의 특징

그림은 중추 신경계를 구성하는 소뇌, 중간뇌, 연수를 구분하는 과정을 나타낸 것이다.

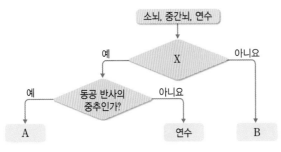

이에 대한 설명으로 옳은 것만을 〈보기〉에서 있는 대로 고른 것은?

보기
ㄱ. A는 부교감 신경을 통해 동공의 크기를 확대한다.
ㄴ. '뇌줄기에 속하는가?'는 X에 해당한다.
ㄷ. B는 청각과 평형 감각의 중추이다.

① ㄱ   ② ㄴ   ③ ㄱ, ㄴ   ④ ㄴ, ㄷ   ⑤ ㄱ, ㄴ, ㄷ

> 뇌줄기는 중간뇌, 뇌교, 연수로 구성되며, 감각의 중추는 대뇌이다.

07 ❯ 중추 신경계와 자율 신경계

그림은 중추 신경계와 위 사이에 자율 신경 (가)가 연결된 모습을 나타낸 것이다.

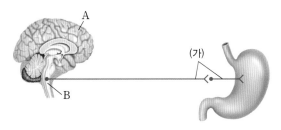

이에 대한 설명으로 옳은 것만을 〈보기〉에서 있는 대로 고른 것은?

> **보기**
> ㄱ. A의 겉질은 회색질이다.
> ㄴ. B는 척수이다.
> ㄷ. (가)가 흥분하면 위의 소화 운동이 억제된다.

① ㄱ   ② ㄴ   ③ ㄱ, ㄷ   ④ ㄴ, ㄷ   ⑤ ㄱ, ㄴ, ㄷ

• 대뇌의 겉질은 주로 뉴런의 신경 세포체가 모여 있는 부분이며, (가)는 신경절 이전 뉴런이 길고 신경절 이후 뉴런이 짧다.

08 ❯ 신경에 의한 방광의 조절

그림은 척수와 방광 사이의 흥분 전달 경로를 나타낸 것이다.

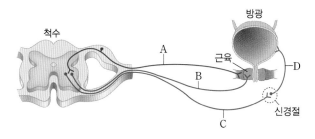

이에 대한 설명으로 옳은 것만을 〈보기〉에서 있는 대로 고른 것은?

> **보기**
> ㄱ. A는 원심성 뉴런으로, 척수의 후근을 이룬다.
> ㄴ. B와 C는 말단에서 분비되는 신경 전달 물질이 같다.
> ㄷ. D의 말단에서 신경 전달 물질이 분비되면 방광이 수축한다.

① ㄴ   ② ㄷ   ③ ㄱ, ㄷ   ④ ㄴ, ㄷ   ⑤ ㄱ, ㄴ, ㄷ

• A는 감각 신경, B는 운동 신경이며, C와 D는 각각 부교감 신경의 신경절 이전 뉴런과 신경절 이후 뉴런이다.

09 호르몬의 분비 경로

그림은 호르몬 A와 B의 분비 경로를 나타낸 것으로, A와 B는 각각 티록신과 에피네프린 중 하나이다.

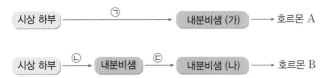

이에 대한 설명으로 옳은 것만을 〈보기〉에서 있는 대로 고른 것은?

보기
ㄱ. (가)는 부신 속질, (나)는 갑상샘이다.
ㄴ. ㉠은 신경, ㉡은 호르몬에 의해 일어나는 과정이다.
ㄷ. B가 과다하게 분비되면 ㉡ 과정과 ㉢ 과정이 모두 억제된다.

① ㄱ   ② ㄷ   ③ ㄱ, ㄴ   ④ ㄴ, ㄷ   ⑤ ㄱ, ㄴ, ㄷ

• 호르몬 A는 시상 하부의 직접적인 조절을 받는 내분비샘에서 분비되고, 호르몬 B는 시상 하부에서 다른 내분비샘(뇌하수체 전엽)을 거쳐 조절하는 내분비샘에서 분비된다.

10 혈당량 조절 호르몬의 특징

표 (가)는 사람의 몸에서 분비되는 호르몬 A~C에서 특징 ㉠~㉢의 유무를, (나)는 특징 ㉠~㉢을 순서 없이 나타낸 것이다. A~C는 인슐린, 글루카곤, 에피네프린을 순서 없이 나타낸 것이다.

호르몬 \ 특징	㉠	㉡	㉢
A	○	○	?
B	○	?	○
C	?	×	○

(○: 있음, ×: 없음)

(가)

특징(㉠~㉢)
• 부신에서 분비된다.
• 혈당량을 증가시킨다.
• 간의 물질대사에 영향을 미친다.

(나)

이에 대한 설명으로 옳은 것만을 〈보기〉에서 있는 대로 고른 것은?

보기
ㄱ. ㉠은 '혈당량을 증가시킨다.'이다.
ㄴ. B는 간에서 글리코젠 분해를 촉진한다.
ㄷ. C는 이자섬의 β세포에서 분비된다.

① ㄱ   ② ㄴ   ③ ㄱ, ㄷ   ④ ㄴ, ㄷ   ⑤ ㄱ, ㄴ, ㄷ

• 인슐린과 글루카곤은 이자섬에서 분비되는 호르몬이고, 에피네프린은 부신 속질에서 분비되는 호르몬이다.

11 ＞체온 조절

그림은 저온 자극이 주어졌을 때 일어나는 체온 조절 과정의 일부를 나타낸 것이다.

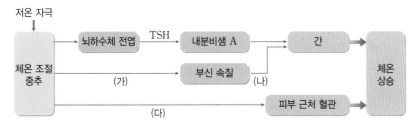

이에 대한 설명으로 옳은 것만을 〈보기〉에서 있는 대로 고른 것은?

> 보기
> ㄱ. 체온 조절 중추는 연수이다.
> ㄴ. 내분비샘 A에서는 티록신이 분비된다.
> ㄷ. (가)와 (다)는 신경, (나)는 호르몬에 의한 신호 전달 경로이다.

① ㄱ   ② ㄴ   ③ ㄱ, ㄷ   ④ ㄴ, ㄷ   ⑤ ㄱ, ㄴ, ㄷ

- 저온 자극이 주어졌을 때 열 발생량은 증가하고 열 발산량은 감소하여 체온을 높인다.

12 ＞삼투압 조절

그림 (가)는 호르몬 X의 분비와 작용을, 그림 (나)는 혈액량이 정상일 때와 ㉠일 때 혈장 삼투압에 따른 혈중 X의 농도 변화를 나타낸 것이다. ㉠은 혈액량이 정상일 때보다 증가한 상태와 감소한 상태 중 하나이다.

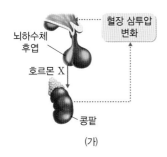

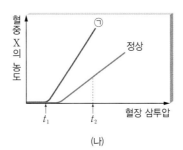

(가)   (나)

이에 대한 설명으로 옳은 것만을 〈보기〉에서 있는 대로 고른 것은? (단, 제시된 조건 이외에 체내 수분량에 영향을 미치는 요인은 없다.)

> 보기
> ㄱ. X는 콩팥에서 수분의 재흡수를 촉진한다.
> ㄴ. ㉠은 혈액량이 정상일 때보다 증가한 상태이다.
> ㄷ. 혈액량이 정상일 때 생성되는 오줌의 삼투압은 t_1일 때가 t_2일 때보다 높다.

① ㄱ   ② ㄴ   ③ ㄱ, ㄴ   ④ ㄱ, ㄷ   ⑤ ㄴ, ㄷ

- 호르몬 X는 항이뇨 호르몬(ADH)으로, 혈장 삼투압이 높을수록, 혈액량이 적고 혈압이 낮을수록 분비량이 증가한다.

KEY WORDS

(1) • Na⁺-K⁺ 펌프

(2) • ATP

(4) • 확산

01 다음은 뉴런의 흥분 발생에 대한 자료이다.

- 표는 분극 상태의 뉴런에서 세포막의 안쪽과 바깥쪽에 분포하는 이온의 농도를, 그림은 세포막에 존재하는 Na^+ 통로, K^+ 통로, Na^+-K^+ 펌프를 나타낸 것이다.

이온	농도(mM)	
	세포막 안쪽	세포막 바깥쪽
K^+	150	5
Na^+	15	150
Cl^-	10	120

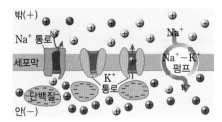

- 뉴런에서 흥분은 Na^+과 K^+이 각각 세포막 안팎으로 이동하여 활동 전위가 발생하는 현상으로, 축삭 돌기를 따라 빠르게 흥분 전도가 일어난다.
- 그림 (가)는 뉴런에 역치 이상의 자극을 주었을 때의 막전위 변화를, 그림 (나)의 A와 B는 같은 시간 동안 세포막 안팎으로 이동하는 Na^+과 K^+의 막 투과도를 순서 없이 나타낸 것이다.

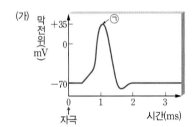

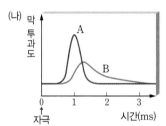

(1) 뉴런에서 K^+의 농도는 세포막의 안쪽이 바깥쪽보다 높고, Na^+의 농도는 세포막의 바깥쪽이 안쪽보다 높다. 그 까닭을 서술하시오.

_____

(2) 뉴런에 물질대사 억제제를 투여하여 세포 호흡을 중단시키면 세포막을 경계로 한 Na^+과 K^+의 농도 차이는 없어지게 된다. 그 까닭을 세포 호흡과 관련지어 서술하시오.

_____

(3) (나)에서 A와 B에 해당하는 이온을 각각 쓰시오.

_____

(4) Na^+의 세포 내 유입으로 막전위가 $+35\ mV$에 도달한 시점 ㉠에서도 여전히 Na^+의 농도는 세포막의 바깥쪽이 안쪽보다 높은 상태이다. 그 까닭을 Na^+의 이동 방식을 제시하여 서술하시오.

_____

02 다음은 흥분 전달 과정에 대한 자료이다.

- 흥분 전달 과정에서 흥분성 시냅스는 시냅스 이후 뉴런의 활동 전위 발생을 촉진하고, 억제성 시냅스는 시냅스 이후 뉴런의 활동 전위 발생을 억제한다. 시냅스가 흥분성인지 억제성인지의 여부는 흥분 전달이 일어날 때 축삭 돌기 말단에서 분비되는 신경 전달 물질이 시냅스 이후 뉴런의 어떤 이온 통로로에 영향을 미치는지에 따라 결정된다.
- 그림 (가)는 뉴런 A∼C가 연결된 모습을, 그림 (나)는 A 또는 B에 역치 이상의 자극을 주었을 때 C의 축삭 돌기에서의 막전위 변화를 나타낸 것이다. 뉴런 A에서 분비되는 신경 전달 물질은 시냅스 이후 뉴런의 Cl^- 통로를 열리게 하고, 뉴런 B에서 분비되는 신경 전달 물질은 시냅스 이후 뉴런의 Na^+ 통로를 열리게 한다.
- 분극 상태에서 Cl^-과 Na^+의 농도는 모두 세포막의 바깥쪽이 안쪽보다 높다.

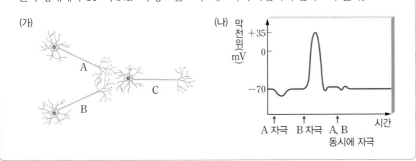

(1) 뉴런 A, B 중 뉴런 C와 억제성 시냅스를 형성하는 것의 기호를 쓰고, 그 근거를 제시하시오.

_____

(2) 뉴런 A, B에 동시에 역치 이상의 자극을 주었을 때는 뉴런 C에서 활동 전위가 발생하지 않았다. 그 까닭을 세포막을 경계로 한 Cl^-과 Na^+의 확산 방향과 관련지어 서술하시오.

_____

03 그림은 근육 원섬유 마디의 서로 다른 세 지점에서 관찰되는 단면을 나타낸 것이다. ㉠과 ㉡은 각각 액틴 필라멘트와 마이오신 필라멘트 중 하나이다.

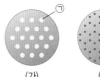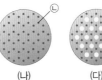

(가)　　　(나)　　　(다)

(1) ㉠과 ㉡에 해당하는 필라멘트의 종류를 각각 쓰시오.

_____

(2) 근육이 수축할 때 단면이 (가)∼(다)와 같은 부분의 길이는 각각 어떻게 변화하는지 서술하시오.

_____

04 그림은 무릎 반사가 일어나는 모습을, 표는 무릎을 고무망치로 치기 전과 친 후에 근육 X와 Y 중 하나를 구성하는 근육 원섬유에서 ㉠과 ㉡의 길이를 나타낸 것이다. ㉠과 ㉡은 각각 A 대와 I대 중 하나이다.

KEY WORDS
⑴ ・근육 이완
⑵ ・A대의 길이
　・I대의 길이

구분	길이(μm)	
	㉠	㉡
고무망치로 치기 전	1.4	0.6
고무망치로 친 후	1.4	1.0

⑴ 표는 X와 Y 중 어떤 근육의 근육 원섬유에 대한 자료인지 쓰고, 그 근거를 제시하시오.

⑵ ㉠과 ㉡ 중 I대에 해당하는 것을 쓰고, 그 근거를 제시하시오.

⑶ 무릎을 고무망치로 치기 전 이 근육 원섬유에서 H대의 길이가 0.4 μm였다면, 고무망치로 친 후 H대의 길이는 얼마인지 쓰시오.

05 그림은 중추 신경계에 연결된 말초 신경 A ~ D를 나타낸 것이다.

KEY WORDS
⑶ ・동공 크기
　・심장 박동
　・방광

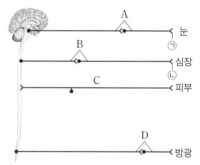

⑴ A ~ D 중 구심성 뉴런에 해당하는 것을 모두 쓰시오.

⑵ ㉠과 ㉡에서 분비되는 신경 전달 물질을 각각 쓰시오.

⑶ A, B, D가 각각 흥분할 경우 각 기관(반응기)에서는 어떤 변화가 나타나는지 서술하시오.
　・A
　・B
　・D

06 그림은 사람의 혈당량 조절 과정의 일부를 나타낸 것이다. (가)와 (나)는 각각 고혈당 상태와 저혈당 상태 중 하나이다.

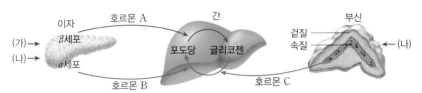

(1) (가)와 (나) 중 저혈당 상태에 해당하는 것을 쓰고, 그 근거를 제시하시오.

_____

(2) 호르몬 A~C의 이름을 각각 쓰시오.

_____

07 그림은 사람의 피부에 저온 자극이 주어졌을 때 일어나는 체온 조절 과정의 일부를 나타낸 것이다.

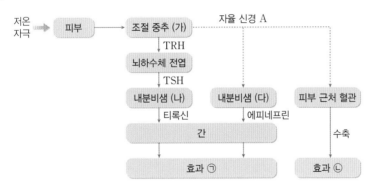

(1) (가)~(다)에 해당하는 기관을 각각 쓰시오.

_____

(2) 자율 신경 A의 종류를 쓰시오.

_____

(3) 체온 조절의 효과 ㉠과 ㉡을 각각 서술하시오.

㉠ _____

㉡ _____

2

방어 작용

질병과 병원체

우리 몸의 방어 작용

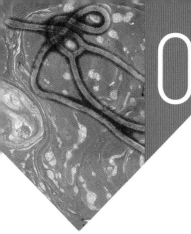

질병과 병원체

학습 Point 감염성 질병과 비감염성 > 병원체(세균, 바이러스, 원생생물, 곰팡이, > 병원체의 감염 경로와
　　　　　　질병의 구분　　　　　　　　　변형 프라이온)의 종류와 특성　　　　　질병 예방

① 질병의 구분

질병은 몸과 마음이 장애를 일으켜 정상적인 기능을 할 수 없는 상태를 말한다. 우리의 건강을 위협하는 질병에는 병원체의 감염 없이 나타나는 비감염성 질병과 병원체의 감염으로 나타나는 감염성 질병이 있다.

1. 비감염성 질병

병원체 없이 발생하는 질병으로, 다른 사람에게 전염되지 않는다. 이러한 질병은 환경, 생활 방식, 유전 등 여러 가지 원인이 복합적으로 작용하여 발생하며, 원인이 명확하게 밝혀지지 않은 것들도 있다. 예 당뇨병, 고혈압, 심장병, 뇌졸중

2. 감염성 질병

세균, 바이러스, 원생생물, 곰팡이 등과 같은 병원체에 감염되어 발생하는 질병으로, 병원체가 다른 사람에게 옮겨 감으로써 전염될 수 있다. 예 결핵, 파상풍, 감기, 독감, 말라리아, 무좀, 후천성 면역 결핍증(AIDS)

감염성 질병과 병원체
병원체가 인체에 침입했다고 해서 모두 감염성 질병이 발생하는 것은 아니다. 이는 인체가 병원체에 대한 저항력을 가지고 있어서 질병 발생을 억제하는 작용을 하기 때문이다.

② 병원체의 종류와 특성

우리를 둘러싼 환경에는 질병을 일으키는 여러 가지 병원체가 존재하며, 다양한 경로로 인체에 침입하여 질병을 일으킨다. 우리 몸에 침입하여 질병을 일으키는 병원체에는 세균, 바이러스, 원생생물, 곰팡이, 변형 프라이온 등이 있다.

원핵생물과 진핵생물
• 원핵생물: 핵막과 막으로 둘러싸인 세포 소기관이 없는 세포(원핵세포)로 이루어진 생물로, 세균이 여기에 속한다.
• 진핵생물: 미토콘드리아, 소포체 등 막으로 둘러싸인 세포 소기관과 핵이 있는 좀 더 복잡한 형태의 세포(진핵세포)로 이루어진 생물로, 원생생물, 곰팡이, 식물, 동물 등이 여기에 속한다.

1. 세균(박테리아)

(1) **특성:** 크기가 $0.5 \, \mu\text{m} \sim 0.5 \, \text{mm}$이며, 핵막과 막으로 둘러싸인 세포 소기관이 없는 단세포 원핵생물이다. 세포막 바깥쪽에 세포벽이 있으며, 효소가 있어 스스로 물질대사를 할 수 있다.

① 핵막이 없어 유전 물질인 DNA가 세포질에 분포하며, 대부분의 세균은 주 DNA 외에 플라스미드라고 하는 고리 모양의 부수적인 DNA를 가진다.

탐구 1권 204쪽

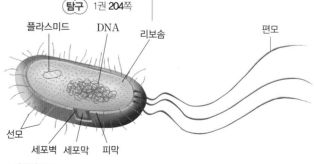

▲ 세균의 구조

② 대부분의 세균은 세포벽에 펩티도글리칸이라는 성분이 포함되어 있으며, 일부 세균은 세포벽 바깥쪽에 점착성 성분으로 이루어진 두꺼운 피막을 가지고 있다. 피막은 식균 작용을 하는 백혈구가 세균을 파괴하는 것을 막아 주고, 세균이 치아나 피부와 같은 표면에 달라붙을 수 있도록 해 준다.

③ 일부 세균은 다른 세포에 달라붙을 수 있는 선모를 가지고 있고, 편모가 있어서 운동성이 있는 것도 있다.

④ 세균은 우리 주변 거의 모든 곳에 서식하며, 주로 분열법으로 번식하므로 환경이 적합하면 매우 빨리 증식할 수 있다. 어떤 종류는 최적 조건에서 20분에 한 번씩 분열이 일어나 그 수가 기하급수적으로 증가한다.

(2) **종류:** 모양에 따라 구균(공 모양), 간균(막대기 모양), 나선균(꼬인 실 모양)으로 구분한다. 구균에는 식중독균, 폐렴균 등이 있고, 간균에는 결핵균, 이질균 등이 있으며, 나선균에는 헬리코박터 파일로리, 매독균 등이 있다.

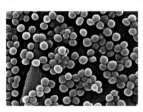 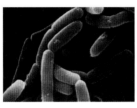 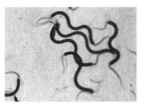

| 구균 | 간균 | 나선균 |

▲ **세균의 종류** 세균은 모양에 따라 구균, 간균, 나선균으로 구분한다.

(3) **세균에 의한 질병:** 약 1만여 종에 이르는 세균 중 대부분은 인체에 해를 주지 않고 일부만이 질병을 일으키는데, 결핵균과 같이 감염된 생물의 조직을 파괴하여 질병을 일으키거나 파상풍균과 같이 세포의 물질대사를 막는 독소를 방출하여 질병을 일으킨다. 세균에 의해 발생하는 질병에는 결핵, 파상풍, 위궤양, 세균성 식중독, 세균성 폐렴, 세균성 이질, 콜레라, 장티푸스, 탄저병 등이 있다.

(4) **세균성 질병의 치료:** 항생제를 사용하여 치료한다. 그런데 세균의 플라스미드에는 항생제 내성 유전자가 들어 있는 경우가 많으므로, 항생제를 남용하면 항생제에 내성을 가진 세균이 증가할 수 있고, 감염될 경우 항생제로도 치료하기 어렵게 된다. 따라서 항생제는 적절한 용법과 용량을 지켜서 사용해야 한다.

시야 확장 ➕ 항생제의 발견과 작용 원리

페니실린(penicillin)은 1929년 플레밍(Fleming, Sir A.)이 푸른곰팡이(Penicillium)에서 처음 발견한 항생제이다. 제2차 세계대전으로 인해 페니실린에 대한 연구가 급속히 진행되었으며, 1940년대 초반부터 다친 병사들의 세균성 감염 치료에 사용하기 시작하였다. 현재 페니실린을 비롯해 50종 이상의 항생제가 사용되고 있는데, 세포벽 합성 억제, 단백질 합성 억제, 핵산 합성 억제, 세포막 기능 억제 등의 방식으로 세균의 증식을 억제한다.

❶ **페니실린과 암피실린:** 세균의 세포벽 성분인 펩티도글리칸의 합성을 방해하여 세균의 증식을 억제한다.

❷ **스트렙토마이신과 테트라사이클린:** 세균의 단백질 합성을 방해하여 세균의 증식을 억제한다.

펩티도글리칸
다당류로 된 사슬에 비교적 짧은 펩타이드 사슬이 결합한 화합물로, 세균의 세포벽을 구성하는 성분이다.

헬리코박터 파일로리
위염, 위궤양을 일으키는 세균으로, 위장 점막에 서식한다. 대부분의 세균은 위산에 의해 죽지만, 이 세균은 위산을 중화하는 염기성 암모니아를 생산하므로 위산에도 견딜 수 있다.

항생제
세균을 죽이거나 생장을 억제하여 세균성 질병을 치료하는 물질이다. 세균의 세포벽과 같이 사람의 세포에 존재하지 않는 구조에 작용하므로, 세균만을 특이적으로 억제할 수 있다. 항생제에는 페니실린, 암피실린 등이 있다.

슈퍼 박테리아
항생제 사용이 많아지면서 항생제에 대한 내성이 생겨 아무리 강력한 항생제에도 죽지 않는 세균이 나타났는데, 이러한 세균을 슈퍼 박테리아라고 한다. VRSA(반코마이신 내성 황색 포도상 구균)는 현재까지 개발된 항생제 중에서 가장 강력한 항생제인 반코마이신에도 강한 내성을 가진 슈퍼 박테리아이다.

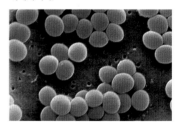

▲ **VRSA**

2. 바이러스

(1) **특성:** 세균보다 크기가 훨씬 작아서 광학 현미경으로는 볼 수 없다. 세포 구조를 갖추고 있지 않으며, 핵산(유전 물질)을 단백질 껍질이 둘러싸고 있는 구조로 되어 있다.

① 독자적인 효소가 없어 스스로 물질대사를 하지 못하므로, 숙주 세포 밖에서는 핵산과 단백질의 결정체로 존재한다. 이 때문에 바이러스는 살아 있는 다른 세포에 들어가 기생하며 살아간다.

② 바이러스가 숙주 세포 내에 들어가 있는 동안에는 숙주 세포가 가지고 있는 각종 효소와 리보솜 등의 물질대사 기구를 이용하여 물질대사를 하고, 자신의 유전 물질을 복제하여 증식하며, 유전 현상을 나타낸다. 그리고 이 과정에서 돌연변이가 나타나기도 한다.

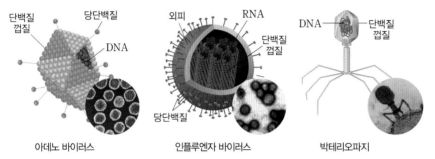

아데노 바이러스   인플루엔자 바이러스   박테리오파지

▲ **바이러스의 구조**   바이러스는 세포 구조를 갖추고 있지 않으며, 모양이 다양하다.

(2) **종류:** 바이러스는 가지고 있는 핵산의 종류에 따라 DNA 바이러스와 RNA 바이러스로 구분하기도 하고, 살아 있는 세포에 들어가 기생하므로 숙주의 종류에 따라 동물 바이러스, 식물 바이러스, 세균 바이러스로 구분하기도 한다.

① **핵산의 종류에 따른 구분:** DNA 바이러스에는 아데노 바이러스, 천연두 바이러스, B형 간염 바이러스 등이 있고, RNA 바이러스에는 코로나 바이러스, 인플루엔자 바이러스, 사람 면역 결핍 바이러스(HIV), 홍역 바이러스 등이 있다.

② **숙주의 종류에 따른 구분:** 동물 바이러스에는 아데노 바이러스, 코로나 바이러스, 인플루엔자 바이러스, 천연두 바이러스, 홍역 바이러스 등이 있고, 식물 바이러스에는 담배 모자이크 바이러스(TMV) 등이 있으며, 세균 바이러스에는 박테리오파지가 있다.

(3) **바이러스의 증식 과정:** 바이러스는 특정한 숙주 세포에만 들어가서 증식한다. 이것은 바이러스의 단백질이 숙주 세포의 표면에 있는 특정한 수용체만 인식하기 때문이다. 숙주 세포 안으로 들어간 바이러스는 숙주 세포의 물질대사 기구를 이용하여 자신의 핵산을 빠르게 복제하고, 유전 정보에 따라 단백질 껍질을 합성한다. 이렇게 만들어진 핵산과 단백질 껍질이 서로 결합하여 생성된 새로운 바이러스가 숙주 세포 밖으로 방출되고, 근처의 다른 숙주 세포를 감염시켜 더 많은 바이러스가 생성된다.

(4) **바이러스에 의한 질병:** 바이러스가 증식하는 과정에서 숙주 세포는 정상적인 기능을 하지 못하며, 바이러스가 방출되는 과정에서 숙주 세포가 파괴되기도 한다. 숙주 세포의 이러한 변화는 결과적으로 감염된 사람에게 질병으로 나타난다. 바이러스에 의해 발생하는 질병에는 감기, 독감, 천연두, 후천성 면역 결핍증(AIDS), 중증 급성 호흡기 증후군(SARS), 중동 호흡기 증후군(MERS), 홍역, 소아마비, 간염, 풍진, 대상 포진, 에볼라 등이 있다.

사람 면역 결핍 바이러스(HIV; Human Immunodeficiency Virus)
후천성 면역 결핍증(AIDS)을 일으키는 RNA 바이러스이다.

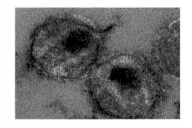

감기와 독감
감기는 코로나 바이러스를 포함한 200여 종류의 바이러스가 원인이 되어 발생하는 질병이고, 독감은 인플루엔자 바이러스에 의해 발생하는 질병이다. 감기는 원인이 되는 바이러스가 200여 종류나 되기 때문에 백신이 존재하지 않지만, 독감은 백신 접종으로 70 % ~90 % 예방이 가능하다.

중증 급성 호흡기 증후군(SARS)
2002년 11월부터 2003년 7월까지 전 세계적으로 유행한 질병으로, RNA가 유전 물질인 코로나 바이러스에 의해 발생하였다. 이 바이러스에 감염되면 발열, 두통, 근육통 등이 나타나고, 심하면 호흡 기능이 크게 나빠져 급성 호흡 곤란 증후군으로 진행된다. 유행 기간 동안 약 8000명이 감염되어 700명 정도가 사망한 것으로 추정된다.

(5) **바이러스성 질병의 치료:** 항바이러스제를 사용하여 치료한다. 하지만 바이러스는 숙주 세포의 물질대사 기구를 이용하여 생물체 내에서 기생하므로, 바이러스의 증식을 억제하는 항바이러스제를 개발하더라도 숙주 세포에 독성을 나타내는 경우가 많다. 또, 바이러스는 돌연변이가 잘 일어나므로, 항바이러스제를 개발하더라도 효과가 낮은 문제점이 있다. 특히 RNA 바이러스는 안정성이 떨어져서 증식 과정에서 돌연변이가 잘 일어나므로, 이를 효과적으로 치료할 수 있는 항바이러스제를 개발하기 어렵다.

항바이러스제

바이러스가 숙주 세포에 침입하는 것을 저해하거나 핵산을 합성하는 것을 저해하는 등 체내에 침입한 바이러스의 작용을 억제하거나 소멸시키는 약물로, 인터페론, 면역글로불린 제제 등이 있다.

> **시선 집중 ★** 세균과 바이러스의 비교

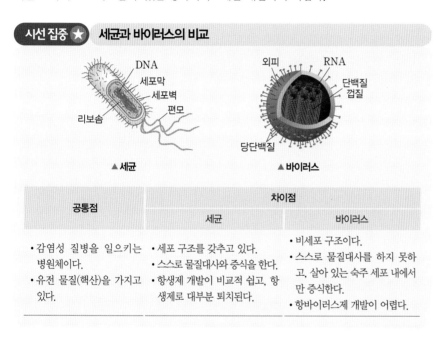

▲ 세균   ▲ 바이러스

공통점	차이점	
	세균	바이러스
• 감염성 질병을 일으키는 병원체이다. • 유전 물질(핵산)을 가지고 있다.	• 세포 구조를 갖추고 있다. • 스스로 물질대사와 증식을 한다. • 항생제 개발이 비교적 쉽고, 항생제로 대부분 퇴치된다.	• 비세포 구조이다. • 스스로 물질대사를 하지 못하고, 살아 있는 숙주 세포 내에서만 증식한다. • 항바이러스제 개발이 어렵다.

3. 진핵생물 병원체

(1) **원생생물:** 병원성이 있는 원생생물은 대부분 단세포 생물이며, 매개 동물(모기, 파리, 쥐 등)이나 오염된 음식물을 통해 감염된다. 원생생물에 의해 발생하는 질병에는 말라리아, 수면병, 아메바성 이질, 아메바성 수막 뇌염 등이 있다. 대표적인 질병인 말라리아는 말라리아 원충이 모기를 매개로 인체에 침입하여 발생한다. 사람의 몸속으로 들어온 말라리아 원충은 적혈구에 들어가 분열하면서 수를 늘린 후 적혈구를 파괴하고 나온다. 적혈구를 파괴할 때 방출되는 독소에 의해 사람의 체온은 39 ℃~40 ℃까지 올라가며, 오한, 두통, 빈혈 등의 증상이 나타난다.

중동 호흡기 증후군(MERS)

2012년 4월부터 사우디아라비아 등 중동 지역을 중심으로 발생한 중증 급성 호흡기 질병으로, 이전까지 사람에게서 발견되지 않았던 새로운 유형의 코로나 바이러스에 의해 발생하였다. 명확한 감염원은 확인되지 않았지만, 낙타와 같은 동물에 있던 바이러스가 사람에게 옮겨졌을 가능성이 높은 것으로 추정된다. 2015년 5월부터 우리나라 전역에서 약 190명의 감염자가 발생하여 38명이 사망함으로써 치사율은 약 20 %이다.

신종 인플루엔자

2009년에 전 세계적으로 유행한 신종 인플루엔자도 바이러스에 의한 질병이다. 신종 인플루엔자가 유행하는 동안 우리나라 전체 인구 중 1일 평균 약 1.6명의 환자가 발생하였고, 평균 2일에 1명꼴로 사망자가 발생하였다.

수면병

원생생물의 일종인 트리파노소마가 체체파리를 통해 인체에 침입하여 발생하는 질병이다. 감염 초기에는 발열이나 두통, 가려움 등의 증상이 나타나고, 시간이 지나면서 기운이 없어지고 중추 신경계에 문제가 생겨서 불면증과 언어 장애가 나타나며, 기면 상태를 유발하기도 한다. 심할 경우 혼수 상태를 거쳐 사망에 이르기도 한다.

말라리아 매개 모기

말라리아 원충
 적혈구

▲ **말라리아와 병원체** 말라리아는 말라리아 원충이 모기를 매개로 사람의 체내에 들어와 발생한다.

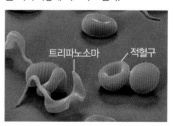

트리파노소마   적혈구

▲ **수면병을 일으키는 트리파노소마**

(2) **곰팡이:** 곰팡이는 몸이 실 모양의 균사로 이루어져 있는 다세포 생물로, 습한 환경에서 살며 포자로 번식한다. 곰팡이의 포자는 피부에서 번식하거나, 소화 기관이나 호흡 기관을 통해 인체로 들어와 여러 질병을 일으킨다. 곰팡이에 의해 발생하는 질병에는 무좀, 칸디다증 등이 있다. 무좀은 여러 종류의 피부사상균이 주로 손이나 발의 피부에 번식하여 발생하며, 무좀 환자와의 직접적인 피부 접촉이나 수영장, 공중 목욕탕의 발 수건, 신발 등을 통해 감염될 수 있다.

(3) **질병의 치료:** 대부분의 항생제는 원핵세포로 이루어진 세균의 생장을 억제하기 위해 만들어진 것이므로, 진핵세포로 이루어진 병원체에는 효과가 없다. 또, 사람의 세포도 원생생물이나 곰팡이와 같은 진핵세포이므로, 이러한 병원체만을 선택하여 제거하는 약물을 개발하기 어려우며, 사람에게 부작용이 나타나는 경우가 많다. 따라서 진핵생물에 의해 발생하는 질병은 종류가 많지는 않지만, 치료하기가 쉽지 않다.

4. 변형 프라이온

(1) **특성:** 프라이온은 단백질로만 구성된 입자로, 바이러스보다 크기가 훨씬 작다. 정상 프라이온은 건강한 포유류의 신경 세포에도 존재하며, 뇌세포의 활동에 중요한 역할을 하는 것으로 알려져 있다. 그런데 어떤 원인 때문에 정상 프라이온이 비정상적인 구조로 바뀌고, 이러한 변형 프라이온이 신경 조직에 다량 축적될 경우 신경 세포가 파괴되면서 질병을 일으킨다.

(2) **변형 프라이온의 증식 과정:** 정상 프라이온이 변형 프라이온과 접촉하면 변형 프라이온으로 바뀐다. 이와 같은 반응은 연쇄적으로 일어나서 변형 프라이온의 수가 빠르게 증가한다. 변형 프라이온이 뇌 속에 축적되면 신경 조직은 점차 사라지고 뇌에 스펀지처럼 구멍이 뚫리는 증상이 나타난다.

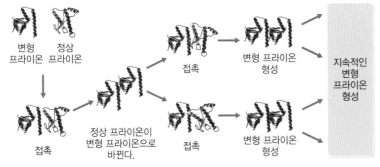

변형   정상
프라이온   프라이온

접촉   정상 프라이온이   접촉   변형 프라이온   지속적인
            변형 프라이온으로   형성   변형
            바뀐다.   프라이온
                                    변형 프라이온   형성
                                    형성

▲ **프라이온의 구조와 연쇄적인 변형 과정**

(3) **변형 프라이온에 의한 질병:** 변형 프라이온에 의해 발생하는 질병에는 양에게 나타나는 스크래피, 소에게 나타나는 광우병, 사람에게 나타나는 크로이츠펠트 · 야코프병이 있다.

(4) **변형 프라이온에 의한 질병의 예방:** 사람의 경우 변형 프라이온에 감염된 동물의 뇌나 신경 조직을 섭취함으로써 감염되는 것으로 알려져 있는데, 변형 프라이온은 매우 안정적인 구조를 하고 있어서 끓이거나 삶더라도 파괴되지 않는다. 따라서 변형 프라이온에 의한 질병을 예방할 수 있는 최선의 방법은 변형 프라이온에 감염된 육류를 섭취하지 않는 것이다.

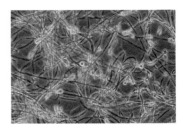

▲ **무좀을 일으키는 피부사상균**

칸디다증
인체의 면역력이 약화되었을 때 곰팡이의 일종인 칸디다가 피부나 점막, 식도 등에 증식하여 염증을 일으키는 질병이다.

프라이온(Prion)
단백질(protein)과 바이러스 입자(virion)의 합성어이다. 프라이온은 유전 물질인 핵산이 없지만, 접촉에 의해 변형 프라이온의 수를 증가시킨다.

크로이츠펠트 · 야코프병
뇌에 스펀지처럼 구멍이 뚫려서 치매 증세가 나타났다가 사망하는 질병이다. 증상이 나타나기까지 오랜 시간이 걸리고, 현재까지는 살아 있는 상태에서 이 질병을 진단할 수 있는 방법이 없다. 사람에게 발병할 확률은 낮지만 특별한 치료법도 없다.

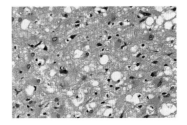

▲ **크로이츠펠트 · 야코프병 환자의 뇌 겉질 단면**   스펀지처럼 구멍이 뚫린 해면 구조가 만들어져 뇌가 빠른 속도로 축소된다.

③ 병원체의 감염 경로와 질병 예방

　　병원체는 다양한 경로를 통해 체내로 침입하므로, 체내로 침입하는 경로를 알면 병원체의 감염을 예방하여 질병에 걸리지 않을 수 있다.

1. 병원체의 감염 경로와 질병 예방

⑴ **환자와의 접촉이나 사물을 매개로 한 질병(감기, 독감, 결핵 등):** 환자가 기침이나 재채기를 할 때 공기 중으로 수천 개의 병원체가 방출되는데, 병원체에 오염된 공기를 들이마시거나 병원체가 묻은 손과 접촉하면 병원체에 감염될 수 있다. 따라서 이러한 질병에 걸린 환자는 마스크를 착용하거나, 기침이나 재채기를 할 때 입을 가려서 병원체가 전파되지 않도록 해야 한다. 또, 병에 걸리지 않은 사람은 손을 자주 깨끗이 씻어야 한다.

⑵ **물이나 음식을 통해 감염되는 질병:** 고기, 생선, 달걀 등을 익히지 않고 날 것으로 먹으면 세균이나 기생충에 감염될 수 있고, 상온에 음식을 방치하면 살모넬라와 같은 세균이 증식하여 식중독을 일으킬 수 있다. 대부분의 세균은 가열하면 죽기 때문에 물이나 음식을 끓이면 세균의 감염을 어느 정도 예방할 수 있다. 또, 냉장고 안에서도 세균이나 곰팡이가 증식할 수 있으므로, 냉장고에 오래 보관한 음식은 먹지 않도록 한다.

⑶ **모기나 파리 등을 매개로 한 질병:** 말라리아나 수면병 등은 매개 동물에 의해 감염되는 질병이므로, 매개 동물이 번식하지 않도록 하는 것이 중요하다.

2. 질병을 예방하는 가장 좋은 방법

인체는 각종 병원체의 침입에 대항하여 스스로 몸을 방어하는 능력이 있다. 따라서 평소에 균형 잡힌 식사를 하고, 규칙적인 운동을 하며, 충분한 휴식을 취하여 인체의 방어 능력을 키우는 것이 질병을 예방하는 가장 좋은 방법이다.

감염과 전염
감염은 병원체가 우리 몸에 침입하여 증식하는 것이고, 전염은 병원체에 감염된 사람으로부터 다른 사람에게 병원체가 퍼지는 것이다. 병원체에 감염되어도 전염성이 없는 경우에는 다른 사람에게 옮겨지지 않는다.

수인성 질병
오염된 물을 통해 감염되는 질병으로, 세균성 이질, 콜레라, 장티푸스 등이 있다. 공용으로 사용하는 물이 오염되면 다수의 환자가 발생하여 폭발적으로 유행할 수 있다.

마스크 착용

손 씻기

음식물 끓여 먹기

방역 소독 활동

적절한 운동과 휴식

▲ **병원체의 감염 경로를 차단하여 질병을 예방하는 방법** 독감을 일으키는 바이러스는 공기를 통해 전염되고, 식중독을 일으키는 세균은 음식물을 통해 전염되며, 모기나 파리 등의 해충은 질병을 매개한다. 따라서 마스크 착용, 손 씻기, 음식물 끓여 먹기, 방역 소독 활동 등을 통해 병원체의 감염을 예방할 수 있다. 또, 적절한 운동과 휴식을 통해 인체의 방어 능력을 키우는 것이 좋다.

인체나 물건에 묻어 있는 세균 배양하기

인체와 우리 주변의 물건에 묻어 있는 세균을 배양하여 확인할 수 있다.

과정

1 세균 배양용 고체 배지가 담긴 페트리 접시 3개를 준비하여 유성 펜으로 각 뚜껑에 A~C로 표기한다.

2 씻지 않은 손을 증류수에 적신 면봉으로 문지른 다음, 배지 A에 문지르고 뚜껑을 덮는다.

3 손 세정제나 비누로 깨끗이 씻은 손을 증류수에 적신 면봉으로 문지른 다음, 배지 B에 문지르고 뚜껑을 덮는다.

4 휴대 전화, 연필, 마우스, 키보드 등 주변의 물건 중 하나를 선택하여 증류수에 적신 면봉으로 문지른 다음, 배지 C에 문지르고 뚜껑을 덮는다.

5 배지 A~C를 세균 배양기에 넣어 하루 동안 배양한 후 각 배지의 상태를 관찰한다.

● 유의점
• 배양된 세균에 감염되지 않도록 보안경, 마스크, 장갑을 착용한다.
• 관찰이 끝난 배지는 따로 모아 멸균한 후 배출한다.

결과

1 실험 결과 씻지 않은 손과 주변의 물건을 문지른 A와 C에서는 세균이 많이 증식하였고, 깨끗이 씻은 손을 문지른 B에서는 세균이 비교적 적게 증식하였다. ➡ 사람의 손과 우리 주변 물건에는 눈에 보이지 않는 세균이 많이 서식한다.

2 손 세정제나 비누는 피부에 존재하는 세균을 제거하는 역할을 한다.

해석

1 우리 몸과 주변 물건에는 눈에 보이지 않지만 다양한 세균이 존재한다.

2 손 세정제나 비누를 이용하여 손을 자주 깨끗하게 씻고, 여러 사람이 사용하는 물건이나 장소는 정기적으로 소독하여 세균을 제거하면 세균의 감염을 어느 정도 막을 수 있다.

탐구 확인 문제

> 정답과 해설 **40**쪽

01 세균에 대한 설명으로 옳지 <u>않은</u> 것은?

① 유전 물질로 DNA를 가진다.
② 세포막 바깥쪽에 세포벽이 있다.
③ 주로 분열법으로 빠르게 증식한다.
④ 막으로 싸여 있는 세포 소기관이 없다.
⑤ 살아 있는 숙주 세포 내에서만 증식한다.

02 암피실린이라는 항생제를 첨가한 고체 배지를 이용하여 위와 같은 실험을 하였다.

(1) 항생제의 역할을 간단히 서술하시오.

(2) 이 고체 배지에서 세균이 증식하는 것이 관찰되었다면 암피실린과 관련된 이 세균의 특징은 무엇인지 서술하시오.

01 질병과 병원체

2. 방어 작용

① 질병의 구분

1. 비감염성 질병 병원체 없이 발생하는 질병 ⑩ 당뇨병, 고혈압, 심장병

2. 감염성 질병 세균, 바이러스 등의 (❶   )에 감염되어 발생하는 질병 ⑩ 결핵, 감기, 말라리아, 무좀

② 병원체의 종류와 특성

1. 세균 단세포 원핵생물로, 핵막과 막으로 둘러싸인 세포 소기관이 없으며, 세포막 바깥쪽에 세포벽이 있다. 효소가 있어서 스스로 물질대사를 할 수 있고, 주로 분열법으로 빠르게 증식한다.

- 질병의 예: 결핵, 파상풍, 위궤양, 콜레라, 장티푸스, 탄저병
- 질병의 치료: (❷   )를 사용하여 치료한다.

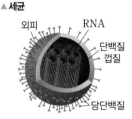
▲ 세균

▲ 바이러스

2. 바이러스 세균보다 크기가 훨씬 작고, 세포 구조를 갖추고 있지 않다. 유전 물질로 DNA 또는 RNA를 가지며, (❸   ) 껍질로 싸여 있다. 살아 있는 숙주 세포 내에서만 증식할 수 있다.

- 질병의 예: 감기, 독감, 후천성 면역 결핍증(AIDS), 중동 호흡기 증후군(MERS), 에볼라
- 질병의 치료: 항바이러스제로 치료하지만, 항바이러스제는 숙주 세포에 독성을 나타내는 경우가 많고 바이러스는 돌연변이가 잘 일어나므로 효과가 낮은 문제점이 있다.

3. 원생생물 대부분 단세포 진핵생물로, 매개 동물(모기, 파리 등)이나 오염된 음식물을 통해 감염된다.

- 질병의 예: 말라리아(모기가 매개), 수면병(체체파리가 매개)
- 질병의 치료: 사람의 세포와 유사한 진핵세포로 이루어져 있으므로, 병원체만 선택하여 제거하기 어렵기 때문에 치료하기가 쉽지 않다.

4. 곰팡이 몸이 균사로 이루어진 다세포 진핵생물로, 습한 환경에서 살며 (❹   )로 번식한다.

- 질병의 예: 무좀, 칸디다증
- 질병의 치료: 사람의 세포와 유사한 진핵세포로 이루어져 있으므로, 병원체만 선택하여 제거하기 어렵기 때문에 치료하기가 쉽지 않다.

5. 변형 프라이온 프라이온은 바이러스보다 크기가 훨씬 작고, (❺   )로만 구성된 입자이다.

- 정상 프라이온이 변형 프라이온과 접촉하면 (❻   )이 되고, 변형 프라이온이 신경 조직에 다량 축적될 경우 신경 세포가 파괴되어 질병이 나타난다.
- 질병의 예: 양의 스크래피, 소의 광우병, 사람의 크로이츠펠트·야코프병

③ 병원체의 감염 경로와 질병 예방

병원체의 감염 경로	질병 예방
환자와의 접촉이나 사물을 매개로 병원체에 직접 감염된다. ⑩ 감기, 독감, 결핵	마스크를 착용하거나, 기침이나 재채기를 할 때 입을 가린다. 또, 손을 자주 깨끗이 씻는다.
병원체에 오염된 물이나 음식을 통해 감염된다. ⑩ 콜레라, 세균성 식중독	물이나 음식을 가열하여 섭취하고, 상한 음식이나 냉장고에 오래 보관한 음식은 먹지 않는다.
모기나 파리 등 매개 동물에 의해 감염된다. ⑩ 말라리아	매개 동물이 번식하지 않도록 주변을 청결히 한다.

01 표는 사람의 **6**가지 질병을 (가)~(다)로 구분한 것이다.

(가)	(나)	(다)
당뇨병, 심장병	홍역, 소아마비	콜레라, 장티푸스

다음 설명에 해당하는 것을 (가)~(다)에서 있는 대로 골라 쓰시오.

(1) 항생제로 치료할 수 있다.

(2) 병원체의 감염에 의해 발생한다.

(3) 다른 사람에게 전염되지 않는다.

(4) 감염 경로를 차단함으로써 질병을 예방할 수 있다.

(5) 핵산과 단백질 껍질로 구성된 병원체에 의해 발생한다.

02 그림 A~C는 세균, 바이러스, 진핵세포를 순서 없이 나타낸 것이다.

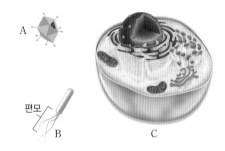

다음 설명에 해당하는 것을 A~C에서 있는 대로 골라 쓰시오.

(1) 유전 물질로 핵산을 가진다.

(2) 살아 있는 숙주 세포 내에서만 증식할 수 있다.

(3) 펩티도글리칸 성분의 세포벽이 있다.

(4) 핵막과 막으로 둘러싸인 세포 소기관이 있다.

(5) 리보솜이 있어 단백질을 합성할 수 있으며, 스스로 물질대사를 할 수 있다.

03 그림은 세 가지 질병을 구분하는 과정을 나타낸 것이다.

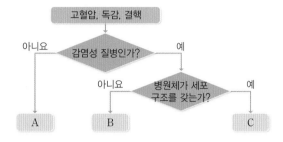

A~C에 해당하는 질병을 각각 쓰시오.

04 그림 (가), (나)는 폐렴과 중동 호흡기 증후군(MERS)을 일으키는 병원체를 각각 나타낸 것이다.

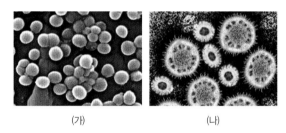

이에 대한 설명으로 옳은 것만을 〈보기〉에서 있는 대로 고르시오.

보기
ㄱ. (가)는 핵막이 없는 단세포 생물이다.
ㄴ. (나)는 다른 생명체에 기생하여 증식한다.
ㄷ. (가)와 (나) 모두 다른 사람에게 옮겨 감으로써 질병을 일으킬 수 있다.

05 다음 설명에 해당하는 물질을 쓰시오.

- 곰팡이를 비롯한 미생물에 의해 생산된다.
- 세균의 증식을 억제하여 감염성 질병을 치료할 수 있다.

06 다음은 몇 가지 질병을 나타낸 것이다.

> 결핵   파상풍   위궤양   장티푸스

이 질병의 공통점으로 옳은 것만을 〈보기〉에서 있는 대로 고르시오.

┌─ 보기 ─────────────────────
ㄱ. 세균에 의해 발생한다.
ㄴ. 모기와 같은 매개 곤충에 의해 발생한다.
ㄷ. 환경이나 생활 방식의 영향으로 발생하므로 다른 사람에게 전염되지 않는다.
└────────────────────────

07 다음은 어떤 병원체의 특성을 설명한 것이다.

┌────────────────────────
• 세균보다 크기가 작고, 핵산을 단백질 껍질이 둘러싸고 있는 구조로 되어 있다.
• 스스로 물질대사를 하지 못하므로 살아 있는 숙주 세포에 기생하여 증식한다.
└────────────────────────

이러한 특성을 가진 병원체에 의해 발생하는 질병만을 〈보기〉에서 있는 대로 고르시오.

┌─ 보기 ─────────────────────
ㄱ. 결핵   ㄴ. 풍진   ㄷ. 무좀
ㄹ. 에볼라   ㅁ. 수면병   ㅂ. 대상 포진
└────────────────────────

08 감염성 질병의 치료에 대한 설명으로 옳은 것만을 〈보기〉에서 있는 대로 고르시오.

┌─ 보기 ─────────────────────
ㄱ. 세균성 질병은 항생제를 사용하여 치료한다.
ㄴ. 항생제는 원핵세포로 이루어진 병원체에는 효과가 없다.
ㄷ. 항생제를 남용하면 항생제에 내성을 가진 병원체가 증가할 수 있다.
ㄹ. 바이러스는 돌연변이가 잘 일어나므로, 바이러스성 질병을 효과적으로 치료하는 항바이러스제를 개발하기 어렵다.
└────────────────────────

09 그림은 사람의 체내에서 질병을 유발하는 네 가지 병원체 (가)~(라)를 나타낸 것이다.

(가) 피부사상균 (나) 말라리아   (다) 인플루엔자 (라) 변형
                    원충   바이러스   프라이온

이에 대한 설명으로 옳은 것만을 〈보기〉에서 있는 대로 고르시오.

┌─ 보기 ─────────────────────
ㄱ. (가)는 항생제에 의해 쉽게 제거된다.
ㄴ. (가)와 (나)는 진핵생물에 속하는 병원체이다.
ㄷ. (다)와 (라)는 유전 물질로 RNA를 갖는다.
ㄹ. 병원체의 크기는 (가)~(라) 중에서 (라)가 가장 작다.
└────────────────────────

10 〈보기〉는 몇 가지 질병을 나타낸 것이다.

┌─ 보기 ─────────────────────
ㄱ. 콜레라   ㄴ. 말라리아   ㄷ. 독감
└────────────────────────

질병의 감염 경로에 대한 다음 설명 중에서 해당 경로를 통해 감염되는 질병을 〈보기〉에서 찾아 각각 쓰시오.

(1) 모기와 같은 매개 곤충을 통해 병원체에 감염된다.

(2) 병원체에 오염된 물을 마실 경우 소화 기관을 통해 감염된다.

(3) 환자의 기침이나 재채기를 통해 방출된 병원체가 호흡 기관을 통해 들어와 감염된다.

01 ▷ 질병의 구분

그림은 구분 기준 (가)~(다)에 따라 혈우병, 파상풍, 독감, 광우병을 구분하는 과정을 나타낸 것이다.

• 혈우병은 유전병이고, 파상풍은 세균, 독감은 바이러스, 광우병은 변형 프라이온의 감염으로 발생하는 질병이다.

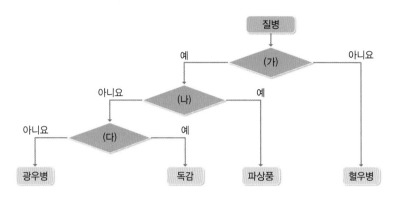

이에 대한 설명으로 옳은 것만을 〈보기〉에서 있는 대로 고른 것은?

> **보기**
> ㄱ. '감염성 질병인가?'는 (가)에 해당한다.
> ㄴ. '항생제를 사용하여 치료하는가?'는 (나)에 해당한다.
> ㄷ. '병원체가 유전 물질을 가지고 있는가?'는 (다)에 해당한다.

① ㄱ   ② ㄴ   ③ ㄱ, ㄴ   ④ ㄴ, ㄷ   ⑤ ㄱ, ㄴ, ㄷ

02 ▷ 질병의 구분

표는 사람의 여러 가지 질병을 원인에 따라 (가)~(다)로 구분하여 나타낸 것이다.

• (가)와 (나)는 병원체에 의해 발생하는 질병이며, (다)는 환경, 생활 방식, 유전 등의 원인이 복합적으로 작용하여 발생하는 질병이다.

(가)	(나)	(다)
결핵, 위궤양, 탄저병	홍역, 간염, 중동 호흡기 증후군	당뇨병, 고혈압, 관절염

이에 대한 설명으로 옳지 않은 것은?

① (가)의 병원체는 세균이다.

② (나)의 병원체는 스스로 물질대사를 하지 못한다.

③ (가)의 병원체와 (나)의 병원체는 모두 유전 물질을 가진다.

④ (다)의 치료에는 주로 항생제가 사용된다.

⑤ (가)와 (나)는 감염성 질병이고, (다)는 비감염성 질병이다.

> 질병의 구분과 병원체의 특성

03

표는 사람의 네 가지 질병 (가)~(라)의 특성을 나타낸 것이다. (가)~(라)는 각각 독감, 결핵, 무좀, 뇌졸중 중 하나이다.

질병	병원체	병원체의 특성		
		핵산	핵막	세포막
(가)	없다.	—	—	—
(나)	있다.	있다.	없다.	없다.
(다)	있다.	있다.	없다.	있다.
(라)	있다.	있다.	있다.	있다.

이에 대한 설명으로 옳은 것만을 〈보기〉에서 있는 대로 고른 것은?

보기
ㄱ. (가)는 비감염성 질병이다.
ㄴ. (나)는 항생제를 사용하여 치료한다.
ㄷ. (다)를 일으키는 병원체는 세포벽을 가지고 있다.
ㄹ. (라)를 일으키는 병원체는 포자로 번식한다.

① ㄱ, ㄴ ② ㄱ, ㄷ ③ ㄷ, ㄹ ④ ㄱ, ㄴ, ㄹ ⑤ ㄱ, ㄷ, ㄹ

> 병원체가 없는 것은 비감염성 질병이고, 핵산은 있지만 핵막과 세포막이 없는 병원체는 바이러스, 핵산과 세포막은 있지만 핵막이 없는 병원체는 세균, 핵산과 핵막, 세포막이 모두 있는 병원체는 진핵생물 병원체이다.

> 병원체의 특성

04

그림은 결핵을 일으키는 병원체 A와 독감을 일으키는 병원체 B의 공통점과 차이점을 나타낸 것이다.

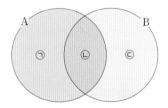

이에 대한 설명으로 옳은 것만을 〈보기〉에서 있는 대로 고른 것은?

보기
ㄱ. '유전 물질을 가지고 있다.'는 ㉠에 해당한다.
ㄴ. '감염성 질병을 일으킨다.'는 ㉡에 해당한다.
ㄷ. '살아 있는 숙주 세포 내에서만 물질대사를 한다.'는 ㉢에 해당한다.

① ㄴ ② ㄷ ③ ㄱ, ㄴ ④ ㄴ, ㄷ ⑤ ㄱ, ㄴ, ㄷ

> 병원체 A는 세균, 병원체 B는 바이러스이며, ㉡은 세균과 바이러스의 공통점이다.

05 › 병원체의 특성

표는 병원체 (가), (나)의 특성을, 그림은 콜레라를 일으키는 병원체 A를 나타낸 것이다. (가)와 (나)는 각각 세균과 바이러스 중 하나이다.

구분	(가)	(나)
유전 물질	있다.	있다.
독자적인 물질대사	한다.	안 한다.

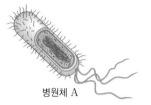
병원체 A

이에 대한 설명으로 옳은 것만을 〈보기〉에서 있는 대로 고른 것은?

보기
ㄱ. 병원체 A는 (가)에 해당한다.
ㄴ. 병원체 A는 물을 통해 감염될 수 있다.
ㄷ. (가)는 원핵생물, (나)는 진핵생물에 속한다.

① ㄱ   ② ㄴ   ③ ㄱ, ㄴ   ④ ㄴ, ㄷ   ⑤ ㄱ, ㄴ, ㄷ

• 원핵생물은 핵막으로 구분된 핵이 없는 세포로 이루어진 생물이고, 진핵생물은 핵막으로 구분된 핵이 있는 세포로 이루어진 생물이다.

고난도
06 › 질병의 치료

표는 질병 (가)~(다)의 치료에 각각 사용되는 물질 A~C의 기능을 나타낸 것이다. (가)~(다)는 각각 파상풍, 당뇨병, 대상 포진 중 하나이다.

질병	물질	기능
(가)	A	병원체의 DNA 복제를 방해한다.
(나)	B	병원체의 세포벽 합성을 억제한다.
(다)	C	체세포를 자극해 혈액으로부터 포도당 흡수를 촉진한다.

이에 대한 설명으로 옳은 것만을 〈보기〉에서 있는 대로 고른 것은?

보기
ㄱ. (가)의 병원체는 세포 분열을 통해 스스로 증식한다.
ㄴ. (가)의 병원체는 유전 물질을 갖지만, (나)의 병원체는 유전 물질을 갖지 않는다.
ㄷ. (다)는 다른 사람에게 전염되지 않는다.

① ㄱ   ② ㄷ   ③ ㄱ, ㄷ   ④ ㄴ, ㄷ   ⑤ ㄱ, ㄴ, ㄷ

• 세균성 질병은 항생제를 사용하여 치료하고, 바이러스성 질병은 항바이러스제를 사용하여 치료한다.

07 > 변형 프라이온에 의한 질병

그림은 광우병을 일으키는 프라이온의 변형 과정을 나타낸 것이다.

변형   정상   접촉   변형 프라이온
프라이온   프라이온   형성

이에 대한 설명으로 옳은 것만을 〈보기〉에서 있는 대로 고른 것은?

보기
ㄱ. 변형 프라이온에 의한 광우병은 감염성 질병이다.
ㄴ. 변형 프라이온은 정상 프라이온보다 구조적으로 안정하다.
ㄷ. 정상 프라이온이 변형 프라이온과 접촉하면 변형 프라이온으로 바뀐다.

① ㄱ   ② ㄴ   ③ ㄱ, ㄷ   ④ ㄴ, ㄷ   ⑤ ㄱ, ㄴ, ㄷ

> 프라이온은 감염성을 가진 단백질 입자이며 핵산을 갖지 않는다. 구조가 바뀐 변형 프라이온에 의해 광우병이 유발될 수 있다.

08 > 질병과 병원체의 특성

표는 인체에 나타나는 몇 가지 질병에 대해 조사한 자료이다.

질병	증상
무좀	병원체가 주로 발 피부의 각질층에서 증식하여 나타나며, 발가락 사이의 피부가 가렵고 각질이 생기며 주변이 붉게 변한다.
파상풍	병원체가 분비하는 독성 물질이 신경 세포에 작용하여 근육 마비와 통증을 동반한 근육 수축을 일으킨다.
말라리아	병원체가 적혈구에 들어가 증식하면서 적혈구를 파괴하고 나온다. 적혈구가 파괴될 때 방출되는 독소에 의해 고열 증세가 주기적으로 나타난다.
후천성 면역 결핍증	병원체가 면역에 관여하는 T 림프구 내에서 증식한 후 T 림프구를 파괴하고 나오므로, 면역 기능을 상실하게 된다.

이에 대한 설명으로 옳은 것만을 〈보기〉에서 있는 대로 고른 것은?

보기
ㄱ. 무좀을 일으키는 병원체는 접촉에 의해 구조가 바뀌어 수가 증가한다.
ㄴ. 파상풍을 일으키는 병원체는 인체 밖에서도 증식할 수 있다.
ㄷ. 말라리아와 후천성 면역 결핍증을 일으키는 병원체는 모두 항바이러스제에 효과가 있다.

① ㄱ   ② ㄴ   ③ ㄷ   ④ ㄱ, ㄷ   ⑤ ㄴ, ㄷ

> 무좀은 피부사상균이라는 곰팡이, 파상풍은 파상풍균, 말라리아는 말라리아 원충, 후천성 면역 결핍증(AIDS)은 사람 면역 결핍 바이러스(HIV)에 의해 발생하는 질병이다.

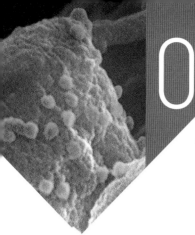

02 우리 몸의 방어 작용

학습 Point 방어 작용의 종류 > 식균 작용과 염증 반응의 특징 > 세포성 면역과 체액성 면역이 일어나는 과정 > 1차 면역 반응과 2차 면역 반응의 비교 > 혈액형 판정 원리

 인체의 방어 작용

우리는 항상 병원체에 노출된 환경에서 살고 있지만, 병원체가 체내로 들어오는 것을 막고 체내로 침입한 병원체를 인식하여 대항함으로써 우리 몸을 보호하는 방어 능력이 있다.

1. 방어 작용

방어 작용은 우리 몸에 병원체가 침입할 때 병원체를 인식하고 이에 대항하여 우리 몸을 보호하는 작용으로, 면역이라고도 한다. 방어 작용에는 병원체의 종류와 관계없이 항상 일정한 유형으로 나타나는 비특이적 방어 작용과 병원체의 종류에 따라 다르게 나타나는 특이적 방어 작용이 있다.

2. 방어 작용의 종류

(1) **비특이적 방어 작용:** 태어날 때부터 가지고 있는 선천적 방어 작용이며, 병원체에 감염된 즉시 작동하여 신속하게 반응이 일어난다. 병원체에 공통으로 존재하는 특징을 인식하여 병원체의 종류를 구분하지 않고 반응이 일어나므로, 비특이적 방어 작용이라고 불리게 되었다. 특이적 방어 작용이 일어나기까지는 시간이 걸리므로, 감염 초기에는 비특이적 방어 작용이 우리 몸을 보호하는 데 중요한 역할을 한다. 비특이적 방어 작용에는 피부와 점막, 식균 작용, 염증 반응 등이 있다.

(2) **특이적 방어 작용:** 병원체에 노출되면서 활성화되어 나타나는 후천적 방어 작용이며, 획득 면역(적응 면역)이라고도 한다. 특정 병원체에만 존재하는 특정 부위를 인식하여 반응이 일어나므로, 특이적 방어 작용이라고 불리게 되었다. 특이적 방어 작용은 비특이적 방어 작용이 나타난 후 서서히 일어나며, 이전에 같은 병원체에 노출된 적이 있으면 그 반응이 한층 강해진다. 특이적 방어 작용에는 세포성 면역과 체액성 면역이 있다.

면역(면할 免, 전염병 疫)
사람이나 동물의 몸 안에 병원체나 독소가 침입하더라도 병에 걸리지 않을 만큼 저항력을 갖게 되는 것이다.

비특이적 방어 작용과 특이적 방어 작용의 비교

구분	비특이적 방어 작용	특이적 방어 작용
반응 속도	빠르다. (즉시)	느리다. (5일~7일)
병원체 인식	비특이적	특이적
면역 세포	대식세포	림프구
기억성	없다.	있다.

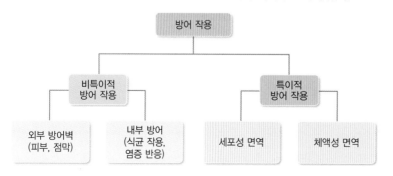

② 비특이적 방어 작용

비특이적 방어 작용에는 피부, 점막 등 물리적 장벽을 통해 병원체의 침입을 막는 외부 방어벽과 체내로 침입한 병원체를 식균 작용과 염증 반응으로 제거하는 내부 방어가 있다.

1. 외부 방어벽

(1) **피부:** 우리 몸의 1차 방어벽은 피부이다. 건강한 피부의 바깥층은 죽은 세포로 이루어진 각질층이 단단한 물리적 장벽을 형성하고 있어서 대부분의 병원체는 몸속으로 들어오지 못한다. 또, 피부로 분비되는 땀과 눈물, 침 등에는 라이소자임이라는 효소가 들어 있어 세균의 침입을 막는다. 피부의 피지샘에서 분비되는 기름 성분이나 땀샘에서 분비되는 땀의 약한 산성 성분은 병원체의 생장을 억제한다.

(2) **점막:** 눈, 콧속, 호흡 기관 내벽, 소화 기관 내벽 등과 같이 피부로 덮여 있지 않은 부위의 상피 세포층은 표면이 점액으로 덮여 보호되는데, 이를 점막이라고 한다. 점막에서 분비되는 점액은 병원체를 잡아 가두는 역할을 하며, 라이소자임이 들어 있어 세균의 침입을 막는다. 호흡 기관 안쪽의 점막 주변에 분포하는 섬모는 점액에 잡혀 있는 병원체를 몸 밖으로 내보내는 역할을 한다. 또, 위 안쪽의 점막에서는 강한 산성을 띠는 위산이 분비되어 음식물과 함께 들어온 병원체를 제거한다.

피부
각질층이 병원체가 몸속으로 들어오지 못하도록 차단하고, 피지샘과 땀샘에서 분비되는 성분이 병원체의 생장을 억제한다.

침
라이소자임이 들어 있어 음식물 속의 세균을 분해한다.

위벽
위 안쪽 점막에서는 강한 산성의 위산을 분비하여 음식물과 함께 들어온 병원체를 제거한다.

눈물
눈 표면의 병원체를 씻어 내며, 눈물에 들어 있는 라이소자임은 세균을 분해한다.

콧속, 기관지
콧속이나 기관지 표면은 털이나 섬모, 점액으로 덮여 있어서 호흡할 때 들어오는 병원체를 붙잡아 몸 밖으로 내보낸다.

장
장 속에 살고 있는 미생물은 외부에서 들어온 병원체와 경쟁하여 병원체의 생장을 억제한다.

▲ 피부와 점막의 방어 작용

2. 내부 방어

(1) **식균 작용(식세포 작용):** 병원체가 피부를 통과하거나 호흡 기관이나 소화 기관을 통해 체내로 침입하면 백혈구의 일종인 대식세포가 식균 작용을 통해 병원체를 제거한다. 이처럼 식균 작용은 백혈구가 병원체나 손상된 세포를 세포 안으로 끌어들여 분해하는 작용으로, 백혈구 중에서 대식세포와 호중성 백혈구가 식균 작용을 활발하게 한다. 대식세포는 이동하면서 조직에 있는 병원체를 제거하거나 림프절에 배치되어 그곳으로 들어오는 병원체를 제거하고, 호중성 백혈구는 감염 부위로 빠르게 이동하여 병원체를 제거한다. 식균 작용은 병원체를 제거하는 동시에 침입한 병원체의 정보를 알 수 있는 중요한 작용이다.

라이소자임
세균의 세포벽 성분인 펩티도글리칸을 가수 분해하여 세균의 감염을 막는 항균 효소로, 페니실린을 발견한 플레밍이 발견하였다. 라이소자임은 땀, 눈물, 침, 점액, 모유 등에 들어 있다.

점막
호흡 기관, 소화 기관 등의 내벽을 덮는 세포층으로, 표면은 점액으로 덮여 있으며 흡수와 분비 기능을 하기도 한다. 점막이 두꺼우면 병원체가 상피 세포를 통과하지 못하지만, 점막이 없어지면 병원체가 상피 세포에 접촉하여 내부로 침입할 수 있다.

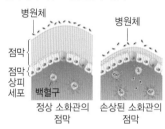

정상 소화관의 점막 / 손상된 소화관의 점막

백혈구
백혈구는 우리 몸의 방어 작용에 중요한 역할을 한다. 백혈구는 아메바처럼 모양을 바꿀 수 있어서 모세 혈관과 조직 사이를 넘나들면서 병원체의 침입을 감시하고 병원체와 독소로부터 우리 몸을 보호한다. 백혈구에는 호염기성 백혈구, 호중성 백혈구, 호산성 백혈구, 단핵구, 림프구가 있다. 대식세포는 백혈구의 일종인 단핵구가 병원체의 침입 후 식균 작용에 적합하도록 분화한 세포이다.

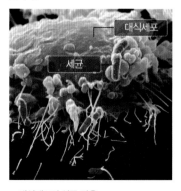

▲ 대식세포의 식균 작용

(2) **염증 반응:** 피부나 점막이 손상되어 병원체가 체내로 침입하면 그 부위가 빨갛게 부어오르고 아프며 열이 나기도 하는데, 이를 염증 반응이라고 한다. 병원체가 체내로 침입하면 손상된 부위의 비만 세포에서 히스타민이라는 화학 물질이 분비되어 주변 모세 혈관을 확장시킨다. 모세 혈관이 확장되면 혈류량이 증가하고 혈관 벽을 이루는 세포 사이의 틈이 넓어져서 백혈구가 쉽게 혈관 밖으로 빠져나갈 수 있다. 그 결과 상처 부위로 식균 작용을 하는 호중성 백혈구와 대식세포가 많이 모여 병원체가 효과적으로 제거된다.

| 피부가 손상되면 비만 세포에서 히스타민이 방출된다. | 모세 혈관이 확장되고, 백혈구가 상처 부위로 모인다. | 백혈구가 식균 작용으로 병원체를 제거한다. |

▲ **염증 반응이 일어나는 과정** 피부를 뚫고 병원체가 체내로 침입하면 염증 반응이 일어나 병원체가 제거된다.

③ 특이적 방어 작용

특이적 방어 작용은 체내에 침입한 항원의 종류를 인식하여 선별적으로 제거하는 과정이며, 세포성 면역과 체액성 면역으로 구분한다.

1. 면역계의 구조

(1) **림프계:** 림프, 림프관, 림프절 등으로 이루어진 순환계를 림프계라고 한다. 병원체가 침입하면 림프관을 흐르는 림프에 의해 병원체는 가까운 림프절로 운반되어 제거된다.

(2) **림프구:** 백혈구의 일종으로, 다른 혈구들과 마찬가지로 골수에 있는 조혈 모세포에서 만들어지는데, 미성숙한 림프구 중 일부는 골수에 그대로 남아서 성숙하여 B 림프구가 되고, 다른 일부는 혈액을 통해 이동하다가 가슴샘에서 성숙하여 T 림프구가 된다. 분화된 림프구는 혈액을 통해 림프절이나 지라 등으로 이동하여 방어 작용을 한다.

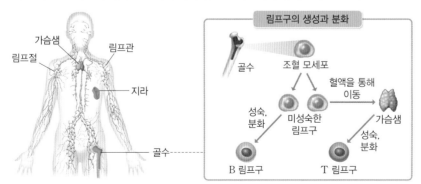

▲ **사람의 림프계와 림프구의 분화**

고름
염증 반응이 일어난 상처 부위에는 고름이 생긴다. 고름은 백혈구가 병원체를 제거하는 과정에서 만들어진 것으로, 죽은 백혈구, 손상된 조직 세포, 병원체 찌꺼기 등이 섞여 있다.

비만 세포
백혈구의 일종으로, 염증 반응과 알레르기 반응을 일으키는 세포이다. 염기성 색소에 염색이 되는 과립이 세포질을 가득 채우고 있어서 살쪄 보인다고 하여 비만 세포라고 이름 붙였다. 과립에는 히스타민과 혈액 응고를 방지하는 헤파린 등의 물질이 들어 있다. 비만 세포는 히스타민을 분비하여 모세 혈관을 확장시키며, 식균 작용을 하는 백혈구를 유인하는 신호 물질도 분비한다. 한편, 비만 세포와 지방을 저장하는 지방 세포는 아무런 관련이 없다.

히스타민
스트레스를 받거나 염증 반응, 알레르기 반응 시 분비되는 화학 물질이다. 상처나 약에 의해 활성 상태가 되면 염증 부위의 모세 혈관을 확장시켜 여러 방어 물질들이 빠른 속도로 해당 부위에 도달하도록 해 준다.

림프절
림프관 중간중간에 위치하며, 림프구와 대식세포가 있어서 병원체를 제거하는 역할을 한다. 림프절은 목, 겨드랑이, 사타구니 등 몸통과 연결되는 부위에 특히 많이 분포한다.

골수
뼈의 내부에 있는 연한 조직으로, 골수에 있는 조혈 모세포가 평생 동안 계속 분열하여 적혈구, 백혈구, 혈소판을 만든다. 골수 이식은 건강한 사람의 골수에서 채취한 조혈 모세포를 환자의 골수에 이식하는 방법이다.

가슴샘
가슴뼈의 뒤쪽, 심장과 대동맥의 앞쪽에 있는 면역 기관으로, 골수에서 생성된 림프구가 성숙하여 T 림프구로 분화하는 곳이다.

B 림프구와 T 림프구
B 림프구의 B는 골수(bone marrow)에서 생성 및 성숙이 이루어짐을 뜻하고, T 림프구의 T는 골수에서 생성된 후 가슴샘(thymus gland)에서 성숙함을 뜻한다.

2. 항원 항체 반응

(1) **항원**: 외부에서 체내로 침입한 이물질로, 항체를 만들도록 하는 물질을 항원이라고 한다. 항원은 그 사람이 가진 단백질과 종류가 다른 단백질인 경우가 대부분이지만, 때로는 다당류나 핵산 등의 고분자 화합물이 항원으로 작용하기도 한다. 항원에는 병원체(세균, 바이러스, 곰팡이 등), 각종 독성 물질 등이 있으며, 사람에 따라 먼지, 꽃가루 등이 항원으로 작용하기도 한다.

(2) **항체**: 체내로 들어온 항원에 대항하기 위해 만들어지는 물질을 항체라고 하며, γ(감마)−글로불린이라는 단백질 성분으로 되어 있다. 항체는 2개의 긴 사슬과 2개의 짧은 사슬이 결합하고 있는 구조이며, Y자 모양의 윗부분에 2개의 항원 결합 부위가 있다. 항원 결합 부위는 특정한 항원과 결합하기에 적합하도록 항체의 종류에 따라 모두 다른 구조를 하고 있다.

(3) **항원 항체 반응**: 항체는 항원과 결합하여 항원을 제거하거나 기능을 약화시키는데, 이러한 반응을 항원 항체 반응이라고 한다.

① **항원 항체 반응의 특이성**: 항체는 독특한 항원 결합 부위를 가지므로, 오직 그 항체를 만들게 한 항원하고만 결합하는 특성이 있다.

② **항체가 항원에 작용하는 방식**: 항체는 항원의 표면에 결합하여 기능을 약화시키기도 하고, 항원을 서로 엉겨 붙게 만들거나 침전시키기도 한다. 무력화된 항원은 대식세포의 식균 작용에 의해 제거된다.

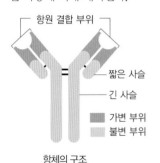

항체의 구조

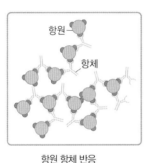

항원 항체 반응

결합하지 못한 항체들

▲ **항체의 구조와 항원 항체 반응의 특이성** 항체는 항원 결합 부위에 맞는 입체 구조를 가진 항원하고만 결합한다.

3. 특이적 방어 작용이 일어나는 과정

특이적 방어 작용의 첫 단계는 외부에서 어떤 항원이 침입했는지를 알아내는 것이다. 백혈구 중에서 대식세포는 식균 작용이 활발한 세포이다. 체내에 항원이 침입하면 대식세포는 그 항원을 세포 안으로 끌어들여 분해한 후 항원 조각을 세포 표면에 제시한다. 대식세포가 항원 조각을 제시하면 주변에 있는 보조 T 림프구가 제시된 항원의 종류를 인식하여 활성화된 후 사이토카인을 분비하여 세포독성 T 림프구와 B 림프구를 활성화시킴으로써 특이적 방어 작용이 본격적으로 시작된다.

집중 분석 1권 222쪽

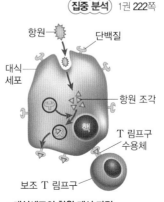

▲ **대식세포의 항원 제시 과정**

특이적 방어 작용은 병원체에 감염된 세포를 직접 제거하는 세포성 면역과 항체를 통해 병원체를 제거하는 체액성 면역으로 구분한다.

(1) **세포성 면역**: 세포독성 T 림프구가 병원체에 감염된 세포나, 암세포와 같이 돌연변이에 의해 손상된 세포를 직접 파괴하여 제거하는 방식이다.

• **과정**: 대식세포가 제시한 항원을 보조 T 림프구가 인식하여 활성화되면 신호 물질로 사이토카인을 분비하여 세포독성 T 림프구를 활성화시킨다. 활성화된 세포독성 T 림프구는 병원체에 감염된 세포의 표면에 제시된 항원을 인식하여 감염된 세포와 직접 접촉한 다음, 화학 물질을 분비하여 감염된 세포를 파괴한다. 감염된 세포가 파괴되면 세포독성 T 림프구는 같은 병원체에 감염된 또 다른 세포로 이동하여 파괴한다.

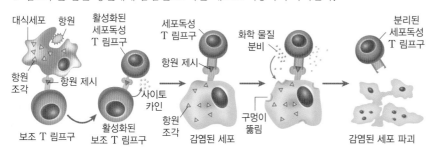

▲ **세포성 면역 반응** 세포독성 T 림프구는 감염된 세포에 결합한 후 화학 물질을 분비하여 세포를 파괴한다.

(2) **체액성 면역**: B 림프구가 분화한 형질 세포에서 항체를 생성하여 항원을 제거하는 방식이다.

• **과정**: 대식세포가 제시한 항원을 보조 T 림프구가 인식하여 활성화되면 신호 물질로 사이토카인을 분비하여 B 림프구를 활성화시킨다. 활성화된 B 림프구는 활발하게 증식하면서 형질 세포와 기억 세포로 분화한다. 형질 세포에서는 동일한 종류의 항체를 생성하여 항원을 제거하고, 기억 세포는 항원의 특성을 기억한다.

형질 세포 하나는 초당 약 2000개의 항체를 분비하며 수명이 매우 짧다. 그러나 기억 세포는 항원이 제거된 이후에도 면역계에 남아 있다가, 같은 항원이 다시 침입하면 빠르게 증식하고 형질 세포로 분화하여 신속하게 다량의 항체를 생성함으로써 항원을 제거한다.

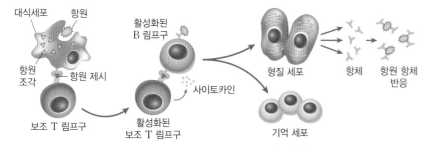

▲ **체액성 면역 반응** B 림프구는 형질 세포로 분화한 후 항체를 생성하여 항원을 제거한다.

(3) **1차 면역 반응과 2차 면역 반응**: 체내에 항원이 처음 침입하였을 때 나타나는 면역 반응을 1차 면역 반응이라고 하며, 같은 항원이 다시 침입하는 경우 기억 세포가 관여하여 신속하게 다량의 항체를 생성하는 면역 반응을 2차 면역 반응이라고 한다. 2차 면역 반응에서는 매우 빠르게 항원이 제거되기 때문에 항원이 몸에 침입했는지 감지하지 못할 수도 있다.

세포독성 T 림프구

세포독성 T 림프구는 바이러스에 감염된 세포에 구멍을 뚫어 세포를 파괴한다.

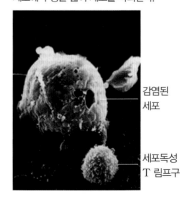

감염된 세포

세포독성 T 림프구

형질 세포

B 림프구가 특정 항원에 대한 항체를 생성할 수 있도록 분화한 특수한 세포이다. 다량의 항체(단백질)를 생성하여 분비할 수 있도록 세포질에 소포체와 골지체가 발달해 있다. 소포체는 리보솜에서 합성된 단백질을 운반하는 역할을 하고, 골지체는 소포체를 통해 운반되어 온 단백질을 변형하여 세포 안팎으로 운반하는 역할을 한다.

B 림프구의 클론 형성

특정 B 림프구의 항원 수용체가 그에 특이적으로 반응하는 항원과 결합하면 해당 B 림프구가 대량으로 증식하면서 형질 세포로 분화하여 동일한 종류의 항체를 생성한다. 다른 항원에 특이적인 나머지 B 림프구는 반응하지 않는다.

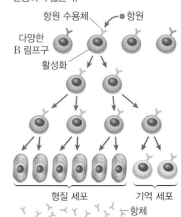

그림은 생쥐의 체내에 항원 A와 B가 침입하였을 때 A와 B에 대한 혈중 항체 농도의 변화를 나타낸 것이다.

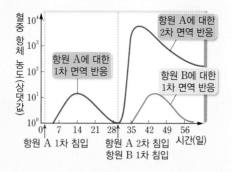

① **항원 A가 1차 침입하였을 때(1차 면역 반응):** 항체가 생성되기까지 시간이 걸리고, 소량의 항체가 생성된다. → 항원 A를 인식하고 이에 특이적으로 반응하는 B 림프구가 활성화되어 형질 세포로 분화하고 항체를 생성하기까지 시간이 걸리기 때문이다.

② **항원 A가 2차 침입하였을 때(2차 면역 반응):** 항체가 생성되기까지 걸리는 시간이 짧고, 생성되는 항체의 양도 훨씬 많으며 더 오랫동안 유지된다. → 1차 면역 반응에서 B 림프구의 일부가 기억 세포로 분화되어 남아 있다가 같은 항원이 다시 침입하였을 때 기억 세포가 빠르게 증식하고 더 많은 형질 세포로 분화하여 다량의 항체를 빠르게 생성하기 때문이다.

③ **항원 B가 1차 침입하였을 때:** 항원 B는 처음 침입한 것이므로 1차 면역 반응이 일어난다. 즉, 항원 B에 대한 면역 반응은 항원 A에 대한 면역 반응과 독립적으로 일어난다. 이는 특정 항체는 특정 항원에 대해서만 작용하는 항원 항체 반응의 특이성이 있기 때문이다.

 4 인공 면역

인공 면역은 인공적으로 생산한 백신이나 면역 혈청을 체내에 주사함으로써 면역 기능을 얻게 되는 것을 말한다.

1. 백신

(1) **백신:** 면역 반응의 원리를 이용해 감염성 질병을 예방하기 위해 만든 것으로, 질병을 일으키지 않을 정도로 약화시키거나 죽은 병원체, 병원체가 생산한 독소 등을 이용하여 만든다.

(2) **백신의 작용 원리:** 백신을 주사하면 체내에서 백신에 포함된 항원에 대한 1차 면역 반응이 일어나 소량의 항체가 생성되고, 면역계에 그 항원에 대한 기억 세포가 형성된다. 그 결과 실제로 해당 병원체에 감염되었을 때 2차 면역 반응이 일어나 다량의 항체가 신속하게 생성되어 병원체를 제거함으로써 질병에 걸리는 것을 예방할 수 있다.

백신으로 예방할 수 있는 질병
결핵, 소아마비, 홍역, 간염과 같은 감염성 질병은 백신을 이용하여 예방할 수 있다. 하지만 후천성 면역 결핍증(AIDS), 말라리아 등과 같은 감염성 질병은 아직 효과적인 백신이 개발되지 않았고, 최근에 발견된 감염성 질병은 시간이 부족해 백신을 개발하지 못한 경우가 많다.

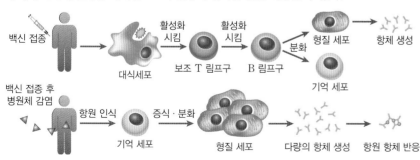

▲ **백신의 작용 원리**

2. 면역 혈청

(1) **면역 혈청**: 외부에서 들어온 특정 항원에 대한 항체가 포함된 혈청으로, 질병의 치료나 진단의 목적으로 이용된다.

(2) **면역 혈청의 작용 원리**: 다른 동물에게 항원(병원체)을 주사하여 항체가 생성되면 이 동물로부터 항체가 포함된 면역 혈청을 얻을 수 있다. 이 면역 혈청을 해당 병원체에 의한 질병을 앓고 있는 환자에게 주사하면 항원 항체 반응으로 병원체가 제거되어 질병을 치료할 수 있다. 광견병 면역 혈청의 경우 말에게 약화시킨 광견병 바이러스를 주입한 다음, 항체가 포함된 말의 혈청을 얻어 만든다.

5 면역 관련 질환

면역 체계는 병원체의 침입에 대항하는 일련의 방어 체계이다. 그런데 면역 체계가 약화되거나 오작동하면 여러 가지 질환이 발생할 수 있다.

1. 알레르기

대부분의 사람에게는 아무런 문제를 일으키지 않는 물질에 대해 신체가 과민하게 반응하여 눈물, 콧물, 재채기, 기침, 가려움, 두드러기 등과 같은 반응을 나타내는 것을 알레르기라고 한다. 알레르기 반응을 유발하는 항원을 알레르겐이라고 하며, 꽃가루, 먼지, 집먼지진드기, 음식물, 화학 물질, 동물 털 등이 있다.

알레르겐이 우리 몸에 처음 들어오면 항체가 생성되어 비만 세포의 세포막에 결합한다. 이후 같은 알레르겐이 다시 들어오면 비만 세포에 부착된 항체가 알레르겐을 인식하고, 비만 세포에서 히스타민을 분비하여 알레르기 반응이 나타난다. 대표적인 알레르기 질환으로는 알레르기성 비염, 아토피, 천식 등이 있다. 알레르기가 심한 경우 증상을 완화하기 위해 스테로이드제나 항히스타민제를 사용하기도 한다.

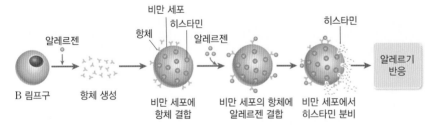

① 알레르겐이 처음 체내로 들어오면 B 림프구에서 항체가 생성되어 비만 세포에 결합한다.
② 같은 알레르겐이 다시 체내로 들어오면 비만 세포에서 히스타민이 분비되어 알레르기 반응이 나타난다.

▲ **알레르기 반응**

2. 자가 면역 질환

우리 몸의 면역계는 자신의 체내에 존재하는 자기 물질(자가 항원)에 특이적인 수용체를 가진 림프구를 제거하므로, 면역 반응은 비자기 물질(외래 항원)에 대해서만 일어난다. 그러나 때때로 면역계가 자기 물질과 비자기 물질을 구분하지 못해 자기 몸을 구성하는 조직이나 세포를 공격하여 질환이 나타나는 경우가 있는데, 이를 자가 면역 질환이라고 한다.

혈청

혈액에서 적혈구, 백혈구, 혈소판 등 세포 성분을 제외한 액체 성분을 혈장이라고 한다. 이 혈장에서 혈액 응고에 관여하는 피브리노젠을 제거한 것이 혈청이다.

백신과 면역 혈청의 차이

백신은 병원성이 제거된 항원을 질병을 앓기 전에 미리 주사하여 기억 세포 형성을 유도하므로 질병의 예방을 목적으로 한다. 면역 혈청은 이미 질병을 앓고 있는 환자에게 항체가 포함된 혈청을 주사하여 항원을 제거하므로 질병의 치료를 목적으로 한다.

알레르기

알레르기(allergy)의 어원은 그리스어의 allos(변한다)+ergos(작용)로, 생체의 변화된 반응, 이상한 반응이라는 뜻에서 유래되었다. 즉, 알레르기는 특정 항원에 대한 과도한 면역 반응 결과로 나타난다.

항히스타민제

히스타민은 모세 혈관을 확장시키고 혈관벽의 투과성을 증가시키며 가려움증을 유발하기 때문에 눈물, 콧물, 재채기와 같은 전형적인 알레르기 반응이 나타나게 한다. 이때 항히스타민제를 사용하면 히스타민이 조직에 있는 수용체에 결합하는 것을 막아 주므로, 알레르기 반응이 완화된다.

가슴샘과 T 림프구

T 림프구는 골수에서 생성된 후 가슴샘에서 성숙한다. 가슴샘에서는 자기 물질에 대해 반응하는 미성숙 T 림프구의 세포 자살을 유도하여 자기 물질에 특이적으로 결합하는 수용체를 가진 T 림프구를 제거하는 것으로 추정된다.

(1) **원인:** 자가 면역 질환이 나타나는 원인은 다양하다. 정상적인 자기 물질이 약물, 바이러스, 유전적 돌연변이 등에 의해 변형되어 더 이상 자기 물질로 인식되지 않을 수 있다. 또, 정상적으로는 접근할 수 없는 자기 물질이 조직 손상 등으로 드러나게 된 것이 원인이 되기도 한다. 그리고 구조적으로 자기 물질과 거의 유사한 외래 항원에 면역계가 노출됨으로써 자기 물질에 대해서도 면역 반응이 나타나기도 하며, 임신 후 수년 동안 모체 내에 남아 있던 태아 세포가 모체의 자기 조직에 대한 면역 반응을 유도하기도 한다.

(2) **질병:** 대표적인 자가 면역 질환으로는 제1형 당뇨병, 다발성 경화증, 류머티즘 관절염, 루푸스 등이 있다. 림프구가 이자의 이자섬 β세포를 공격하면 인슐린이 생성되지 못해 제1형 당뇨병이 발생한다. 또, 림프구가 중추 신경계를 구성하는 신경 세포의 말이집을 파괴하면 심각한 신경성 장애인 다발성 경화증이 발생한다.

3. 면역 결핍

면역을 담당하는 세포나 기관에 이상이 생겨 면역 기능이 현저히 저하되는 질병이다.

(1) **원인:** 주요 원인으로는 바이러스 감염, 림프구 장애, 골수 세포 장애 등이 있으며, 노화, 면역 억제제 사용, 방사선 조사 등에 의해 발생할 수도 있다.

(2) **질병:** 대표적인 면역 결핍 질환으로는 후천성 면역 결핍증(AIDS; Acquired Immune Deficiency Syndrome)이 있다. 후천성 면역 결핍증은 사람 면역 결핍 바이러스(HIV)에 감염되어 면역 기능이 저하되는 질병이다. HIV에 감염된 혈액의 수혈, 감염자와의 성 접촉, 오염된 주삿바늘의 공동 사용, 감염된 산모의 임신이나 분만 등에 의해 감염된다. HIV가 증식하면서 숙주 세포인 보조 T 림프구의 수가 감소하여 면역 기능이 크게 저하되며, 그 결과 발열, 설사, 체중 감소, 기억력·집중력 감퇴 등이 나타나고 전신의 림프절이 붓고 입안이 헐거나 백반증이 생기는 등 AIDS 초기 증상이 나타난다. 최종적으로 대부분의 면역 기능이 파괴되어 일반적인 세균이나 곰팡이의 감염에도 심각한 손상을 입고 악성 종양이 발생하여 생명을 잃을 수 있다.

시야 확장 ➕ 후천성 면역 결핍증(AIDS)의 특징

그림은 어떤 사람이 사람 면역 결핍 바이러스(HIV)에 감염되었을 때 시간에 따른 보조 T 림프구와 체내 HIV의 수, 증상의 변화를 나타낸 것이다.

❶ HIV에 감염된 후 처음 1년 동안은 HIV의 수가 감소한다. → 보조 T 림프구에 의해 인체의 면역 반응이 활발하게 일어나기 때문이다.

❷ 1년 후부터 보조 T 림프구의 수가 꾸준히 감소하고 HIV의 수가 증가한다. → HIV가 보조 T 림프구 내에서 증식하여 방출되는 과정에서 보조 T 림프구가 파괴되기 때문이다.

❸ 6년이 지나면서 보조 T 림프구의 수가 크게 감소하여 면역 기능이 저하된다. → 각종 병원체에 쉽게 감염되어 여러 가지 질병이 나타난다.

❹ 9년 정도가 지나면서 대부분의 면역 기능이 파괴되어 면역 결핍 상태가 된다.

류머티즘 관절염

외래 항원에 대해 만들어진 항체가 그 항원과 구조적으로 유사한 관절 부위의 막을 공격하여 참기 힘들 정도로 심한 염증이 나타나는 질환이다.

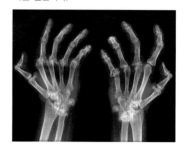

▲ **류머티즘 관절염으로 변형된 손의 X선 사진** 관절을 싸고 있는 막에 염증이 생겨 관절이 굳고 변형된다.

루푸스

정확한 이름은 전신성 홍반성 루푸스이며, 피부, 관절, 콩팥, 폐, 신경 등의 전신에서 염증 반응이 나타나는 질환이다.

사람 면역 결핍 바이러스(HIV; Human Immunodeficiency Virus)

HIV는 RNA를 유전 물질로 갖는 바이러스로, 에이즈(AIDS)를 일으킨다. HIV는 보조 T 림프구를 숙주 세포로 삼아 그 속에서 증식한 후 세포막을 파괴하고 방출되므로, HIV의 수가 증가할수록 보조 T 림프구의 수는 감소한다.

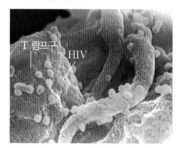

▲ **HIV의 공격을 받는 사람의 T 림프구**

백반증

멜라닌 세포가 죽거나 파괴되어 여러 가지 크기와 형태의 백색 반점이 피부에 나타나는 질환이다.

6 혈액의 응집 반응과 혈액형

항원 항체 반응은 특이적 방어 작용 이외에 적혈구 세포막과 혈장에 있는 물질 사이에서도 일어날 수 있다. 사람의 ABO식 혈액형과 Rh식 혈액형은 항원 항체 반응을 이용하여 판정하는데, 혈액형이 다른 혈액을 수혈하면 항원 항체 반응인 응집 반응이 일어날 수 있으므로 주의해야 한다.

1. 혈액의 응집 반응

혈액의 응집 반응은 혈액형이 서로 다른 두 혈액이 섞였을 때 적혈구가 서로 엉겨 붙어서 혈구 덩어리가 형성되는 현상이다. 이것은 적혈구의 세포막에 항원으로 작용하는 응집원이 있고, 혈장에 항체로 작용하는 응집소가 있어서 항원 항체 반응이 일어나기 때문이다.

2. ABO식 혈액형

탐구 1권 224쪽

ABO식 혈액형은 적혈구 세포막에 있는 응집원의 종류에 따라 A형, B형, AB형, O형의 네 가지로 구분한다.

(1) **응집원과 응집소:** 응집원에는 A와 B가 있고, 응집소에는 α와 β가 있다. 응집원 A와 응집소 α가 만나거나, 응집원 B와 응집소 β가 만나면 응집 반응이 일어난다.

구분	A형	B형	AB형	O형
응집원 (적혈구)	적혈구 —A	B A	A B	응집원 없음
응집소 (혈장)	β 혈장	α	응집소 없음	β α

(2) **ABO식 혈액형의 판정:** 응집소 α가 들어 있는 항 A 혈청과 응집소 β가 들어 있는 항 B 혈청에 혈액을 각각 떨어뜨렸을 때 응집 반응이 일어나는지의 여부로 ABO식 혈액형을 판정한다. 항 A 혈청(응집소 α)에서 응집 반응이 일어나면 혈액에 응집원 A가 있는 것이고, 항 B 혈청(응집소 β)에서 응집 반응이 일어나면 혈액에 응집원 B가 있는 것이다. 항 A 혈청에서만 응집 반응이 일어나면 A형, 항 B 혈청에서만 응집 반응이 일어나면 B형, 항 A 혈청과 항 B 혈청에서 모두 응집 반응이 일어나면 AB형, 모두 응집 반응이 일어나지 않으면 O형으로 판정한다.

구분	A형(응집원 A)	B형(응집원 B)	AB형(응집원 A, B)	O형(응집원 없음)
항 A 혈청 (응집소 α)	A α 응집함	B α 응집 안 함	A B α 응집함	α 응집 안 함
항 B 혈청 (응집소 β)	A β 응집 안 함	B β 응집함	B A β 응집함	β 응집 안 함

▲ ABO식 혈액형의 판정

혈액형의 발견
란트슈타이너(Landsteiner, K.)는 1901년 수혈의 부작용을 일으키는 응집 반응의 정체와 원인을 연구하던 중 ABO식 혈액형을 발견하였고, 1940년에는 비너(Wiener, A. S.)와 공동 연구를 통해 Rh식 혈액형을 발견하였다.

적혈구의 구조와 항원
적혈구는 세포막에 적혈구의 기능 수행에 필요한 단백질과 당 사슬 등 수많은 구조물을 가지고 있는데, 이들 구조물이 혈액형에서 항원으로 작용한다. 따라서 혈액형은 ABO식과 Rh식뿐만 아니라 어떤 항원을 기준으로 하는지에 따라 여러 가지로 구분할 수 있다.

응집원과 응집소
• 응집원: 응집 반응을 일으키는 항원
• 응집소: 응집 반응을 일으키는 항원에 대한 항체

(3) **ABO식 혈액형의 수혈 관계**: 수혈은 같은 혈액형끼리 하는 것이 원칙이다. 그러나 혈액형이 같은 혈액이 없는 상황에서 응급으로 수혈이 필요할 때는 혈액형이 다르더라도 수혈받는 사람의 혈액에 희석될 정도의 소량(약 200 mL) 수혈이 가능하다. 다만 수혈하는 사람의 응집원이 수혈받는 사람의 응집소와 결합하여 응집 반응을 일으키는 관계가 아니어야 한다. O형인 사람은 적혈구에 응집원이 없어 혈액형이 다른 사람에게 소량의 혈액을 수혈할 수 있고, AB형인 사람은 혈장에 응집소가 없어 혈액형이 다른 사람으로부터 소량의 혈액을 수혈받을 수 있다.

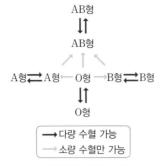

AB형
⇅
AB형

A형⇄A형 ← O형 → B형⇄B형

O형

⟶ 다량 수혈 가능
⟶ 소량 수혈만 가능

▲ **ABO식 혈액형의 수혈 관계**

3. Rh식 혈액형

Rh식 혈액형은 적혈구의 Rh 응집원 유무에 따라 Rh^+형과 Rh^-형으로 구분한다.

(1) 응집원과 응집소

구분	Rh^+형	Rh^-형
Rh 응집원(적혈구)	있다.	없다.
Rh 응집소(혈장)	없다.	Rh 응집원이 들어오면 생성된다.

(2) **Rh식 혈액형의 판정**: Rh 응집원이 있는 붉은털원숭이의 적혈구를 토끼에게 주사하면 토끼의 혈액 속에 붉은털원숭이의 적혈구를 응집시키는 항체(Rh 응집소)가 생성된다. 항체가 생성된 토끼의 혈청을 항 Rh 혈청이라고 하는데, 항 Rh 혈청에 혈액을 떨어뜨렸을 때 응집 반응이 일어나는지의 여부로 Rh식 혈액형을 판정한다. 응집 반응이 일어나면 적혈구에 Rh 응집원이 있는 것이므로 Rh^+형, 응집 반응이 일어나지 않으면 적혈구에 Rh 응집원이 없는 것이므로 Rh^-형이다.

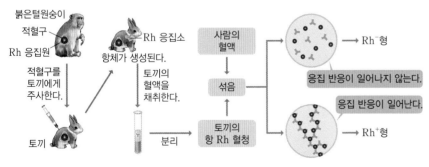

▲ **Rh식 혈액형의 판정**

(3) **Rh식 혈액형의 수혈 관계**: Rh^-형인 사람은 Rh^+형인 사람에게 수혈할 수 있지만, Rh^+형인 사람은 Rh^-형인 사람에게 수혈할 수 없다. Rh 응집원이 없는 Rh^-형인 사람이 Rh^+형의 혈액을 수혈받을 경우 2개월~4개월 후에 Rh 응집소가 생성되므로, 나중에 다시 Rh^+형의 혈액을 수혈받을 경우 응집 반응에 의해 적혈구가 파괴되는 용혈 현상이 일어나 생명이 위험해지기 때문이다.

Rh^+형⇄Rh^+형 ← Rh^-형⇄Rh^-형

⟶ 수혈 가능

▲ **Rh식 혈액형의 수혈 관계**

특이적 방어 작용이 일어나는 과정

병원체가 체내로 침입하면 대식세포와 호중성 백혈구의 식균 작용을 통한 비특이적 방어 작용에 의해 병원체가 대부분 제거된다. 또, 남은 병원체도 림프구가 중심이 되는 특이적 방어 작용에 의해 제거된다. 특이적 방어 작용은 대식세포의 항원 제시 후 일어나는데, 그 특징에 대해 알아보자.

❶ 특이적 방어 작용이 일어나는 과정

특이적 방어 작용은 세포독성 T 림프구에 의해 일어나는 세포성 면역과 B 림프구에 의해 일어나는 체액성 면역으로 구분하며, 이 두 가지 면역 반응에는 공통적으로 보조 T 림프구가 관여한다.

(1) **세포성 면역**: 세포독성 T 림프구가 병원체에 감염된 세포를 직접 공격하여 파괴한다.

> 대식세포의 항원 제시 → 보조 T 림프구의 활성화 → 세포독성 T 림프구의 활성화 → 세포독성 T 림프구가 감염된 세포 파괴

(2) **체액성 면역**: B 림프구가 분화한 형질 세포에서 항체를 생성하여 항원 항체 반응을 통해 항원을 무력화시킨다. 무력화된 항원은 백혈구의 식균 작용에 의해 제거된다.

> 대식세포의 항원 제시 → 보조 T 림프구의 활성화 → B 림프구의 증식 및 형질 세포와 기억 세포로 분화 → 형질 세포가 항체 생성 → 항원 항체 반응을 통한 항원의 무력화

특이적 방어 작용에서 림프구의 역할

- 보조 T 림프구: 대식세포가 제시한 항원을 인식하고 사이토카인을 분비하여 세포독성 T 림프구와 B 림프구의 활성을 촉진한다.
- 세포독성 T 림프구: 화학 물질을 분비하여 바이러스 등의 병원체에 감염된 세포를 직접 파괴하는 세포성 면역을 담당한다.
- B 림프구: 형질 세포로 분화한 후 생성한 항체가 항원 항체 반응을 통해 병원체를 제거하는 체액성 면역을 담당한다.

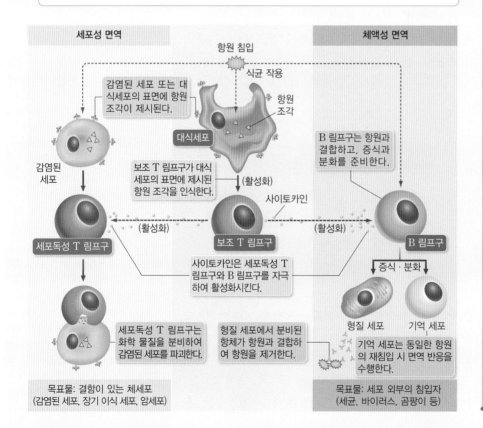

❷ 1차 면역 반응과 2차 면역 반응

(1) **1차 면역 반응**: 항원이 처음 침입한 경우 보조 T 림프구의 도움으로 B 림프구가 항원의 종류를 인식하고 활발하게 증식하면서 형질 세포와 기억 세포로 분화하며, 형질 세포가 항체를 생성하여 항원을 제거한다. ➡ 항체가 생성되기까지 시간이 걸리며, 소량의 항체가 생성된다.

(2) **2차 면역 반응**: 항원에 대한 기억 세포가 남아 있는 상태에서 동일한 항원이 다시 침입하는 경우 기억 세포가 빠르게 증식하면서 더 많은 형질 세포로 분화하여 항체를 생성한다. 많은 양의 항체가 항원 항체 반응으로 항원을 제거하므로, 질병에 걸리지 않을 수 있다. ➡ 항체가 생성되기까지 걸리는 시간이 짧고, 생성되는 항체의 양도 훨씬 많으며, 더 오랫동안 유지된다.

(3) **백신의 원리**: 1차 면역 반응에서는 항원이 효과적으로 제거되지 못해 질병을 앓을 수 있지만, 2차 면역 반응에서는 항원이 효과적으로 제거되어 대부분 질병을 앓지 않는다. 이를 '면역이 되었다.'라고 표현하는데, 이 원리를 이용해 인위적으로 사람의 체내에서 1차 면역 반응을 일으켜 기억 세포가 형성되게 하는 백신을 만든다. 백신을 접종한 후 같은 항원이 체내에 침입하면 2차 면역 반응이 일어나 많은 양의 항체가 생성되어 효과적으로 항원을 제거한다.

기억 세포의 지속 시간
항원에 의해 유도된 기억 세포의 지속 시간은 항원의 종류에 따라 다르다. 천연두나 홍역에 대해서는 기억 세포가 평생 유지되므로, 다시 그 질병에 걸리지 않는다. 그러나 독감의 경우에는 기억 세포가 오래 유지되지 못하므로 6개월~12개월 이후에는 다시 독감에 걸릴 수 있다.

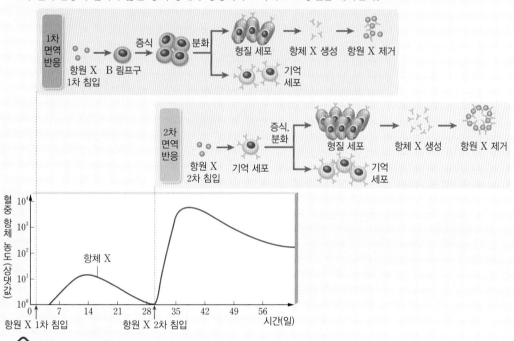

❯ 정답과 해설 **42**쪽

유제

그림 (가)는 인체에 항원 X가 1차 침입하였을 때, 그림 (나)는 항원 X가 2차 침입하였을 때 혈중 항체 X의 농도 변화를 나타낸 것이다.
이에 대한 설명으로 옳은 것만을 〈보기〉에서 있는 대로 고르시오.

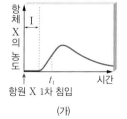

(가)

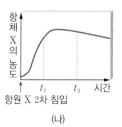

(나)

┌─ 보기 ──────────────────────────────────
│ ㄱ. 구간 Ⅰ에서 비특이적 방어 작용이 일어난다.
│ ㄴ. 항원 X에 대한 형질 세포의 수는 t_2에서가 t_1에서보다 많다.
│ ㄷ. t_3에서 형질 세포는 기억 세포로 전환된다.
└──

혈액형 판정하기

혈액의 응집 반응을 이용하여 ABO식 혈액형과 Rh식 혈액형을 판정하는 원리를 설명할 수 있다.

과정

1 혈액 반응판에 항 A 혈청, 항 B 혈청, 항 Rh 혈청을 한 방울씩 떨어뜨린다.

2 손가락 끝을 알코올 솜으로 소독한 다음, 채혈기로 살짝 찔러 혈액이 나오게 하여 각 혈청에 한 방울씩 떨어뜨린다.

3 이쑤시개로 각 혈청과 혈액을 잘 섞은 후 응집 반응 여부를 관찰하여 혈액형을 판정한다.

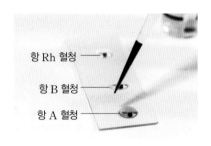

항 Rh 혈청
항 B 혈청
항 A 혈청

유의점

• 실험 안전 사항을 준수한다.
• 채혈하기 전과 후에 채혈 부위를 잘 소독한다.
• 한 번 사용한 채혈침은 다시 사용하지 않는다.
• 혈액을 각 혈청과 섞을 때 다른 혈청과 섞이지 않도록 서로 다른 이쑤시개를 사용한다.

결과 및 해석

1 각 혈청에 대한 혈액의 응집 반응 결과와 혈액형 판정

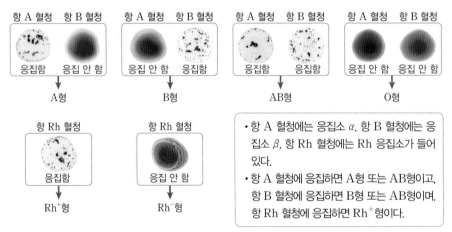

항 A 혈청	항 B 혈청	항 A 혈청	항 B 혈청	항 A 혈청	항 B 혈청	항 A 혈청	항 B 혈청
응집함	응집 안 함	응집 안 함	응집함	응집함	응집함	응집 안 함	응집 안 함
A형		B형		AB형		O형	

항 Rh 혈청
응집함
→ Rh⁺형

항 Rh 혈청
응집 안 함
→ Rh⁻형

• 항 A 혈청에는 응집소 α, 항 B 혈청에는 응집소 β, 항 Rh 혈청에는 Rh 응집소가 들어 있다.
• 항 A 혈청에 응집하면 A형 또는 AB형이고, 항 B 혈청에 응집하면 B형 또는 AB형이며, 항 Rh 혈청에 응집하면 Rh⁺형이다.

2 **혈청으로 혈액형을 판정할 수 있는 까닭**: 혈액형에 따라 적혈구 세포막에 있는 응집원의 종류가 다르고, 각 혈청 속에는 특정 응집원하고만 결합하는 응집소가 있어서 혈액형에 따라 응집 반응이 다르게 나타나기 때문이다.

3 **응급 수혈을 제외하고는 반드시 혈액형이 같은 혈액만을 수혈하는 까닭**: 혈액형이 다른 혈액을 수혈하면 체내에서 응집원과 응집소가 응집 반응을 일으킬 수 있어 생명이 위험해지기 때문이다.

항 A 혈청과 항 B 혈청

혈액형을 쉽게 판정할 수 있도록 항 A 혈청에는 파란색 색소를, 항 B 혈청에는 노란색 색소를 혼합해서 사용한다. 항 A 혈청에는 B형인 사람의 혈청에 들어 있는 응집소 α가 들어 있으므로 B형 표준 혈청이라고도 하며, 마찬가지로 항 B 혈청에는 A형인 사람의 혈청에 들어 있는 응집소 β가 들어 있으므로 A형 표준 혈청이라고도 한다.

항 A 혈청   항 B 혈청

탐구 확인 문제

〉정답과 해설 **42**쪽

01 ABO식 혈액형이 AB형인 혈액의 적혈구와 O형인 혈액의 혈장을 섞었을 때, 응집 반응 여부를 판단하시오.

02 ABO식 혈액형에서 응집소 α가 응집원 B와는 결합하지 않고 응집원 A하고만 결합하는데, 그 까닭은 무엇인지 서술하시오.

02 우리 몸의 방어 작용

2. 방어 작용

① 인체의 방어 작용

1. **비특이적 방어 작용** 병원체의 종류와 관계없이 일어난다. ⑩ 피부, 점막, 식균 작용, 염증 반응
2. **특이적 방어 작용** 특정 병원체를 항원으로 인식하여 일어난다. ⑩ 세포성 면역, 체액성 면역

② 비특이적 방어 작용

1. **피부와 점막** 병원체의 침입을 막는 물리적 방어벽을 형성하며, 땀, 눈물, 침, 점액 등에는 (❶   )이라는 효소가 들어 있어 세균의 침입을 막는다.
2. **식균 작용** 체내에 침입한 병원체는 대식세포와 같은 백혈구의 식균 작용을 통해 대부분 제거된다.
3. (❷   ) 상처 부위의 비만 세포에서 분비한 히스타민이 모세 혈관을 확장시켜 백혈구가 상처 부위로 많이 모이도록 하고, 백혈구는 식균 작용으로 병원체를 제거한다.

③ 특이적 방어 작용

1. **세포성 면역** (❸   )가 병원체에 감염된 세포를 직접 파괴하여 제거한다.
2. **체액성 면역** (❹   )가 분화한 형질 세포에서 항체를 생성하여 (❺   ) 반응으로 항원을 제거한다.
3. **1차 면역 반응과 2차 면역 반응**
   • 1차 면역 반응: 항원의 최초 침입 → 대식세포의 항원 제시 → (❻   )의 활성화 → B 림프구의 활성화 및 형질 세포와 기억 세포로 분화 → 형질 세포가 항체 생성 → 항원 항체 반응을 통해 항원 제거
   • 2차 면역 반응: 동일 항원의 재침입 → (❼   )의 활성화 → 형질 세포로 빠르게 분화하여 다량의 항체 생성 → 항원 항체 반응을 통해 항원 제거

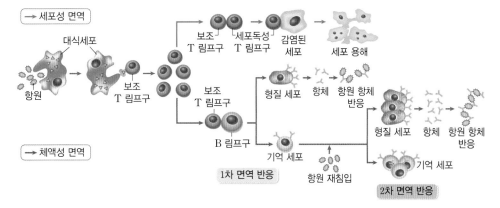

④ 인공 면역

1. **백신** 약화시킨 항원으로 만든 물질로, 인위적으로 (❽   )차 면역 반응을 일으켜 기억 세포가 형성되도록 함으로써 감염성 질병에 걸리는 것을 예방한다.
2. **면역 혈청** 외부에서 들어온 특정 항원에 대한 항체가 포함된 혈청으로, 질병의 치료에 이용한다.

⑤ 면역 관련 질환

1. **면역 관련 질환** 면역 체계에 이상이 생기면 알레르기, 자가 면역 질환, 면역 결핍 등이 발생할 수 있다.

⑥ 혈액의 응집 반응과 혈액형

1. **혈액의 응집 반응** 혈액형이 서로 다른 두 혈액이 섞였을 때 적혈구 세포막에 있는 응집원과 혈장에 있는 응집소 사이에 (❾   ) 반응이 일어나 적혈구가 서로 엉겨 붙는 현상이다.
2. **ABO식 혈액형의 판정** 항 A 혈청에서만 응집하면 A형, 항 B 혈청에서만 응집하면 B형, 항 A 혈청과 항 B 혈청에서 모두 응집하면 (❿   )형, 모두 응집하지 않으면 (⓫   )형이다.
3. **Rh식 혈액형의 판정** 항 Rh 혈청에 응집하면 Rh$^+$형, 응집하지 않으면 Rh$^-$형이다.

01 그림 (가)와 (나)는 우리 몸의 두 가지 방어 작용을 나타낸 것이다.

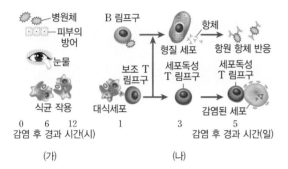

(가)   (나)

다음 설명에 해당하는 방어 작용을 (가)와 (나) 중에서 골라 쓰시오.

(1) 병원체에 감염된 즉시 일어난다.

(2) 세포성 면역과 체액성 면역으로 구분한다.

(3) 병원체의 공통적 특징을 인식하여 일어난다.

(4) 한 번 침입한 병원체를 기억하는 능력이 있다.

02 그림은 피부가 가시에 찔렸을 때 염증 반응이 일어나는 과정을 나타낸 것이다.

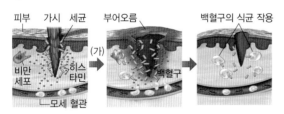

이에 대한 설명으로 옳은 것만을 〈보기〉에서 있는 대로 고르시오.

보기
ㄱ. 히스타민은 세균의 세포벽을 분해한다.
ㄴ. (가) 과정에서 모세 혈관이 확장된다.
ㄷ. 백혈구는 특정 병원체를 선별하여 식균 작용을 한다.

03 그림 (가)와 (나)는 체내에서 일어나는 방어 작용의 일부를 나타낸 것이다.

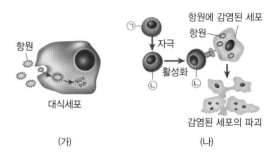

(가)   (나)

(1) (가), (나) 중 비특이적 방어 작용에 해당하는 것을 쓰시오.

(2) ㉠과 ㉡에 해당하는 세포를 각각 쓰시오.

(3) ㉠, ㉡ 중 골수에서 생성되어 가슴샘에서 성숙하는 세포를 있는 대로 쓰시오.

04 그림은 체내에 침입한 항원에 의해 항체가 생성되는 과정을 나타낸 것이다.

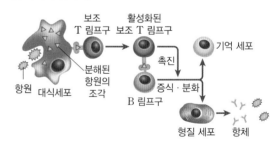

이에 대한 설명으로 옳은 것만을 〈보기〉에서 있는 대로 고르시오.

보기
ㄱ. 대식세포는 항원에 특이적으로 작용한다.
ㄴ. B 림프구는 분열 능력이 있다.
ㄷ. 특정 B 림프구가 분화한 형질 세포에서는 한 종류의 항체만을 생성한다.

05 항체는 자신을 만들게 한 항원하고만 결합하는 특성이 있다. 이를 무엇이라고 하는지 쓰시오.

06 그림은 사람의 체내에 항원 X와 Y가 침입하였을 때 항체 X와 Y의 혈중 농도 변화를 나타낸 것이다.

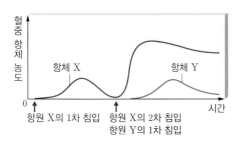

이에 대한 설명으로 옳은 것만을 〈보기〉에서 있는 대로 고르시오.

┌ 보기 ─────────────────────────
ㄱ. 항원 X가 1차 침입하였을 때 항원 X에 대한 기억 세포가 형성된다.
ㄴ. 항원이 1차 침입하였을 때보다 2차 침입하였을 때 항체가 생성되기까지 걸리는 시간이 짧다.
ㄷ. 항체 X와 항체 Y는 서로 다른 종류의 형질 세포에서 생성된다.
└──────────────────────────────

07 표는 세 사람 (가)~(다)의 혈액을 채취하여 B형 간염에 대한 항원과 항체의 검출 반응을 실시한 결과이다.

구분	(가)	(나)	(다)
항원	+	−	−
항체	+	+	−

(+: 검출 반응이 일어남, −: 검출 반응이 일어나지 않음)

(1) B형 간염 백신 접종이 필요한 사람을 있는 대로 쓰시오.

(2) B형 간염에 대한 면역 능력이 있는 사람을 있는 대로 쓰시오.

08 그림은 ABO식 혈액형이 A형인 사람과 O형인 사람의 혈액을 섞었을 때 일어나는 현상을 나타낸 것이다. 이에 대한 설명으로 옳은 것만을 〈보기〉에서 있는 대로 고르시오. (단, ㉠은 적혈구, ㉡은 응집소이다.)

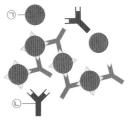

┌ 보기 ─────────────────────────
ㄱ. ㉠은 A형인 사람의 혈액에 있던 것이다.
ㄴ. ㉡은 응집소 β이다.
ㄷ. 응집원 A와 응집소 β 사이에 응집 반응이 일어났다.
└──────────────────────────────

09 그림은 ABO식 혈액형이 모두 다른 주영이네 가족의 ABO식 혈액형 판정 실험 결과를 나타낸 것이다.

	항 A 혈청	항 B 혈청
아버지	⬚	⬚
누나	⬚	●
주영	●	⬚

⬚ 응집함　● 응집 안 함

(1) 어머니를 포함한 네 가족의 ABO식 혈액형을 각각 쓰시오.

(2) 이에 대한 설명으로 옳은 것만을 〈보기〉에서 있는 대로 고르시오. (단, 수혈은 ABO식 혈액형만 고려한다.)

┌ 보기 ─────────────────────────
ㄱ. 주영이의 혈장에는 응집소 β가 있다.
ㄴ. 어머니는 가족 모두에게 소량 수혈할 수 있다.
ㄷ. 아버지의 적혈구와 누나의 혈장을 섞으면 응집 반응이 일어난다.
└──────────────────────────────

01 > 비특이적 방어 작용과 특이적 방어 작용

그림 (가)는 어떤 사람이 세균 X에 감염되었을 때 일어나는 방어 작용을, 그림 (나)는 이 사람에서 세균 X에 대한 혈중 항체 농도 변화를 나타낸 것이다.

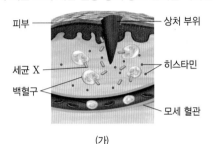

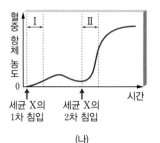

(가)   (나)

• (가)는 비특이적 방어 작용 중 염증 반응을 나타낸 것이며, 항체에 의한 면역 반응은 체액성 면역 반응이다.

이에 대한 설명으로 옳은 것만을 〈보기〉에서 있는 대로 고른 것은?

보기
ㄱ. (가)에서 히스타민은 모세 혈관을 확장시킨다.
ㄴ. 세균 X에 대한 (가) 작용은 구간 Ⅰ에서보다 구간 Ⅱ에서 급격히 증가한다.
ㄷ. 구간 Ⅰ과 Ⅱ에서 모두 세균 X에 대한 체액성 면역 반응이 일어난다.

① ㄱ   ② ㄷ   ③ ㄱ, ㄷ   ④ ㄴ, ㄷ   ⑤ ㄱ, ㄴ, ㄷ

02 > 비특이적 방어 작용과 특이적 방어 작용

그림은 어떤 사람이 세균 X에 감염된 후 순차적으로 일어나는 방어 작용 (가)와 (나)를 나타낸 것이다.

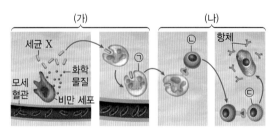

• (가)는 비특이적 방어 작용, (나)는 특이적 방어 작용이며, ㉠은 대식 세포, ㉡은 보조 T 림프구, ㉢은 B 림프구이다.

이에 대한 설명으로 옳은 것만을 〈보기〉에서 있는 대로 고른 것은?

보기
ㄱ. (가)에서 비만 세포가 분비한 화학 물질에 의해 모세 혈관을 빠져나가는 ㉠의 수가 증가한다.
ㄴ. (나)의 ㉡과 ㉢은 모두 골수에서 성숙하는 림프구이다.
ㄷ. (나)의 ㉢은 모두 형질 세포로 전환된다.

① ㄱ   ② ㄴ   ③ ㄷ   ④ ㄱ, ㄷ   ⑤ ㄴ, ㄷ

03 ❯ 특이적 방어 작용

그림은 항원 X가 1차 침입하였을 때 일어나는 인체의 방어 작용 일부를 나타낸 것이다.

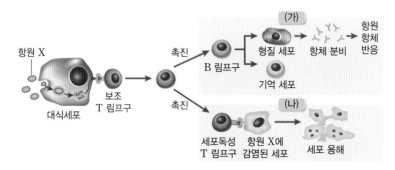

이에 대한 설명으로 옳은 것만을 〈보기〉에서 있는 대로 고른 것은?

> 보기
> ㄱ. (가)는 체액성 면역, (나)는 세포성 면역이다.
> ㄴ. 대식세포는 항원 X에 대한 정보를 보조 T 림프구에 전달한다.
> ㄷ. 항원 X가 2차 침입하면 기억 세포가 형질 세포로 분화한다.

① ㄱ　　　　② ㄴ　　　　③ ㄱ, ㄴ　　　　④ ㄴ, ㄷ　　　　⑤ ㄱ, ㄴ, ㄷ

특이적 방어 작용은 병원체에 감염된 세포를 직접 제거하는 세포성 면역과 항체를 생성하여 병원체를 제거하는 체액성 면역으로 구분한다.

04 ❯ 1차 면역 반응과 2차 면역 반응

그림 (가)는 어떤 세균이 인체에 침입하였을 때 일어나는 방어 작용을, 그림 (나)는 이 세균의 침입에 의해 생성되는 항체의 혈중 농도 변화를 나타낸 것이다.

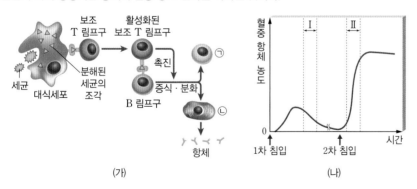

이에 대한 설명으로 옳은 것만을 〈보기〉에서 있는 대로 고른 것은? (단, ㉠과 ㉡은 각각 형질 세포와 기억 세포 중 하나이다.)

> 보기
> ㄱ. 구간 Ⅰ에서 항체 농도가 감소하는 것은 ㉡의 수가 감소하기 때문이다.
> ㄴ. 구간 Ⅱ에서 ㉡은 ㉠으로 분화한다.
> ㄷ. 이 세균과의 항원 항체 반응은 구간 Ⅱ에서가 구간 Ⅰ에서보다 활발하다.

① ㄱ　　　　② ㄴ　　　　③ ㄱ, ㄷ　　　　④ ㄴ, ㄷ　　　　⑤ ㄱ, ㄴ, ㄷ

보조 T 림프구에 의해 활성화된 B 림프구가 분화하여 형성된 ㉠은 기억 세포이고, ㉡은 형질 세포이다.

05 ⟩ 비특이적 방어 작용과 특이적 방어 작용

그림은 세균 X에 처음으로 감염된 생쥐 A~C에서 시간에 따른 세균 X의 수를 나타낸 것이다. A~C는 각각 정상 생쥐, 대식세포가 결핍된 생쥐, 림프구가 결핍된 생쥐 중 하나이다.
이에 대한 설명으로 옳은 것만을 〈보기〉에서 있는 대로 고른 것은?

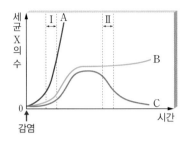

• 대식세포에 의한 비특이적 방어 작용은 감염 직후부터 일어나고, 림프구에 의한 특이적 방어 작용은 반응이 일어나기까지 시간이 걸린다.

보기
ㄱ. A는 대식세포가 결핍된 생쥐이다.
ㄴ. 구간 Ⅰ에서 B의 체내에서는 식균 작용으로 세균 X가 제거된다.
ㄷ. 구간 Ⅱ에서 C의 체내에서는 특이적 방어 작용이 일어난다.

① ㄱ   ② ㄷ   ③ ㄱ, ㄴ   ④ ㄴ, ㄷ   ⑤ ㄱ, ㄴ, ㄷ

06 ⟩ 면역 반응의 특성

다음은 생쥐를 이용한 면역 반응 실험이다.

[실험 과정]
(가) 세균 p는 질병 P를 일으킨다. 세균 p에 감염된 적이 있는 생쥐의 혈청 X와 세균 p에 감염된 적이 없는 생쥐의 혈청 Y를 준비한다.
(나) B 림프구가 형질 세포로 분화하는 기능이 상실된 5마리의 생쥐에게 실험 Ⅰ~Ⅴ와 같이 조성을 달리한 주사액을 각각 주사한 후 질병 P의 발병 여부를 조사한다.

[실험 결과]

실험	과정 (나)에서 생쥐에게 주사한 주사액	질병 P의 발병 여부
Ⅰ	열처리 안 한 혈청 X + 세균 p	발병 안 함
Ⅱ	열처리한 혈청 X + 세균 p	발병함
Ⅲ	열처리 안 한 혈청 Y + 세균 p	발병함
Ⅳ	열처리한 혈청 X + 열처리 안 한 혈청 Y + 세균 p	㉠
Ⅴ	열처리 안 한 혈청 X + 열처리한 혈청 Y + 세균 p	㉡

• 혈청에는 혈구 등의 세포 성분이 들어 있지 않다. 항체는 혈장 단백질인 γ−글로불린으로 구성되며, 다른 단백질과 마찬가지로 열에 약하다.

이에 대한 설명으로 옳은 것만을 〈보기〉에서 있는 대로 고른 것은? (단, 실험 Ⅰ~Ⅴ에서 주사액의 조성 이외의 모든 실험 조건은 동일하다.)

보기
ㄱ. 혈청 X에는 세균 p에 대한 기억 세포가 들어 있다.
ㄴ. 혈청에 들어 있는 면역 성분은 열에 약하다.
ㄷ. ㉠은 '발병함'이고, ㉡은 '발병 안 함'이다.

① ㄷ   ② ㄱ, ㄴ   ③ ㄱ, ㄷ   ④ ㄴ, ㄷ   ⑤ ㄱ, ㄴ, ㄷ

07 > 면역 반응의 특성

다음은 항원 X에 대한 생쥐의 방어 작용 실험이다.

[실험 과정]
(가) 유전적으로 동일하고 항원 X에 노출된 적이 없는 생쥐 A~C를 준비한다.
(나) 생쥐 A에게 항원 X를 주사하고, 8일 후 생쥐 A에서 혈청과 보조 T 림프구를 각각 분리한다.
(다) 생쥐 B에게는 (나)에서 분리한 혈청을 주사한 후 항원 X를 감염시키고, 생쥐 C에게는 (나)에서 분리한 보조 T 림프구를 주사한 후 항원 X를 감염시킨다.

[실험 결과]
감염 5일 후, 생쥐 B와 C에서 살아 있는 항원 X의 수를 각각 측정하였더니 그림과 같이 나타났다.

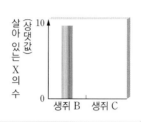

이에 대한 설명으로 옳은 것만을 〈보기〉에서 있는 대로 고른 것은? (단, 제시된 조건 이외의 모든 실험 조건은 동일하다.)

보기
ㄱ. 생쥐 B에서는 항원 X에 대한 2차 면역 반응이 일어났다.
ㄴ. 생쥐 B에서는 보조 T 림프구에 의해 B 림프구가 형질 세포로 분화하였다.
ㄷ. 생쥐 C에서는 생쥐 A로부터 전달받은 보조 T 림프구에 의해 면역 작용이 증가하였다.

① ㄱ   ② ㄷ   ③ ㄱ, ㄴ   ④ ㄴ, ㄷ   ⑤ ㄱ, ㄴ, ㄷ

> 혈청에는 항체가 들어 있으며, 보조 T 림프구는 항원을 인식하여 B 림프구를 활성화시킨다.

08 > ABO식 혈액형 판정과 수혈

다음은 Rh⁺형인 100명의 학생 집단을 대상으로 한 ABO식 혈액형 판정 실험 결과이다.

• 항 A 혈청에서 응집 반응이 일어난 학생: 36명
• 항 B 혈청에서 응집 반응이 일어난 학생: 47명
• 항 A 혈청과 항 B 혈청에서 모두 응집 반응이 일어난 학생 + 모두 응집 반응이 일어나지 않은 학생: 31명

이에 대한 설명으로 옳은 것만을 〈보기〉에서 있는 대로 고른 것은?

보기
ㄱ. 혈장에 응집소 β가 있는 학생은 53명이다.
ㄴ. 적혈구에 응집원 A가 있는 학생보다 응집원 A가 없는 학생이 더 많다.
ㄷ. 혈장에 응집소 α와 β가 모두 있는 선생님에게 수혈할 수 있는 학생은 24명이다.

① ㄱ   ② ㄴ   ③ ㄱ, ㄷ   ④ ㄴ, ㄷ   ⑤ ㄱ, ㄴ, ㄷ

> 항 A 혈청에서 응집 반응이 일어난 학생의 혈액형은 적혈구에 응집원 A가 있는 A형과 AB형이고, 항 B 혈청에서 응집 반응이 일어난 학생의 혈액형은 적혈구에 응집원 B가 있는 B형과 AB형이다.

09 ❯ 면역 반응과 백신

다음은 어떤 병원체에 대한 백신을 개발하기 위한 후보 물질 X와 Y에 대한 자료이다.

유전적으로 동일하고 X와 Y에 노출된 적이 없는 생쥐 A와 B를 준비하여 A에게 X를, B에게 Y를 1차 주사하고, 일정 시간 후 A에게 X를, B에게 Y를 2차 주사하였다. 그림은 A와 B에서 X와 Y에 대한 혈중 항체 농도 변화를 각각 나타낸 것이다.

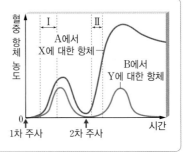

이에 대한 설명으로 옳은 것만을 〈보기〉에서 있는 대로 고른 것은?

보기
ㄱ. 구간 Ⅰ에서 생쥐 A에서는 물질 X, 생쥐 B에서는 물질 Y에 대한 체액성 면역 반응이 각각 일어난다.
ㄴ. 구간 Ⅱ에서 생쥐 A에서는 물질 X에 대한 기억 세포가 형질 세포로 분화한다.
ㄷ. 백신으로서의 효과는 물질 X가 물질 Y보다 크다.

① ㄱ   ② ㄷ   ③ ㄱ, ㄴ   ④ ㄴ, ㄷ   ⑤ ㄱ, ㄴ, ㄷ

> 항원이 처음 침입하였을 때 기억 세포가 형성되는 경우, 같은 항원이 다시 침입하면 기억 세포가 형질 세포로 분화하여 다량의 항체를 신속하게 생성한다.

10 ❯ Rh식 혈액형 판정과 수혈

그림은 토끼 A로부터 얻은 혈청을 이용하여 (가)와 (나) 두 사람의 Rh식 혈액형을 판정하는 과정을 나타낸 것이다. (가)와 (나)의 ABO식 혈액형은 같다.

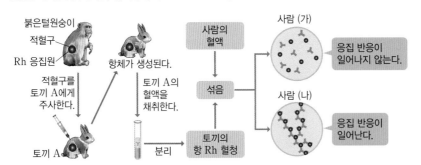

이에 대한 설명으로 옳은 것만을 〈보기〉에서 있는 대로 고른 것은?

보기
ㄱ. 토끼 A의 적혈구에는 Rh 응집원이 있다.
ㄴ. Rh 응집원은 (가)에는 있지만 (나)에는 없다.
ㄷ. (가)는 (나)에게 수혈할 수 있다.

① ㄱ   ② ㄴ   ③ ㄷ   ④ ㄱ, ㄴ   ⑤ ㄴ, ㄷ

> 항 Rh 혈청에 혈액을 떨어뜨렸을 때 응집 반응이 일어나면 적혈구에 Rh 응집원이 있는 것이고, 응집 반응이 일어나지 않으면 적혈구에 Rh 응집원이 없는 것이다.

독감, '꿈의 백신'은 과연 가능할까?

독감 백신의 평균 예방 효과는 70 %~90 %이지만, 어떤 해는 예방 효과가 10 % 수준에 그치는 경우도 있다. 그 까닭은 세계보건기구(WHO)의 예측이 실패했기 때문이다. 홍역, B형 간염 등은 1회~3회 정도의 예방 접종만으로도 효과가 평생 지속되지만, 독감을 예방하려면 매년 백신을 접종해야 한다. 독감을 일으키는 인플루엔자 바이러스는 유전자 변이가 잘 일어나는 RNA 바이러스로, 매년 유행하는 인플루엔자 바이러스의 종류가 달라지므로 백신에 포함되는 항원도 매년 바뀌어야 하며, 독감의 예방 효과도 6개월~1년 정도밖에 유지되지 않는다. 따라서 세계보건기구(WHO)에서는 매년 2월에 그해 겨울철에 유행할 것으로 예측되는 세 가지 정도의 인플루엔자 바이러스 종류를 발표하여 제약 회사에서 이를 항원으로 하는 백신을 개발하도록 한다. 그렇다면 인플루엔자 바이러스의 종류와 유전자 변이 여부에 관계없이 한 번의 접종만으로 모든 인플루엔자 바이러스를 예방할 수 있는 범용 백신을 개발할 수는 없을까?

(1) 범용 백신의 개발 가능성

범용 백신 기술은 크게 세 가지 방식으로 개발되고 있다. 가장 상용화에 근접한 기술은 바이러스의 중심부에 있는 코어(core) 단백질을 공격하는 방식이다. 기존 백신은 바이러스 표면에 있는 당단백질과 형태가 맞는 항체가 생성되도록 한다. 열쇠−자물쇠 조합처럼 당단백질과 형태가 맞는 항체가 바이러스에 달라붙어 바이러스를 무력화시키는 원리이다. 그러나 바이러스의 유전자에 변이가 생기면 당단백질의 형태가 달라지기 때문에 이에 맞춰 새로운 백신을 만들어야 한다. 이를 해결하기 위해 고안한 것이 변이가 일어나도 형태가 바뀌지 않는 코어 단백질에 작용하는 항체가 생성되도록 하는 백신의 개발이다. 이 기술은 사람을 대상으로 하는 첫 임상 시험에서 백신의 안전성을 확인한 상태이다.

또 다른 기술은 바이러스의 당단백질에서 형태 변화가 거의 없는 기둥 부분만을 공격하는 백신의 개발이다. 당단백질은 머리와 기둥으로 이루어져 있는데, 머리에 비해 기둥이 상대적으로 유전자 변이가 적기 때문이다.

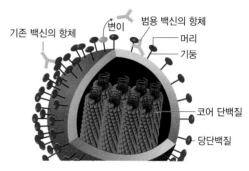

▲ 바이러스 당단백질의 기둥 부분을 공격하는 범용 백신의 항체

DNA(유전자) 백신도 주목받고 있다. DNA 백신은 여러 바이러스의 유전자 일부를 모방한 DNA 조합을 사람에게 주사하면 바이러스에 대항하는 항체가 자연스럽게 만들어지는 원리를 이용한다. 다른 백신과 달리 바이러스를 직접 체내에 주사하지 않고 바이러스에서 기능하지 않는 DNA만 주사하기 때문에 일반 백신에 비해 훨씬 안전하다는 장점이 있다.

(2) 다양한 바이러스성 질병에 신속하게 적용

범용 백신은 독감 예방에만 효과가 있는 것이 아니라 신종 인플루엔자나 중동 호흡기 증후군(MERS) 등 예상치 못한 전염병이 갑자기 유행해도 빠르게 대처할 수 있다. 기존 방식에서는 환자로부터 바이러스를 추출해 백신을 개발한 뒤 대량으로 생산하는데, 이 과정에 최소 6개월이 걸린다. 반면, 범용 백신은 개발 속도가 기존 백신보다 16배 정도 빠르고, 대량 생산하기 쉬워 생산 비용이 기존 백신의 100분의 1 수준에 불과하다. 전문가들은 범용 백신의 상용화가 성공하면 전 세계 보건 의료 비용을 획기적으로 줄일 수 있을 것으로 보고 있다.

01 ▶질병의 구분과 병원체의 종류

표 (가)는 질병 A~C에서 특징 ㉠~㉢의 유무를, (나)는 특징 ㉠~㉢을 순서 없이 나타낸 것이다. A~C는 각각 결핵, 홍역, 무좀 중 하나이다.

질병＼특징	㉠	㉡	㉢
A	○	×	ⓐ
B	○	?	○
C	?	○	×

(○: 있음, ×: 없음)

(가)

특징(㉠~㉢)
- 감염성 질병이다.
- 병원체가 독립적으로 물질대사를 한다.
- 감염 시 항생제를 사용하여 치료한다.

(나)

> 결핵의 병원체는 세균, 홍역의 병원체는 바이러스, 무좀의 병원체는 곰팡이이다.

이에 대한 설명으로 옳은 것만을 〈보기〉에서 있는 대로 고른 것은?

보기
ㄱ. ⓐ는 '○'이다.
ㄴ. B는 백신을 사용하여 예방할 수 있다.
ㄷ. ㉢은 '감염 시 항생제를 사용하여 치료한다.'이다.

① ㄱ ② ㄷ ③ ㄱ, ㄷ ④ ㄴ, ㄷ ⑤ ㄱ, ㄴ, ㄷ

02 ▶비특이적 방어 작용과 특이적 방어 작용

그림 (가)와 (나)는 병원체 X가 체내에 1차 침입하였을 때 일어나는 두 가지 방어 작용을 나타낸 것이다.

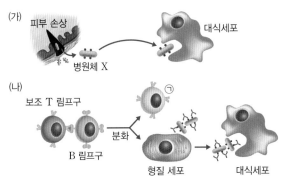

> (가)는 대식세포에 의한 식균 작용으로 비특이적 방어 작용이고, (나)는 림프구에 의한 체액성 면역으로 특이적 방어 작용이다.

이에 대한 설명으로 옳은 것만을 〈보기〉에서 있는 대로 고른 것은?

보기
ㄱ. ㉠은 병원체 X에 대한 기억을 가진다.
ㄴ. (가)는 특정 항원에 대해서만 일어나는 방어 작용이다.
ㄷ. 방어 작용이 일어나는 데 걸리는 시간은 (나)에서가 (가)에서보다 짧다.

① ㄱ ② ㄴ ③ ㄷ ④ ㄱ, ㄷ ⑤ ㄴ, ㄷ

03 ❭ 비특이적 방어 작용과 특이적 방어 작용

그림 (가)~(라)는 체내에 항원 X가 1차 침입하였을 때 일어나는 방어 작용의 일부를 순서 없이 나타낸 것이다. 세포 ⊙~ⓒ은 각각 B 림프구, 보조 T 림프구, 대식세포 중 하나이다.

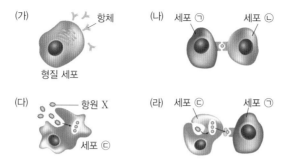

(가) 항체 / 형질 세포
(나) 세포 ⊙ 세포 ⓛ
(다) 항원 X / 세포 ⓒ
(라) 세포 ⓒ 세포 ⊙

이에 대한 설명으로 옳은 것만을 〈보기〉에서 있는 대로 고른 것은?

보기

ㄱ. 방어 작용은 (나) → (다) → (라) → (가)의 순서로 진행된다.
ㄴ. (다)는 비특이적 방어 작용에 해당한다.
ㄷ. 골수에서는 세포 ⊙~ⓒ이 모두 생성된다.

① ㄴ　　　② ㄷ　　　③ ㄱ, ㄷ　　　④ ㄴ, ㄷ　　　⑤ ㄱ, ㄴ, ㄷ

(가)는 형질 세포의 항체 생성, (나)는 보조 T 림프구가 B 림프구를 활성화시키는 과정, (다)는 대식세포의 식균 작용, (라)는 대식세포가 제시한 항원을 보조 T 림프구가 인식하는 과정이다.

04 ❭ 세포성 면역과 체액성 면역

그림은 어떤 사람이 항원 X에 감염되었을 때 일어나는 방어 작용의 일부를 나타낸 것이다. ⊙과 ⓛ은 각각 세포독성 T 림프구와 B 림프구 중 하나이다.

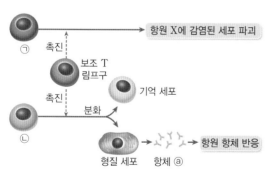

⊙ / 촉진 / 항원 X에 감염된 세포 파괴
보조 T 림프구 / 기억 세포
촉진 / 분화
ⓛ / 형질 세포 / 항체 ⓐ / 항원 항체 반응

이에 대한 설명으로 옳은 것만을 〈보기〉에서 있는 대로 고른 것은?

보기

ㄱ. ⊙은 골수에서 생성되고 가슴샘에서 성숙한다.
ㄴ. ⓛ에 의한 면역 반응은 체액성 면역이다.
ㄷ. 항체 ⓐ는 항원 X에 감염된 세포에 특이적으로 결합한다.

① ㄱ　　　② ㄴ　　　③ ㄱ, ㄴ　　　④ ㄴ, ㄷ　　　⑤ ㄱ, ㄴ, ㄷ

⊙은 항원에 감염된 세포를 직접 제거하고, ⓛ은 형질 세포로 분화한 후 항체를 생성하여 항원을 제거한다.

05 › 1차 면역 반응과 2차 면역 반응

그림 (가)는 생쥐 Ⅰ이 항원 X에 감염되었을 때 일어나는 방어 작용의 일부를, 그림 (나)는 ㉠과 ㉡ 중 하나를 항원 X에 감염된 적이 없는 생쥐 Ⅱ에게 주사하고 일정 시간 후 항원 X를 주사한 실험의 일부를 나타낸 것이다. 실험 결과 항원 X를 주사한 생쥐 Ⅱ에서 2차 면역 반응이 일어났으며, ㉠과 ㉡은 각각 기억 세포와 형질 세포 중 하나이다.

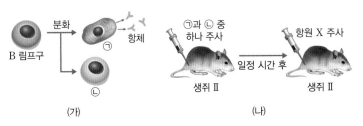

(가)　　　　(나)

이에 대한 설명으로 옳은 것만을 〈보기〉에서 있는 대로 고른 것은? (단, 생쥐 Ⅰ과 Ⅱ는 유전적으로 동일하다.)

보기
ㄱ. ㉠은 ㉡보다 단백질의 합성과 분비가 활발하다.
ㄴ. ㉡은 세포 분열 능력이 있다.
ㄷ. ㉠과 ㉡ 중 생쥐 Ⅱ에게 주사한 것은 ㉠이다.

① ㄱ　　② ㄴ　　③ ㄱ, ㄴ　　④ ㄱ, ㄷ　　⑤ ㄴ, ㄷ

㉠은 항체를 생성하여 분비하는 형질 세포이며, ㉡은 기억 세포이다. 기억 세포는 항원 X의 2차 감염 시 신속하게 증식하여 형질 세포로 분화한다.

06 › 1차 면역 반응과 2차 면역 반응

다음은 항원 X에 대한 생쥐의 방어 작용 실험이다.

[실험 과정]
(가) 유전적으로 동일하고 항원 X에 노출된 적이 없는 생쥐 A와 B를 준비한다.
(나) 생쥐 A에게 항원 X를 2회에 걸쳐 주사한다.
(다) 1주일 후 생쥐 A에서 ㉠혈청을 분리하여 생쥐 B에게 주사한다.
(라) 일정 시간이 지난 후 생쥐 B에게 항원 X를 2회에 걸쳐 주사한다.

[실험 결과]
생쥐 B의 항원 X에 대한 혈중 항체 농도 변화는 그림과 같다.

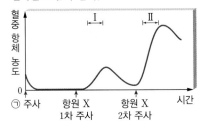

이에 대한 설명으로 옳은 것만을 〈보기〉에서 있는 대로 고른 것은?

보기
ㄱ. ㉠은 항원 X에 대한 백신으로 사용할 수 있다.
ㄴ. 구간 Ⅰ에서 항원 X에 대한 체액성 면역 반응이 일어났다.
ㄷ. 구간 Ⅱ에서 항원 X에 대한 형질 세포는 기억 세포로부터 분화되었다.

① ㄱ　　② ㄷ　　③ ㄱ, ㄴ　　④ ㄴ, ㄷ　　⑤ ㄱ, ㄴ, ㄷ

혈액에서 혈구(세포)를 제외한 액체 성분이 혈장이고, 혈장에서 혈액 응고를 일으키는 피브리노젠을 제거한 것이 혈청이다. 따라서 혈청에는 림프구가 들어 있지 않고 항체가 들어 있다.

07 ❯ 알레르기

그림은 어떤 꽃가루에 의해 알레르기 반응이 일어나는 과정을 나타낸 것이다.

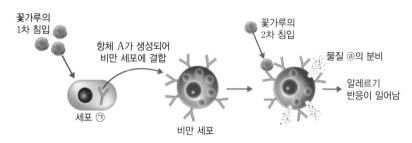

• 비만 세포에서 분비되어 알레르기 반응을 일으키는 물질 ⓐ는 히스타민이다.

이에 대한 설명으로 옳은 것만을 〈보기〉에서 있는 대로 고른 것은?

보기
ㄱ. 알레르기는 특이적 방어 작용에 해당한다.
ㄴ. 세포 ㉠은 T 림프구이다.
ㄷ. 물질 ⓐ는 꽃가루와 항원 항체 반응을 한다.

① ㄱ ② ㄷ ③ ㄱ, ㄴ ④ ㄱ, ㄷ ⑤ ㄴ, ㄷ

08 ❯ ABO식 혈액형

그림은 철수의 혈액과 혈액형이 B형인 영희의 혈액을 섞은 결과를 나타낸 것이고, 표는 25명의 학생으로 구성된 어떤 학급을 대상으로 ㉠과 ㉡에 대한 혈액의 응집 반응 여부를 조사한 것이다. ㉠과 ㉡은 각각 응집소 α와 β 중 하나이다.

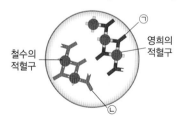

구분	학생 수
㉠과 응집 반응이 일어난다.	11명
㉡과 응집 반응이 일어난다.	13명
㉠, ㉡과 모두 응집 반응이 일어난다.	4명

• ㉠은 철수의 응집소, ㉡은 영희의 응집소이다. B형인 사람의 혈액에는 응집원 B와 응집소 α가 있다.

이에 대한 설명으로 옳은 것만을 〈보기〉에서 있는 대로 고른 것은? (단, 이 학급에는 철수와 영희가 포함되지 않고, ABO식 혈액형만 고려한다.)

보기
ㄱ. 철수는 A형이다.
ㄴ. 이 학급에서 B형인 학생은 7명이다.
ㄷ. 이 학급에서 ㉡을 가진 학생은 14명이다.

① ㄱ ② ㄴ ③ ㄱ, ㄴ ④ ㄴ, ㄷ ⑤ ㄱ, ㄴ, ㄷ

01 그림은 네 가지 질병을 구분하는 과정을 나타낸 것이다.

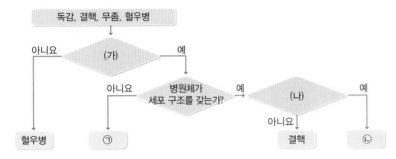

(1) ㉠, ㉡에 해당하는 질병을 각각 쓰시오.

_____

(2) 구분 기준 (가)와 (나)에 해당하는 내용을 각각 서술하시오.

(가) _____

(나) _____

KEY WORDS
(2) • 감염성
    • 핵막(핵)

02 그림 (가)는 폐렴을 일으키는 병원체 A와 독감을 일으키는 병원체 B를, 그림 (나)는 병원체 A와 B의 공통점과 차이점을 나타낸 것이다.

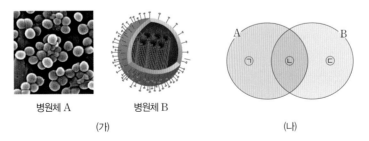

병원체 A   병원체 B
        (가)   (나)

㉠~㉢에 해당하는 특징을 한 가지씩 서술하시오.

㉠ _____

㉡ _____

㉢ _____

KEY WORDS
• 세포 구조
• 유전 물질(핵산)
• 물질대사

03

그림 (가)와 (나)는 체내로 병원체가 들어왔을 때 일어나는 두 가지 방어 작용을 나타낸 것이다.

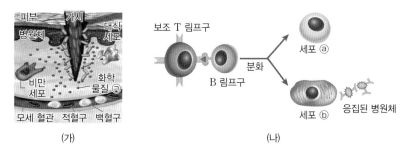

(가)   (나)

KEY WORDS
(1) • 비특이적
    • 특이적
(2) • 모세 혈관
    • 혈류량
    • 백혈구
(3) • 소포체
    • 골지체

(1) (가)와 (나) 방어 작용의 주된 차이점은 무엇인지 서술하시오.

(2) (가)에서 화학 물질 ㉠의 역할이 무엇인지 서술하시오.

(3) (나)에서 세포 ⓑ가 세포 ⓐ와 다른 점을 세포 소기관의 측면에서 서술하시오.

04

그림은 림프구의 성숙과 분화 과정을 나타낸 것이다.

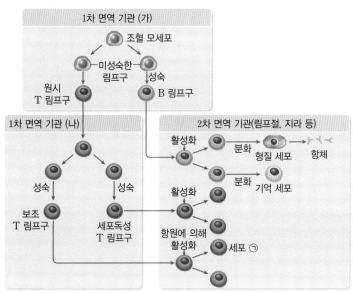

KEY WORDS
(2) • 세포독성 T 림프구
    • B 림프구
    • 활성화

(1) (가)와 (나)에 해당하는 면역 기관을 각각 쓰시오.

(2) 세포 ㉠의 역할은 무엇인지 두 가지 서술하시오.

05 그림 (가)는 어떤 병원체 X가 인체에 침입하였을 때 일어나는 방어 작용을, 그림 (나)는 병원체 X의 침입에 의해 생성되는 항체의 혈중 농도 변화를 나타낸 것이다.

KEY WORDS
(2) • 항원 제시
(3) • 1차 면역 반응
    • 2차 면역 반응
(4) • 항원 인식
    • 림프구의 활성화
    • 면역 결핍

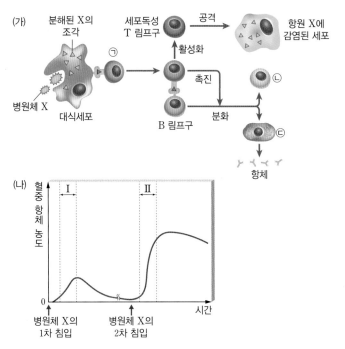

(1) ㉠~㉢에 해당하는 세포를 각각 쓰시오.

(2) (가)의 방어 작용에서 대식세포는 어떤 역할을 하는지 서술하시오.

(3) (나)의 구간 Ⅰ과 구간 Ⅱ에서 항체의 생성 속도가 다른 까닭을 세포의 분화와 관련지어 서술하시오.

(4) 후천성 면역 결핍증(AIDS)을 일으키는 사람 면역 결핍 바이러스(HIV)는 ㉠이 숙주 세포이다. 사람 면역 결핍 바이러스(HIV)에 감염되어 ㉠의 수가 크게 감소할 경우 면역계는 어떤 영향을 받을 것인지 서술하시오.

06 그림 (가)와 (나)는 인체가 바이러스에 감염되었을 때 일어나는 두 가지 방어 작용을 나타낸 것이다.

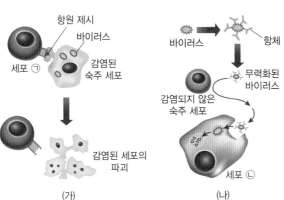

(1) (가)와 (나)의 방어 작용을 각각 무엇이라고 하는지 쓰시오.

_____

(2) (가)에서 세포 ㉠은 무엇인지 쓰시오.

_____

(3) (나)에서 세포 ㉡은 무엇인지 쓰고, 항원 항체 반응을 통해 무력화된 바이러스는 어떻게 제거되는지 서술하시오.

_____

07 그림은 철수의 혈액과 영희의 혈액을 각각 원심 분리한 후, 일정량의 혈장을 채취하여 각각 A형, B형의 혈액과 섞은 결과를 나타낸 것이다. (단, Rh식 혈액형은 고려하지 않는다.)

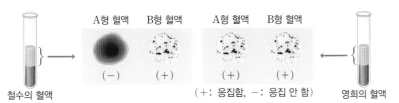

철수의 혈액 → A형 혈액 (−) B형 혈액 (+) A형 혈액 (+) B형 혈액 (+) ← 영희의 혈액
(+: 응집함, −: 응집 안 함)

(1) 철수와 영희의 ABO식 혈액형에 대한 다음 표를 완성하시오.

구분	응집원	응집소	혈액형
철수			
영희			

(2) 영희는 철수에게 소량 수혈할 수 있지만, 철수는 영희에게 소량이라도 수혈할 수 없다. 그 까닭을 서술하시오.

_____

부록

예시 문제

다음은 인플루엔자 바이러스에 대한 설명이다.

(제시문 1) 인플루엔자 바이러스의 증식에는 유전 물질인 RNA뿐만 아니라 RNA 의존성 RNA 중합 효소, 헤마글루티닌, 뉴라미니데이스의 세 가지 단백질이 중요한 역할을 한다. RNA 의존성 RNA 중합 효소는 숙주 세포 내에서 자신의 RNA를 복제하는 역할을 한다. 헤마글루티닌은 바이러스가 숙주 세포로 침입할 수 있게 해 주며, 뉴라미니데이스는 새로 만들어진 바이러스가 숙주 세포로부터 방출될 수 있게 해 준다. 헤마글루티닌과 뉴라미니데이스는 바이러스 외피에 있는 당단백질로, 항원으로 작용하며 이들을 만드는 유전자의 변이 속도가 빨라 그 종류가 다양하다.

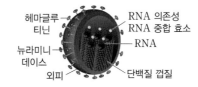

▲ **인플루엔자 바이러스**

(제시문 2) 생물의 유전자 발현 과정에서 DNA의 유전 정보는 곧바로 단백질 합성을 지시하지 못한다. 따라서 DNA의 유전 정보를 단백질 합성 과정으로 전달해 주는 중계자가 필요한데, 이 역할을 하는 물질이 RNA이다. 즉, DNA의 유전 정보는 'DNA → RNA → 단백질'의 순서로 전달되어 발현된다. 이때 DNA에서 RNA가 만들어지는 과정을 전사라고 하며, RNA에서 단백질이 만들어지는 과정을 번역이라고 한다. RNA 중합 효소는 DNA 이중 나선 중 한 가닥을 주형으로 하여 이에 상보적인 염기 서열을 가진 RNA를 합성한다. 전사 결과 만들어지는 RNA에는 mRNA, rRNA, tRNA가 있는데, 이 중 단백질 합성 정보를 전달하는 것은 mRNA이다.

(1) 위 자료에 제시된 인플루엔자 바이러스의 RNA 중합 효소는 숙주 세포가 가진 RNA 중합 효소와 어떤 점이 다른지 서술하시오.

(2) 위 자료를 토대로 인플루엔자 바이러스가 증식하는 방법을 서술하시오.

(3) 어떤 제약 회사에서 올겨울에 유행할 것으로 예상되는 인플루엔자 바이러스에 대한 세 종류의 항바이러스제를 개발한 후, 이들 항바이러스제의 효과를 검증하기 위해 다음과 같은 실험을 하였다.

[실험 과정]
숙주 세포를 배양한 4개의 배양 접시에 인플루엔자 바이러스를 1000개씩 첨가한 후, 각 배양 접시에 식염수와 세 종류의 항바이러스제 A~C를 각각 처리하였다. 그리고 1일과 5일이 경과한 시점에서 배양액에 있는 바이러스의 수와 숙주 세포 내에 있는 바이러스의 수를 각각 확인하였다.

[실험 결과]

구분		식염수	항바이러스제 A	항바이러스제 B	항바이러스제 C
1일 후	배양액의 바이러스 수	100	100	900	100
	숙주 세포 내 바이러스 수	2000	2000	200	1000
5일 후	배양액의 바이러스 수	약 50만	50	약 2만	1500
	숙주 세포 내 바이러스 수	약 50만	약 50만	약 2만	1100

이 실험의 결과와 (제시문 1)을 토대로, 항바이러스제 A~C가 인플루엔자 바이러스의 증식을 억제하는 원리를 각각 서술하시오. 또, 내년에도 효과를 기대할 수 있는 항바이러스제는 무엇인지 그렇게 생각하는 근거를 포함하여 서술하시오.

문제 해결 과정

(1) 인플루엔자 바이러스의 RNA 의존성 RNA 중합 효소에 의한 RNA 복제 과정과 숙주 세포의 DNA 의존성 RNA 중합 효소에 의한 전사 과정의 차이를 설명한다.

(2) 인플루엔자 바이러스의 증식 과정을 바이러스 침입, 바이러스 RNA 복제 및 바이러스 단백질 합성, 새로운 바이러스 형성, 바이러스 방출의 단계로 나누어 설명한다.

(3) 배양액과 숙주 세포 내에 있는 바이러스 수의 변화를 대조군(식염수 처리)과 비교하여 각 항바이러스제가 억제하는 단계를 설명하고, 이를 토대로 내년에도 효과를 기대할 수 있는 항바이러스제가 무엇인지 설명한다.

예시 답안

(1) 숙주 세포의 RNA 중합 효소는 DNA 의존성 RNA 중합 효소이며, 이것은 DNA 이중 나선 중 한 가닥을 주형으로 하여 이에 상보적인 염기 서열을 가진 RNA를 합성함으로써 DNA의 유전 정보를 mRNA로 전사한다. 반면에, 인플루엔자 바이러스의 RNA 중합 효소는 RNA 의존성 RNA 중합 효소이며, 이것은 RNA를 주형으로 하여 이에 상보적인 염기 서열을 가진 RNA를 합성함으로써 숙주 세포 내에서 자신의 RNA의 유전 정보를 전사하여 mRNA 역할을 할 수 있게 하거나, 자신의 RNA를 복제한다.

(2) 인플루엔자 바이러스는 먼저 헤마글루티닌의 작용으로 숙주 세포에 부착된 후 숙주 세포로 들어간다. 그리고 바이러스 RNA가 풀려 나와 숙주 세포의 핵 속으로 들어간 후 바이러스의 RNA 의존성 RNA 중합 효소의 작용으로 전사되고 복제되어 바이러스 mRNA와 바이러스 RNA가 만들어진다. 그 다음에는 바이러스 mRNA가 번역되어 바이러스 단백질이 만들어지고, 바이러스 단백질과 바이러스 RNA가 결합하여 새로운 바이러스가 만들어진 후 뉴라미니데이스의 작용으로 숙주 세포 밖으로 방출된다.

(3) 항바이러스제 A 처리 시 5일 후 배양액의 바이러스 수는 대조군에 비해 현저히 적고, 숙주 세포 내 바이러스 수는 대조군과 비슷하다. 따라서 항바이러스제 A는 뉴라미니데이스의 작용을 저해하여 바이러스가 숙주 세포로부터 방출되는 것을 막아 인플루엔자 바이러스의 증식을 억제한다. 항바이러스제 B 처리 시 1일 후 숙주 세포 내 바이러스 수가 대조군에 비해 현저히 적다. 따라서 항바이러스제 B는 헤마글루티닌의 작용을 저해하여 바이러스가 숙주 세포 내로 침입하는 것을 막아 인플루엔자 바이러스의 증식을 억제한다. 항바이러스제 C 처리 시 5일 후 배양액의 바이러스 수와 숙주 세포 내 바이러스 수가 모두 대조군에 비해 현저히 적다. 따라서 항바이러스제 C는 RNA 의존성 RNA 중합 효소의 작용을 저해하여 바이러스 RNA의 전사 및 복제를 막아 인플루엔자 바이러스의 증식을 억제한다. 한편, 인플루엔자 바이러스의 외피에 있는 당단백질을 만드는 유전자는 변이 속도가 빠르므로, 내년에도 효과를 기대할 수 있는 항바이러스제는 외피에 있는 당단백질(헤마글루티닌, 뉴라미니데이스)의 작용이 아닌 RNA 의존성 RNA 중합 효소의 작용을 저해하는 항바이러스제 C이다.

• 문제 해결을 위한 배경 지식

• RNA 중합 효소: 세포에 들어 있는 RNA 중합 효소는 보통 DNA 이중 나선 중 한 가닥을 주형으로 하여 이에 상보적인 염기 서열을 가진 RNA를 합성하기 때문에 DNA 의존성 RNA 중합 효소라고 한다. 이러한 과정을 통해 DNA의 유전 정보가 RNA로 전사되기 때문에 이 효소를 전사 효소라고도 한다.

• 항바이러스제: 체내에서 바이러스의 증식을 억제하는 물질이다. 보통 바이러스 DNA나 RNA 합성을 저해하거나, 바이러스가 숙주 세포에 침입하거나 숙주 세포에서 방출되는 것을 저해함으로써 바이러스의 증식을 억제한다.

실전 문제

1 다음은 RNA 우선 가설과 천연두 바이러스 및 인플루엔자 바이러스에 대한 설명이다.

(제시문 1) 현재 가장 널리 받아들여지고 있는 생명의 기원에 대한 RNA 우선 가설에 따르면, 최초의 생명체는 RNA 기반 생명체였으며, 이것이 진화하여 오늘날과 같은 DNA 기반 생명체가 되었다고 한다. 현존하는 세포에서는 DNA가 유전 정보를 저장하고, DNA의 유전 정보에 따라 만들어진 단백질이 DNA의 자기 복제 등 다양한 기능을 수행하는 효소의 역할을 하고 있다. 즉, DNA와 단백질은 서로를 필요로 하며, 어느 것이 먼저 만들어졌는지 설명하기는 어렵다. 그래서 과학자들은 RNA가 유전 물질 역할을 하는 RNA 바이러스의 발견과 효소 역할을 하는 RNA인 리보자임의 발견을 근거로, 최초의 생명체는 RNA가 유전 물질 역할과 자기 복제를 위한 효소 역할까지 수행하는 RNA 기반 생명체였을 것이라고 주장한다. 이후 RNA 기반 생명체가 보다 다양한 입체 구조를 만들 수 있는 단백질에 효소 역할을 넘겨 주고, 보다 많은 정보를 안정적으로 저장할 수 있는 DNA에 유전 물질 역할을 넘겨 주어 현재와 같은 DNA 기반 생명체로 진화하였다는 것이 이 과학자들의 주장이다.

(제시문 2) 인류 역사상 사람에게 가장 큰 피해를 끼친 바이러스는 DNA 바이러스인 천연두 바이러스이다. 천연두는 전 세계적으로 3억 명 이상의 사망자를 낸 것으로 추정되는데, 1960년대 초까지도 전 세계 31개 국가에서 풍토병으로 남아 있었다. 그러나 세계보건기구가 주도한 천연두 박멸 프로그램에 따라 천연두 발생국 전체 국민을 대상으로 대대적인 백신 접종을 실시한 결과, 1977년 소말리아에서 발생한 천연두 환자를 끝으로 더 이상 천연두 환자가 발생하지 않아 세계보건기구는 1980년에 천연두가 완전히 퇴치되었다고 발표하였다.

(제시문 3) 세계보건기구에서는 해마다 다가오는 겨울에 유행할 것으로 예상되는 인플루엔자 바이러스(RNA 바이러스)를 세 가지 정도 선정하여 백신을 만든다. 백신 접종은 주로 가을에 이루어지는데, 백신 접종만으로 독감을 완전히 예방하기는 어렵다. 백신 접종을 하였더라도 실제 독감 예방률은 70 %~90 %이며, 어떤 해에는 10 % 대로 떨어지기도 한다. 그리고 백신의 효력이 지속되는 기간은 약 6개월에 불과하다.

(1) RNA 기반 생명체에서 RNA가 DNA와 달리 효소 역할을 수행하였을 것으로 여겨지는 근거를 RNA의 특성을 토대로 서술하시오.

(2) 백신 접종으로 천연두는 퇴치되었지만, 독감은 여전히 퇴치되지 않은 까닭을 (제시문 1)의 내용을 토대로 서술하시오.

답안

_____

_____

_____

_____

출제 의도
RNA와 DNA의 특성을 비교하여 RNA가 효소 역할을 수행할 수 있는 까닭을 이해하고, 백신 접종으로 천연두는 퇴치되었지만 독감은 퇴치되지 않은 까닭을 천연두 바이러스와 인플루엔자 바이러스의 유전 물질 차이와 관련지어 설명할 수 있는지 평가한다.

문제 해결을 위한 배경 지식
- RNA: 단일 가닥으로 이루어져 있어 불안정한 구조이다.
- DNA: 이중 가닥으로 이루어져 있어 안정한 구조이다.
- 효소: 생물체 내에서 일어나는 화학 반응을 촉매하는 물질로, 입체 구조에 들어 맞는 특정 물질하고만 결합할 수 있다. 따라서 여러 가지 효소 역할을 수행하려면 다양한 입체 구조를 형성할 수 있어야 한다.
- 리보자임: RNA 합성, 단백질 합성 등의 생화학 반응을 촉매하는 효소의 기능을 가진 RNA를 말한다.
- 바이러스의 종류: 바이러스는 유전 물질인 핵산의 종류에 따라 DNA 바이러스와 RNA 바이러스로 구분한다.

2 다음은 연역적 탐구 방법 및 과학자 A와 B가 양의 탄저병과 관련하여 수행한 연역적 탐구 과정을 각각 설명한 것이다.

(제시문 1) 연역적 탐구 방법에서는 자연 현상을 관찰하는 과정에서 생긴 의문이나 문제를 해결하기 위해 잠정적 결론인 가설을 세우고, 가설을 검증하기 위해 실험을 설계하고 수행한다. 이때 실험 결과의 타당성을 높이기 위해 대조군을 설정하여 실험군과 비교하는 대조 실험을 한다. 그리고 실험을 통해 얻은 결과를 해석하여 결과가 가설을 지지하는지의 여부를 판단하고, 가설이 옳은 것으로 밝혀지면 결론을 도출한다.

(제시문 2) 과학자 A는 양에게서 탄저병을 유발하는 병원체를 규명하기 위해 다음과 같은 실험을 하였다. 먼저 탄저병에 걸린 양에게서 의심되는 병원체를 분리하여 배양하고, 이 배양한 병원체를 25마리의 건강한 양에게 주사한 후 탄저병 증세가 나타나는지 확인하였다. 이후 탄저병 증세를 보이는 양에게서 분리한 병원체가 건강한 양에게 주사한 병원체와 일치하는지 확인하였다.

(제시문 3) 과학자 B는 양에게서 탄저병을 유발하는 탄저균을 분리하여 배양한 후 탄저균의 독성을 약화하여 탄저병 백신을 개발하였다. 그는 이 백신의 효과를 검증하기 위해 다음과 같은 실험을 하였다. 먼저 25마리의 건강한 양에게 독성을 약화하지 않은 탄저균을 주사하였다. 이후 이들 양에게 탄저병 백신을 추가로 주사한 다음, 탄저병 증세가 나타나는지 확인하였다.

(1) (제시문 1)의 내용을 참조하여 과학자 A의 탐구 과정 중 개선해야 할 과정은 어느 부분이며, 어떻게 개선해야 할지 서술하시오.

(2) (제시문 1)의 내용을 참조하여 과학자 B의 탐구 과정 중 개선해야 할 과정은 어느 부분이며, 어떻게 개선해야 할지 서술하시오. 또, 어떤 결과가 나타나야 탄저병 백신의 효과가 검증되는지에 대해서도 서술하시오.

답안

● 출제 의도
연역적 탐구 방법에서 실험 결과의 타당성을 높이기 위해 설정하는 대조군의 중요성을 이해하고, 대조군을 설정할 수 있는지 평가한다. 또, 백신의 효과를 검증하는 실험에서 백신과 병원체를 주사하는 순서를 파악하고 있는지, 실험에서 나타나야 할 결과를 정확하게 예상하고 있는지 평가한다.

● 문제 해결을 위한 배경 지식
● 병원체: 질병을 일으키는 세균 등의 생물이나 바이러스
● 탄저병: 탄저균에 감염되어 내장이 붓고 혈관에 균이 증식하는 질병으로, 소, 말, 양 등의 가축에게 주로 발생하며, 사람에게 옮기기도 한다.
● 백신: 감염성 질병에 대해 인공적으로 면역 반응을 일으키기 위해 사람이나 동물의 체내에 투여하는 항원이다. 독성을 약화하거나 비활성 상태로 만든 병원체 등이 백신으로 사용된다.

예시 문제

다음은 세포 호흡과 수분 균형에 대한 설명이다.

(제시문 1)　세포 호흡은 세포 내에서 유기 영양소를 분해하여 생명 활동에 직접 쓰이는 에너지원인 ATP를 합성하는 과정이다. 세포 호흡에 주로 쓰이는 유기 영양소는 포도당이다. 포도당은 산소에 의해 산화되어 이산화 탄소와 물로 분해되며, 이 과정에서 방출된 에너지의 일부는 ATP에 저장된다. 이 과정의 전체 반응식은 다음과 같다.

$$C_6H_{12}O_6(포도당) + 6O_2 \longrightarrow 6CO_2 + 6H_2O + 32ATP$$

반응식에 따르면, 1몰의 포도당이 세포 호흡을 통해 분해될 때 32몰의 ATP가 합성된다. 그리고 ATP가 ADP와 무기 인산(P_i)으로 가수 분해될 때 에너지가 방출되어 여러 생명 활동에 쓰이는데, 1몰의 ATP가 가수 분해될 때 약 7.3 kcal의 에너지가 방출된다.

(제시문 2)　세포는 왜 포도당과 같은 유기 영양소가 분해될 때 방출되는 에너지를 생명 활동에 직접 사용하지 않고, 여러 분자의 ATP에 나누어 저장하였다가 사용하는 것일까? 일부 학자들은 진화적인 측면에서 이를 설명한다. 원시 생명체가 처음에는 원시 바다에 대량으로 축적되어 있던 NTP(ATP, GTP, CTP, UTP)로부터 에너지를 얻어 핵산을 복제하였고, 나아가 NTP를 단백질 합성 등 여러 가지 생화학 반응에 이용하였으며, 이러한 과정을 거쳐 차차 유기물을 분해하여 생물의 에너지 화폐에 해당하는 ATP를 합성하도록 진화하였다는 것이다.

(제시문 3)　사람이 건강한 상태를 유지하기 위해서는 수분 균형이 중요하다. 몸무게가 60 kg인 사람은 대소변 및 땀 등으로 하루 2.5 L 정도의 수분을 몸 밖으로 배출하는데, 음식과 음료로 2.25 L 정도의 수분을 섭취하고 0.25 L 정도는 세포 호흡으로 생성되는 물을 이용함으로써 수분 균형을 유지한다.

⑴ (제시문 1)을 토대로 세포 호흡이 일어날 때 포도당으로부터 방출되는 에너지의 약 몇 %가 ATP 형태로 저장되는지 구하고, 그 과정을 서술하시오. (단, 포도당은 1 g당 4 kcal의 에너지를 내고, C, H, O의 원자량은 각각 12, 1, 16이다.)

⑵ 세포 호흡에서 합성된 ATP가 가수 분해되면서 방출하는 에너지를 이용하여 세포의 생명 활동이 일어나는 현재 방식에서, 포도당이 분해되면서 방출하는 에너지를 직접 이용하여 세포의 생명 활동이 일어나는 방식으로 진화하려면 어떤 문제점을 극복해야 할지 서술하시오.

⑶ 음식물 섭취가 어려운 중환자에게 5 % 포도당 수액(물 95 g과 포도당 5 g의 혼합물)만으로 수분과 포도당을 공급한다고 가정할 때, 수분 균형 유지에 필요한 2.5 L(2500 g)의 수분을 공급하기 위해 환자에게 투여해야 할 포도당 수액의 양은 약 몇 g인지 구하시오. (단, 수액에 포함된 포도당이 모두 세포 호흡으로 분해되어 생성된 대사 수분을 모두 이용하는 것으로 가정한다.)

⑷ 5 % 포도당 수액을 ⑶에서 구한 양만큼 환자에게 투여하였을 때 ATP 형태로 저장될 수 있는 에너지양은 약 몇 kcal인지 구하시오. (단, 수액에 포함된 포도당이 모두 세포 호흡으로 분해되는 것으로 가정한다.)

● **출제 의도**
세포 호흡의 반응식에서 1몰의 포도당으로부터 32몰의 ATP가 합성되고, 6몰의 물이 생성된다는 사실을 파악하고, 포도당 1몰의 질량과 1몰의 포도당에 저장된 에너지양 그리고 세포 호흡으로 생성되는 대사 수분의 양을 구할 수 있는지 평가한다. 이를 통해 세포 호흡의 에너지 전환 효율을 계산할 수 있는지, 5 % 포도당 수액으로부터 공급되는 수분의 양을 계산할 수 있는지 평가한다.

문제 해결 과정

(1) 먼저 포도당의 분자량을 계산하여 포도당 1몰의 질량이 몇 g인지 구한다. 이 값을 이용하여 포도당 1몰로부터 방출되는 에너지양을 계산하고, 32몰의 ATP 합성에 사용되는 에너지양이 포도당 1몰로부터 방출되는 에너지양의 몇 %인지를 계산한다.

(2) 세포에서 일어나는 개개의 생명 활동에는 ATP가 가수 분해되면서 방출하는 에너지양 정도만 소비된다는 점을 들어, 세포의 생명 활동이 일어날 때마다 포도당이 분해되어 에너지를 공급한다면 버려지는 에너지가 많다는 점을 설명한다.

(3) 1몰의 포도당으로부터 세포 호흡 결과 생성되는 대사 수분의 양을 구하고, 이를 이용하여 5 % 포도당 수액에 포함된 포도당으로부터 생성되는 대사 수분의 양을 계산한다. 이어서 일정량의 5 % 포도당 수액으로부터 공급되는 수분의 양을 계산하고, 2.5 L(2500 g)의 수분을 공급하기 위해 환자에게 투여해야 할 포도당 수액의 양을 계산한다.

(4) 투여한 5 % 포도당 수액에 든 포도당의 양을 구하고, 이로부터 이 포도당에 저장된 에너지양을 계산한다. 이렇게 구한 값에 (1)에서 구한 '포도당에 저장된 에너지가 ATP의 형태로 저장되는 비율'을 곱해 환자에게 투여한 5 % 포도당 수액에서 ATP 형태로 저장될 수 있는 에너지양을 구한다.

예시 답안

(1) 포도당의 분자량은 $12 \times 6 + 1 \times 12 + 16 \times 6 = 180$이므로, 포도당 1몰의 질량은 180 g이다. 따라서 1몰의 포도당으로부터 방출되는 에너지양은 $180(g) \times 4(kcal/g) = 720(kcal)$이다. ADP가 ATP로 합성될 때 7.3 kcal/몰의 에너지가 흡수되므로 32몰의 ATP 합성에 사용되는 에너지양은 $32(몰) \times 7.3(kcal/몰) = 233.6(kcal)$이다. $\frac{233.6}{720} \times 100 ≒ 32.4(\%)$이므로 포도당으로부터 방출되는 에너지의 약 32.4 %가 ATP 형태로 저장된다.

(2) 포도당이 분해되면서 방출하는 에너지(720 kcal/몰)는 ATP가 가수 분해되면서 방출하는 에너지(7.3 kcal/몰)의 거의 100배(약 98.6배)에 달한다. 그런데 세포에서 일어나는 개개의 생명 활동은 ATP가 분해되면서 방출하는 에너지양 정도만 소비하는 수준이므로, 세포에서 생명 활동이 일어날 때마다 포도당이 분해되어 에너지를 방출하면 많은 에너지가 남아 버려진다. 이는 에너지의 낭비일 뿐만 아니라 남은 에너지가 한꺼번에 열로 방출되면 세포가 손상을 입을 우려도 있다. 이런 것이 극복해야 할 문제점이다.

(3) 세포 호흡의 반응식에 따를 때 1몰의 포도당으로부터 6몰의 물(H_2O)이 생성되므로, 180 g의 포도당으로부터 $108(= 18 \times 6)$ g의 물이 생기는 셈이다. 5 % 포도당 수액 100 g에는 포도당 5 g이 들어가므로, 포도당 180 g은 5 % 포도당 수액 3600 g에 든 포도당 양에 해당한다($100 g : 5 g = x : 180 g$, $x = 3600 g$). 따라서 5 % 포도당 수액 3600 g을 투여하는 것은 수액에 든 물 $3420(= 3600 - 180)$ g과 세포 호흡으로 발생할 물 108 g을 합하여 3528 g의 수분을 공급하는 셈이다. 그러므로 환자에게 수분 균형 유지에 필요한 2.5 L(2500 g)의 수분을 공급하려면 5 % 포도당 수액 약 2551 g을 환자에게 투여해야 한다($3600 g : 3528 g = x : 2500 g$, $x ≒ 2551 g$).

(4) 2551 g의 5 % 포도당 수액에 든 포도당의 양은 $127.55(= 2551 \times 0.05)$ g이고, 이 포도당이 세포 호흡으로 분해될 때 방출되는 에너지양은 $510.2(= 127.55 \times 4)$ kcal이다. 그리고 세포 호흡에서는 포도당으로부터 방출되는 에너지의 약 32.4 %가 ATP 형태로 저장되므로, 2551 g의 5 % 포도당 수액을 환자에게 투여하였을 때 ATP 형태로 저장될 수 있는 에너지양은 약 $165.3(≒ 510.2 \times 0.324)$ kcal이다.

● 문제 해결을 위한 배경 지식

• 분자량: 분자의 질량을 나타내는 양으로, 분자를 구성하는 모든 원자의 원자량 값을 더해서 구한다.

• NTP: RNA를 구성하는 뉴클레오타이드인 'Nucleoside triphosphate'이다. NTP는 염기의 종류에 따라 ATP, GTP, CTP, UTP의 네 가지가 있다.

• 수분 균형: 체내에서 수분의 섭취와 배출이 균형을 이루는 것으로, 수분 평형이라고도 한다. 예를 들어 1일 2 L~3 L의 수분을 음식으로 섭취하였거나 체내에서 생성하였다면, 폐에서의 수분 손실, 피부에서의 수분 손실, 대소변으로 모두 2 L~3 L가 배출된다.

• 수액: 인공 용액을 정맥이나 피하에 투여하는 치료 방법 또는 투여하는 인공 용액을 말한다.

실전 문제

1 다음은 인슐린의 작용과 인슐린 저항성에 대한 설명이다.

> (제시문 1) 인슐린은 이자섬의 β세포에서 분비되어 혈당량을 낮추는 작용을 하는 호르몬 이다. 인슐린은 주로 간, 지방 조직, 근육 등에 작용하여 이들 조직의 포도당 흡수를 촉진 한다. 또, 간에서는 글리코젠 합성을 촉진하고, 포도당 생합성과 지방 분해를 억제한다. 그 리고 지방 조직에서는 지방 합성을 촉진하고 지방 분해를 억제하며, 근육에서는 글리코젠 합성을 촉진하고 단백질 분해를 억제한다.
>
>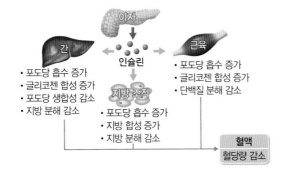
>
> (제시문 2) 비만, 특히 복부 비만은 간과 근육의 인슐린 저항성을 유발한다. 복부 비만 환 자는 복강 내 내장 주변에 과다하게 쌓인 지방 조직의 인슐린 저항성이 증가한다. 그 결과 지방 조직에서 지방이 쉽게 분해되어 혈액으로 지방산이 방출되므로 혈중 지방산 농도가 높다. 혈중 지방산이 과다해지면 간과 근육의 세포는 포도당 대신 지방산을 흡수한다. 그 로 인해 간과 근육의 세포에는 지방이 쌓이고, 포도당을 흡수할 필요가 없어져 인슐린의 효과가 저하되는 인슐린 저항성이 발생한다.

(1) 이상 지혈증은 '혈액 속에 총콜레스테롤이나 LDL 콜레스테롤 또는 중성 지방이 과다한 상태 가 지속되거나, HDL 콜레스테롤이 부족한 상태가 지속되는 질환'을 말하는데, 비만으로 인 해 인슐린 저항성이 발생하면 이상 지혈증이 나타나기도 한다. 위에 제시된 내용을 토대로 인 슐린 저항성이 발생하면 이상 지혈증이 나타나는 원리를 서술하시오.

(2) 인슐린 저항성이 증가하여 발생하는 당뇨병을 제2형 당뇨병이라고 한다. 위에 제시된 내용을 토대로 제2형 당뇨병의 발생 원리와 치료 방법에 대하여 서술하시오.

답안

_____

_____

_____

_____

_____

● **출제 의도**
비만으로 인슐린 저항성이 발생하 였을 때 지방 조직과 간에서 일어 나는 변화를 연계하여 이상 지혈증 이 나타나는 원리를 설명할 수 있 는지 평가하고, 인슐린 수용체 이 상과 인슐린의 효과를 관련지어 설 명할 수 있는지 평가한다.

● **문제 해결을 위한 배경 지식**
• 이자섬: 척추동물의 이자 안에 흩어져 있는 내분비샘 조직으로, 랑게르한스섬이라고도 한다. α세 포, β세포, δ세포, PP세포의 4종 류 내분비 세포로 구성되어 있다.
• 글리코젠: 동물의 간이나 근육 에 존재하는 저장 다당류이다.
• LDL 콜레스테롤: 혈관 속을 돌아다니며 간에서 조직 세포 로 콜레스테롤을 운반하며, 남 으면 혈관벽에 쌓여 혈관을 좁 게 만들어 동맥 경화증을 유발 한다. 그래서 나쁜 콜레스테롤이 라고 한다.
• HDL 콜레스테롤: 말초 혈관에 남아도는 콜레스테롤을 간으로 운반하며, 간으로 운반된 콜레 스테롤은 쓸개즙의 성분이 되어 몸 밖으로 배출된다. 그래서 좋 은 콜레스테롤이라고 한다.

2 최근에는 체질량 지수(BMI)나 상대 체중이 단순히 체중과 키만으로 비만도를 판정하고 근육과 지방의 양을 전혀 고려하지 않기 때문에 과학적이지 않다는 주장이 나오고 있다. 그런 까닭에 체지방의 양을 측정하여 비만도를 판정하는 방법이 제시되고 있는데, 다음은 그중 두 가지 방법을 소개한 것이다.

> (제시문 1) 수중 체중 측정법은 몸 전체가 물속에 잠긴 상태에서 폐 속의 공기를 최대한 내쉬고 체중(수중 체중)을 측정하여 몸의 부피를 구하고, 잔기량(폐와 장에 남아 있는 공기의 부피)을 계산하여 몸의 부피를 보정한 값(몸의 실제 부피)으로 몸의 밀도를 계산한 다음, 몸의 밀도를 이용하여 체지방량을 계산하는 방법이다. 이는 수중에서 감소한 체중은 물에 잠긴 몸의 부피만큼에 해당하는 물의 무게와 같다는 아르키메데스 원리를 응용한 방법이다.
>
> (제시문 2) 생체 전기 저항 분석법은 몸에 250 mA 정도의 미세한 전류를 통과시켜서 생체 전기 저항을 측정하여 체지방률을 계산하는 방법으로, 체내 수분과 전기 저항의 관계가 밝혀지면서 실용화되었다. 근육과 체지방은 수분 함량 차이로 전기 저항의 크기가 다르고, 그에 따라 전류의 흐름에 차이가 난다. 따라서 생체 전기 저항을 이용하면 몸속의 근육과 체지방의 양을 추정할 수 있다.

(1) 수중 체중 측정법에서 '몸의 밀도$=\dfrac{\text{체중(kg)}}{\text{몸의 실제 부피(L)}}$'이고, 몸의 실제 부피는 체중, 수중 체중, 잔기량을 이용하여 구할 수 있다. 체중(kg), 수중 체중(kg), 잔기량(L)으로 몸의 실제 부피(L)를 구하는 원리와 식을 서술하시오. (단, 물의 밀도는 1.0 kg/L로 가정한다.)

(2) 체중이 70 kg으로 동일한 A와 B 두 사람이 폐를 비롯한 몸속의 공기를 2 L만 남기고 수중 체중을 측정하였더니 A는 0 kg이었고, B는 5 kg이었다. A와 B 두 사람의 몸의 밀도를 각각 구하고, 체지방률이 더 높은 사람은 누구인지 그 까닭을 포함하여 서술하시오. (단, 체지방의 밀도는 0.9 g/cm³이고, 체지방을 제외한 나머지 조직의 평균 밀도는 1.1 g/cm³로 가정한다.)

(3) 생체 전기 저항을 이용하여 몸속의 근육과 체지방의 양을 추정하는 원리를 서술하시오.

답안

• 출제 의도
수중 체중 측정법으로 몸의 실제 부피를 구하여 몸의 밀도를 계산할 수 있는지, 체지방률과 몸의 밀도 간의 관계를 이해하고 있는지 평가한다. 또, 생체 전기 저항을 이용하여 몸속의 근육과 체지방의 양을 추정하는 원리를 설명할 수 있는지 평가한다.

• 문제 해결을 위한 배경 지식
• 보정: 실험, 관측 또는 근삿값 계산 따위에서 결과에 포함된 외부적 원인에 의한 오차를 없애고 참값에 가까운 값을 구하는 것을 말한다.
• 아르키메데스 원리: 유체 속에서 물체가 받는 부력은 유체에 잠긴 그 물체의 부피만큼에 해당하는 유체의 무게와 같다는 원리이다.
• 체지방: 몸을 구성하는 지방 조직
• 전기 저항: 도체에 전류가 흐르는 것을 방해하는 작용으로, 그 크기는 전압을 전류로 나눈 값으로 나타낸다.

예시 문제

다음은 자극의 전달과 면역에 대한 설명이다.

(제시문 1) 시냅스에서 흥분 전달이 일어난다는 사실을 근거로, 시냅스에 전류가 직접 흐른다고
보는 '전기적 시냅스 가설'과 전기적 신호가 축삭 돌기 말단에서 신경 전달 물질을 분비시키고,
이 신경 전달 물질이 시냅스 이후 뉴런의 세포막에 있는 수용체에 결합함으로써 흥분 전달이 일
어난다고 보는 '화학적 시냅스 가설'이 오랫동안 대립하였다. 그러나 두 뉴런 간에 전류를 직접
통과시키는 전기적 시냅스도 일부 존재하지만, 사람 신경계의 대부분은 화학적 시냅스로 연결되
어 있다는 사실이 밝혀졌다. 근육 수축을 조절하는 운동 뉴런과 근육 세포 사이의 시냅스는 아세
틸콜린이 신경 전달 물질인 대표적인 화학적 시냅스이다.

(제시문 2) 면역 반응에는 다양한 세포들이 관여하며, B 림프구는 항원에 대한 항체를 만들어
항원을 무력화시키는 역할을 수행한다. 그러나 자신의 몸에서 생성된 정상 단백질을 B 림프구가
항원으로 인식하여 항체를 생성하면 자가 면역 질환이 발생한다.

(제시문 3) 사람의 피부 감각에는 통각, 압각, 촉각, 냉각, 온각 등이 있다. 통증이나 온도 변화
와 같은 자극이 피부에 분포한 각기 다른 감각 수용체를 활성화시키면 각각의 신호가 대뇌에 전
해짐으로써 감각이 인지된다. 이들 신호를 피부에서 대뇌로 전달하는 감각 뉴런의 축삭 돌기는
굵기가 굵은 순서에 따라 $A\beta$형, $A\delta$형, C형 등으로 구분한다. 특히 C형 축삭 돌기는 다른 축삭
돌기와 달리 말이집으로 싸여 있지 않다는 특징이 있다. 감각 수용체의 종류에 따라 연결되는 축
삭 돌기의 종류가 다른데, 촉각은 주로 $A\beta$형 축삭 돌기, 냉각은 $A\delta$형 축삭 돌기, 통각은 $A\delta$형
또는 C형 축삭 돌기에 의해 전달되어 인지된다.

(1) 중증 근무력증은 근육이 점진적으로 약화되어 의지대로 근육을 움직이지 못하는 자가 면역 질환이
다. 이 질병은 운동 뉴런과 근육 세포 사이의 시냅스에서 흥분 전달에 이상이 생겨 발생한다. 그러나
중증 근무력증 환자의 운동 뉴런을 자극할 때 이 뉴런의 축삭 돌기 말단에서 분비되는 아세틸콜린
의 농도는 정상인과 차이가 없다.

그림 (가)는 정상인과 중증 근무력증 환자의 운동 뉴런의 활성을 각각 차단한 후 근육 세포에 아세
틸콜린을 직접 떨어뜨렸을 때 근육 세포의 막전위 변화를 나타낸 것이고, 그림 (나)는 정상인의 혈청
또는 중증 근무력증 환자의 혈청이 포함된 배지에 정상인의 운동 뉴런과 근육 세포를 혼합하여 각
각 배양한 후 운동 뉴런을 자극했을 때 근육 세포의 막전위 변화를 나타낸 것이다.

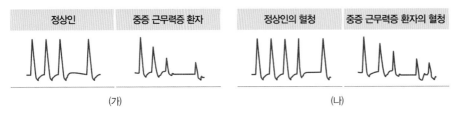

정상인	중증 근무력증 환자	정상인의 혈청	중증 근무력증 환자의 혈청

(가)   (나)

중증 근무력증의 원인을 (제시문 1)과 (제시문 2)에 근거하여 추론하시오.

출제 의도
시냅스에서 신경 전달 물질과 수
용체의 관계를 자가 면역 질환의
사례를 통해 추론할 수 있는지 묻
는다. 또, 뉴런의 축삭 돌기의 굵
기와 말이집 유무에 따른 흥분 전
도 속도의 차이를 파악할 수 있는
지 평가한다.

(2) 영희는 무심코 방바닥에 떨어진 뾰족한 물체를 밟았다. 그 순간에는 무엇인가 닿는다는 느낌만을 받았지만 곧이어 극심한 통증을 느꼈다. 발을 뗀 후 처음의 통증이 사라진 다음에도 얼얼한 느낌의 통증이 한동안 지속되었다. 물체를 밟은 후 이와 같이 서로 다른 감각(촉각, 첫 번째 통각, 두 번째 통각)을 인지하는 데 시간 차가 발생하는 까닭을 (제시문 3)을 근거로 서술하시오.

문제 해결 과정

(1) 중증 근무력증 환자의 근육 세포에서 막전위의 크기 변화가 점점 줄어든 까닭을 아세틸콜린과 결합하는 수용체 단백질에 대한 자가 면역 반응과 관련지어 설명한다.

(2) 대뇌에서 촉각과 통각을 인지하는 데 시간 차가 발생하는 까닭을 각 감각 수용체에 연결되는 감각 뉴런의 축삭 돌기의 굵기 및 말이집 유무와 관련지어 설명한다.

해설

(1) (제시문 1)을 통해 운동 뉴런 말단에서 분비된 아세틸콜린이 근육 세포의 세포막에 있는 수용체에 결합함으로써 근육 세포에서 활동 전위가 발생함을 알 수 있고, (제시문 2)를 통해 중증 근무력증은 근육 세포의 세포막에 있는 수용체를 B 림프구가 항원으로 인식하여 항체를 생성하는 자가 면역 질환에 해당함을 알 수 있다. 그림 (가)에서 정상인의 근육 세포에 아세틸콜린을 떨어뜨리면 활동 전위가 계속 발생하지만, 중증 근무력증 환자의 근육 세포에 아세틸콜린을 떨어뜨리면 막전위의 크기 변화가 점점 줄어드는 것을 볼 수 있다. 이를 통해 중증 근무력증 환자의 경우 아세틸콜린이 근육 세포의 수용체에 결합하는 데 이상이 생겼다고 추론할 수 있다. 그림 (나)에서 정상인의 혈청이 포함된 배지에 정상인의 운동 뉴런과 근육 세포를 혼합하여 배양한 후 운동 뉴런을 자극하면 활동 전위가 계속 발생하지만, 중증 근무력증 환자의 혈청이 포함된 배지에 정상인의 운동 뉴런과 근육 세포를 혼합하여 배양한 후 운동 뉴런을 자극하면 막전위의 크기 변화가 점점 줄어드는 것을 볼 수 있다. 이를 통해 정상인의 경우 운동 뉴런 말단에서 아세틸콜린이 분비되어 근육 세포의 수용체에 결합하여 흥분을 전달하였지만, 중증 근무력증 환자의 경우 환자의 혈청에 들어 있는 물질(항체)이 근육 세포의 수용체를 무력화시켜 아세틸콜린이 결합하지 못한 것으로 추론할 수 있다.

(2) 대뇌에서 촉각과 통각을 인지하는 데 시간 차가 발생하는 까닭은 각 감각 수용체에 연결되는 감각 뉴런의 축삭 돌기의 말이집 유무와 축삭 돌기의 굵기에 차이가 있기 때문이다. 일반적으로 말이집 신경은 민말이집 신경보다 흥분 전도 속도가 빠르고, 말이집 조건이 같은 축삭 돌기의 경우 굵기가 굵을수록 흥분 전도 속도가 빠르다.

예시 답안

(1) 중증 근무력증은 자신의 근육 세포 세포막에 있는 수용체를 B 림프구가 항원으로 인식하여 항체를 생성하는 자가 면역 질환이다. 즉, 중증 근무력증 환자의 혈청에는 근육 세포의 수용체에 대한 항체가 존재하며, 이 항체가 수용체에 결합하여 수용체를 무력화시킴으로써 아세틸콜린이 정상적으로 분비됨에도 불구하고 운동 뉴런과 근육 세포 사이의 시냅스에서 흥분 전달에 이상이 발생하게 된다.

(2) 각 감각 수용체와 대뇌를 연결하는 감각 뉴런의 축삭 돌기의 말이집 유무와 굵기에 따라 흥분 전도 속도에 차이가 나므로 촉각과 두 가지 통각의 인지에 시간 차가 발생한다. 촉각은 감각 뉴런의 축삭 돌기($A\beta$형)에 말이집이 있고 가장 굵기 때문에 인지가 가장 빨랐고, 첫 번째 통각은 축삭 돌기($A\delta$형)에 말이집이 있고 두 번째로 굵기 때문에 두 번째로 인지되었으며, 두 번째 통각은 축삭 돌기(C형)에 말이집이 없고 가늘기 때문에 가장 늦게 인지되었다.

문제 해결을 위한 배경 지식

- 시냅스: 한 뉴런의 축삭 돌기 말단과 다른 뉴런의 가지 돌기나 신경 세포체가 연접하고 있는 부위이다.
- 수용체: 특정 물질과 결합하여 그 물질이 작용하도록 하는 막 단백질이다. 아세틸콜린 같은 신경 전달 물질이나 인슐린 같은 호르몬이 특정 세포에서 기능을 나타내기 위해서는 해당 세포의 세포막에 있는 수용체에 결합해야 한다.
- 자가 면역 질환: 면역계가 자기 물질과 비자기 물질을 구분하지 못해 자기 몸을 구성하는 조직이나 세포를 공격하는 질환이다.
- 말이집: 축삭 돌기를 여러 겹으로 싸고 있는 미엘린 성분의 막으로, 슈반 세포의 세포막에서 유래되었으며 전기 신호가 누출되지 않도록 보호하는 절연체 역할을 한다.

실전 문제

1 **다음은 테트로도톡신에 대한 설명이다.**

출제 의도
뉴런의 신호 전달에 영향을 미치는 신경 독의 작용을 설명할 수 있는지 묻는 문제이다. 테트로도톡신이 Na^+ 통로에 결합하여 뉴런의 활동 전위 발생을 억제하는 과정과 이로 인해 나타나는 신경 마비가 동물체에 치명적인 영향을 미치는 까닭을 설명할 수 있는지 평가한다.

(제시문 1) 테트로도톡신이라고 부르는 복어의 독은 복어의 간과 난소에 많이 함유되어 있으며, 가열해도 파괴되지 않고 평균 치사율이 6.8 %에 이르는 맹독이다. 복어 독을 섭취하면 구토, 두통, 복통, 언어 장애, 근육 마비, 호흡 곤란 등의 증상이 나타나며, 신속하게 치료하지 않으면 섭취 후 4시간~6시간이 지나면 사망하게 된다. 처음에는 복어가 독을 스스로 합성하는 것으로 알려졌지만, 연구 결과 해양 세균의 독소가 먹이 사슬을 통해 복어의 체내에 축적된 것으로 밝혀졌다.

(제시문 2) 뉴런이 자극을 받으면 세포막에 있는 Na^+ 통로가 열려 Na^+이 세포 안으로 들어와 막전위가 상승하는 탈분극이 일어난다. 그 변화가 역치 전위 이상의 막전위를 생성하면 활동 전위가 발생하며, 활동 전위는 축삭 돌기 말단까지 이동하여 흥분 전도가 완성된다. 복어에 들어 있는 테트로도톡신은 뉴런이나 근육 세포의 세포막에서 Na^+을 선택적으로 통과시키는 Na^+ 통로에 결합한다.

(제시문 3) 정상 뉴런에 역치 이상의 자극을 주면 그림 (가)와 같이 활동 전위가 발생하지만, 테트로도톡신을 가한 후에는 역치 이상의 자극을 주어도 그림 (나)와 같이 활동 전위가 발생하지 않는다. 그러나 이 뉴런을 생리식염수로 씻어 테트로도톡신을 제거한 후 역치 이상의 자극을 주면 그림 (가)와 동일하게 활동 전위가 발생한다.

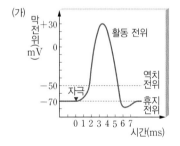
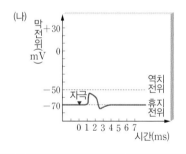

문제 해결을 위한 배경 지식
• 테트로도톡신: 신경에 작용하는 맹독의 일종으로, 세포막에 있는 Na^+ 통로에 결합하여 Na^+의 작용을 방해한다. 일반적으로 복어의 산란기(겨울~봄) 때 난소에 가장 많이 들어 있으며, 복어류 외에 푸른점문어에도 들어 있다. 이 독소에 대한 해독제는 아직 개발되지 않았으며, 구토 또는 이뇨를 통해 체내의 독소를 제거하는 것이 유일한 치료법이다.
• 막전위: 뉴런의 세포막을 경계로 나타나는 세포 안팎의 전위차로, 일반적으로 $-70\,mV$이다.
• 역치: 어떤 반응을 일으키는 데 필요한 최소한의 자극 세기이다. 뉴런에서 활동 전위를 생성할 수 있는 최소한의 막전위인 역치 전위는 약 $-50\,mV$이다.
• 활동 전위: 뉴런이 역치 이상의 자극을 받았을 때 나타나는 막전위의 변화 과정 전체를 말한다.

(1) 최근 양식 복어의 섭취량이 증가하고 있는데, 양식 복어는 자연산 복어보다 테트로도톡신에 의한 중독 우려가 낮다고 한다. 그 까닭을 (제시문 1)을 근거로 서술하시오.

(2) 테트로도톡신이 어떻게 뉴런이나 근육 세포에서 활동 전위의 발생을 막는지 (제시문 2)와 (제시문 3)을 근거로 서술하시오.

(3) (제시문 1)과 (제시문 3)에 의하면 테트로도톡신은 세포를 죽이지는 않지만, 개체를 사망에 이르게 할 수 있다. 세포는 죽지 않는데 왜 개체가 죽게 되는지 서술하시오.

답안

2 다음은 심장 박동 조절에 대한 설명이다.

> 1936년 노벨 생리의학상을 수상한 뢰비(Loewi, O.)는 개구리 심장을 이용하여 다음과 같은 실험을 하였다.
>
> (가) 용기 1에는 신경 A가 붙어 있는 심장 A를, 용기 2에는 신경이 제거된 심장 B를 넣고 생리식염수를 채운 후 생리식염수가 서로 통하게 연결하였다.
>
> (나) 신경 A에 역치 이상의 자극을 준 후 심장 A와 심장 B에서 나타나는 막전위 변화를 측정하였다.

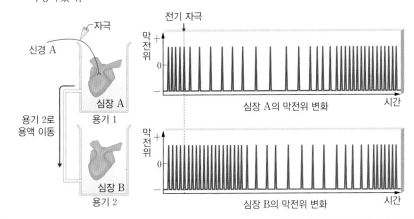

(1) 심장 A의 막전위 변화를 통해 알 수 있는 신경 A의 특징을 서술하시오.

(2) 심장 A뿐만 아니라 심장 B의 막전위에도 변화가 나타난 까닭을 서술하시오.

(3) 용기 1에서 나온 용액을 동물의 몸에서 분리한 골격근에 처리하였을 때 어떤 결과가 나타날지 예측하고, 그 까닭을 서술하시오.

답안

출제 의도
심장의 막전위 변화를 분석하여 자율 신경 중 어떤 신경에 의한 조절인지를 파악하는 문제이다. 또, 이 신경의 말단에서 분비되는 물질의 특징과 골격근에 연결된 운동 신경의 말단에서 분비되는 물질을 알고 있는지 평가한다.

문제 해결을 위한 배경 지식
• 생리식염수: 동물의 체액(혈액, 림프, 조직액 등)과 같은 농도로 만든 식염수를 말하며, 체액과 삼투압이 같기 때문에 체내 주사가 가능하다. 일반적으로 사람과 같은 포유류는 0.9 % NaCl 수용액, 개구리와 같은 양서류는 0.65 % NaCl 수용액이 여기에 해당한다.
• 골격근: 힘줄을 통해 뼈에 붙거나 뼈에 직접 붙어서 뼈의 움직임이나 힘을 만들어 내는 근육이다. 골격근은 다른 근육과 달리 수의적으로 조절할 수 있어서 우리가 원하는 동작을 할 수 있게 해 준다.

3 다음은 질병을 일으키는 주요 병원체에 대한 설명이다.

> (제시문 1) 바이러스는 유전 물질인 핵산과 단백질 껍질로 이루어진 매우 단순한 구조이며, 독자적인 물질대사에 필요한 효소가 없어 숙주 세포 내에서만 증식할 수 있다. 독감을 일으키는 인플루엔자 바이러스는 사람의 호흡기 세포 내에서 증식하며, 후천성 면역 결핍증(AIDS)을 일으키는 사람 면역 결핍 바이러스(HIV)는 보조 T 림프구 내에서 증식한다.
>
> (제시문 2) 세균은 세포 구조를 갖추고 있지만 유전 물질을 둘러싸는 핵막이 없는 원핵생물이다. 세포막의 바깥쪽에는 펩티도글리칸 성분의 세포벽이 있으며, 세포질에는 단백질을 합성하는 리보솜이 있다. 그러나 진핵생물의 리보솜과는 크기와 구성 성분에서 차이가 있다.
>
> (제시문 3) 인체에 침입한 병원체를 제거하기 위한 치료제의 개발이 꾸준히 진행되고 있으며, 1940년대부터 사용하기 시작한 페니실린 이후 다양한 항생제가 세균성 질병의 치료에 효과적으로 쓰이고 있다. 페니실린의 경우 펩티도글리칸 합성을 방해하여 세균의 증식을 억제하며, 스트렙토마이신의 경우 그림 (나)와 같은 과정을 통해 세균의 증식을 억제한다.
>
>
>
> (가) 세균의 단백질 합성 과정　　　(나) 스트렙토마이신의 작용

(1) 항생제에 비해 항바이러스제의 개발에는 어려움이 많은데, 그 까닭이 무엇인지 (제시문 1)을 근거로 서술하시오.

(2) 항생제가 세균에게는 치명적임에도 불구하고 인체에는 비교적 안전한 약제로 쓰일 수 있는 까닭을 (제시문 2)와 (제시문 3)을 근거로 서술하시오.

답안

● **출제 의도**
바이러스와 세균의 차이를 질병 치료제의 개발과 관련지어 묻는 문제이다. 또, 항생제가 세균의 증식만 억제하고 사람의 세포에는 영향을 주지 않는 까닭을 원핵생물과 진핵생물의 특징을 비교하여 찾아낼 수 있는지도 평가한다.

● **문제 해결을 위한 배경 지식**
● 인플루엔자 바이러스: 독감을 일으키는 바이러스로, RNA 바이러스이다.
● 항바이러스제: 바이러스가 숙주 세포에 침입하는 것을 저해하거나 핵산을 합성하는 것을 저해하는 등 체내에 침입한 바이러스의 작용을 억제하거나 소멸시키는 약물이다.

4 다음은 우리 몸의 방어 작용에 대한 설명이다.

> 병원체에 대한 방어 작용은 비특이적 방어 작용과 특이적 방어 작용으로 구분하는데, 병원체의 95 % 정도는 침입 즉시 비특이적 방어 작용을 통해 제거된다. 특이적 방어 작용은 T 림프구에 의한 세포성 면역과 B 림프구에 의한 체액성 면역으로 구분할 수 있다. 세포성 면역은 활성화된 세포독성 T 림프구가 병원체에 감염된 세포를 직접 파괴함으로써 이루어진다. 체액성 면역은 B 림프구가 분화한 형질 세포에서 생성된 항체에 의한 방어 작용이다. B 림프구가 보조 T 림프구의 자극을 받으면 활발하게 증식하여 형질 세포와 기억 세포로 분화하고, 형질 세포는 항체를 생성하여 병원체를 무력화시킨다.

(1) 병원체가 체내에 침입했을 때 일어나는 비특이적 방어 작용의 예를 들고, 특이적 방어 작용과 다른 점은 무엇인지 서술하시오.

(2) 세포독성 T 림프구가 병원체에 감염된 세포만을 구별하여 선택적으로 파괴하는 원리를 서술하시오.

(3) B 림프구에 의한 항체 생성에는 1차 면역 반응과 2차 면역 반응이 있다. 그림은 항원 A를 주사한 후 2주 동안 항원 A에 대한 항체의 농도를 측정하여 그래프로 나타낸 것이다. 2주와 4주에 각각 항원 A와 B를 동시에 주사하였을 때, 항원 A와 B에 대한 항체의 농도 변화를 각각 예측하여 그래프로 나타내고, 그렇게 생각한 까닭을 서술하시오.

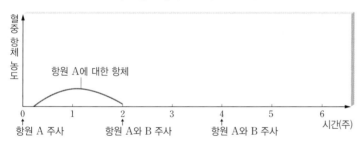

답안

출제 의도

비특이적 방어 작용과 특이적 방어 작용의 차이점을 알고 있는지 묻는 문제이다. 또, 세포독성 T 림프구가 항원에 감염된 세포를 선별하는 원리를 알고 있는지, 1차 면역 반응과 2차 면역 반응의 항체 생성 곡선을 나타낼 수 있는지 평가한다.

문제 해결을 위한 배경 지식

• 비특이적 방어 작용: 선천적인 방어 작용으로, 병원체의 종류를 구별하지 않고 일어난다. 피부, 점막, 백혈구 등이 중요한 역할을 한다.

• 특이적 방어 작용: 병원체가 체내에 침입한 후 특정 병원체에 선별적으로 작용하며, 병원체에 의해 활성화된 림프구와 형질 세포에서 생성된 항체가 중요한 역할을 한다.

• T 림프구: 골수에서 생성된 후 가슴샘에서 성숙하고 분화한다.

• 세포독성 T 림프구: 항원을 인식한 보조 T 림프구에 의해 활성화되어 항원에 감염된 세포를 공격하여 파괴한다.

• 1차 면역 반응: 처음 침입한 항원에 대해 항체를 생성하는 반응이다.

• 2차 면역 반응: 동일한 항원이 재침입하였을 때 신속하게 다량의 항체를 생성하는 반응이다.

5 다음은 ABO식 혈액형과 Rh식 혈액형에 대한 설명이다.

(제시문 1) ABO식 혈액형이 다른 혈액 사이에서 일어나는 적혈구의 응집 반응은 항원 항체 반응의 대표적인 예이다. 적혈구 세포막에 있는 항원을 응집원, 자신의 적혈구에 없는 응집원을 인식하는 항체를 응집소라고 하며, ABO식 혈액형은 적혈구 세포막에 존재하는 탄수화물 사슬인 응집원의 모양에 따라 결정된다.

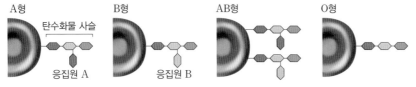

▲ ABO식 혈액형의 응집원

(제시문 2) 사람의 소화관 내에 살고 있는 세균의 세포벽에는 다양한 형태의 탄수화물 사슬이 있는데, 이는 적혈구 세포막에 존재하는 탄수화물 사슬과 매우 유사하며, B 림프구는 이를 항원으로 인식할 수 있다.

(제시문 3) ABO식 혈액형 중 A형은 적혈구 세포막에 응집원 A가 있으며 혈장에 응집소 β가 있다. B형은 적혈구 세포막에 응집원 B가 있으며 혈장에 응집소 α가 있다. 또, AB형은 적혈구 세포막에 응집원 A와 B가 모두 있고 혈장에 응집소는 없으며, O형은 적혈구 세포막에 응집원은 없고 혈장에 응집소 α와 β가 모두 있다.

(제시문 4) ABO식 혈액형 이외에 수혈에 주의해야 하는 혈액형으로는 Rh식 혈액형이 있다. Rh식 혈액형에서 적혈구 세포막에 Rh 응집원이 있으면 Rh$^+$형, Rh 응집원이 없으면 Rh$^-$형이다. Rh$^+$형과 Rh$^-$형 모두 응집소가 없지만, Rh$^-$형의 경우 Rh 응집원에 노출되면 Rh 응집소가 생성된다.

(제시문 5) ABO식 혈액형의 응집소 α와 β는 Rh식 혈액형의 Rh 응집소와 달리 5개의 γ−글로불린이 결합한 형태이다.

응집소 α   응집소 β   Rh 응집소

(1) 일반적으로 항체는 항원에 노출된 후 생성된다. 그러나 ABO식 혈액형의 경우 응집원 A, B에 직접 노출되지 않아도 출생 2개월~8개월 후에는 혈액형에 따라 응집소 α, β가 자연적으로 생성된다. 그 까닭을 (제시문 1)과 (제시문 2)를 근거로 추론하시오.

(2) ABO식 혈액형이 B형인 사람의 혈액을 O형인 사람에게 수혈할 수 없는 까닭을 (제시문 3)을 근거로 서술하시오.

(3) Rh$^-$형인 여성이 Rh$^+$형인 첫째 아이를 낳은 후, Rh$^+$형인 둘째 아이를 임신하였을 때 태아가 적아 세포증으로 유산될 확률이 높은 까닭을 (제시문 4)를 근거로 서술하시오. 또, 이와 비교하여 ABO식 혈액형에서는 모체와 혈액형이 다른 아이를 임신하였을 때 적아 세포증에 대한 걱정을 하지 않는데, 그 까닭을 (제시문 5)를 근거로 서술하시오.

답안

생명과학 | 용어 찾아보기